JUAN BENET

PERSILES - 170

SERIE *EL ESCRITOR Y LA CRÍTICA*

EL ESCRITOR Y LA CRÍTICA

Directores: RICARDO Y GERMÁN GULLÓN

TÍTULOS DE LA SERIE

Benito Pérez Galdós, edición de Douglas M. Rogers.
Antonio Machado, edición de Ricardo Gullón y Allen W. Phillips.
Federico García Lorca, edición de Ildefonso-Manuel Gil.
Miguel de Unamuno, edición de Antonio Sánchez-Barbudo.
Pío Baroja, edición de Javier Martínez Palacio.
César Vallejo, edición de Julio Ortega.
Vicente Huidobro y el Creacionismo, edición de René de Costa.
Jorge Guillén, edición de Biruté Ciplijauskaité.
El Modernismo, edición de Manuel Durán.
Miguel Hernández, edición de María de Gracia Ifach.
Jorge Luis Borges, edición de Jaime Alazraki.
Novelistas hispanoamericanos de hoy, edición de Juan Loveluck.
Pedro Salinas, edición de Andrew P. Debicki.
Novelistas españoles de postguerra, I, edición de Rodolfo Cardona.
Vicente Aleixandre, edición de José Luis Cano.
Luis Cernuda, edición de Derek Harris.
Leopoldo Alas «Clarín», edición de José María Martínez Cachero.
Francisco de Quevedo, edición de Gonzalo Sobejano.
Mariano José de Larra, edición de Rubén Benítez.
El Simbolismo, edición de José Olivio Jiménez.
Pablo Neruda, edición de Emir Rodríguez Monegal y Enrico Mario Santí.
Julio Cortázar, edición de Aurora de Albornoz.
Gabriel García Márquez, edición de Peter Earle.
Mario Vargas Llosa, edición de José Miguel Oviedo.
Octavio Paz, edición de Pere Gimferrer.
El Surrealismo, edición de Víctor G. de la Concha.
La novela lírica, I y II, edición de Darío Villanueva.
El «Quijote» de Cervantes, edición de George Haley.
Gustavo Adolfo Bécquer, edición de Russell P. Sebold.
«Fortunata y Jacinta», de B. Pérez Galdós, edición de Germán Gullón.
Juan Benet, edición de Kathleen M. Vernon.

TÍTULOS PRÓXIMOS

Lope de Vega, edición de Antonio Sánchez-Romeralo.
El Naturalismo, edición de José María Martínez Cachero.
Manuel Azaña, edición de José Luis Abellán y Manuel Aragón.
Ramón del Valle-Inclán, edición de Ricardo Doménech.
José Ortega y Gasset, edición de Antonio Rodríguez Huéscar.
«La Regenta», de Leopoldo Alas, edición de Frank Durand.
José Lezama Lima, edición de Eugenio Suárez Galván.
Juan Carlos Onetti, edición de Hugo Verani.
Novelistas españoles de postguerra, II, edición de José Schraibman.
Teatro español contemporáneo, edición de Ricardo Doménech.

JUAN BENET

Edición
de
KATHLEEN M. VERNON

Cubierta
de
ANTONIO JIMÉNEZ
con viñeta
de
MANUEL RUIZ ÁNGELES

Príncipe de Vergara, 81, 1.° - 28006 MADRID
ISBN: 84-306-2170-9
Depósito legal: M. 33.651-1986
PRINTED IN SPAIN

ÍNDICE

IV

CONTEXTOS

NOTA PRELIMINAR

Editar esta antología dedicada a la obra de Juan Benet en la colección «El escritor y la crítica» supone de inmediato un enfoque doble, una conjunción disyuntiva escritor/crítica. Tanto más en el caso de quien, como Juan Benet, ha mantenido una relación a veces tempestuosa con la crítica, si no al nivel individual, sí con respecto a la crítica como institución, llegando a cuestionar la validez de su actividad y función. Pero no debemos dejarnos llevar por consideraciones de este tipo sin definir primero lo que entendemos por escritor y crítica en el contexto de este volumen. Porque al oponer la pretendida unidad/unicidad del escritor, blanco único de dardos analíticos, a una crítica varia y múltiple, corremos el riesgo de pasar por alto una verdad esencial que se ha de tener en cuenta en el proceso dinámico y dialéctico que es el encuentro entre escritor y crítica.

Wayne Booth, profesor y crítico norteamericano que tanto nos ha enseñado sobre el análisis de la narrativa, es también uno de los estudiosos que con más penetración ha reflexionado sobre la relación entre autor, crítico y lector. Propagador del concepto «autor implícito», figura y función textual, desdoblamiento del autor «real», con quien no ha de confundirse ni formal ni literalmente, en su libro más reciente (*Critical Understanding*, Chicago, 1979) modifica otra vez nuestra concepción del autor, elevando el censo de figuras autorales de dos a cinco. En una lista de funciones y personas, que puede parecer algo arbitraria pero que da el debido relieve al problema, Booth pretende distinguir el «escritor» de carne y hueso —conocido de sus amigos y familiares y, por tanto inaccesible y, en principio, sin relevancia para la crítica— de la «persona pública» —proyección o auto-creación del hombre/escritor no a través de su obra sino de sus apariciones en la prensa, los medios de comunicación audio-visuales o las entrevistas. De estas manifestaciones extra-literarias del escritor pasa a las propiamente textuales, el autor implícito, dividido en este análisis en autor implícito de una obra individual y autor implícito de un *corpus*, seguido finalmente por la posible figura autorial dramatizada en la narración o lírica en primera persona.

Frente a esta repentina multiplicación de personas autoriales, ¿cuál (o cuáles) de ellas será aquí el objeto de nuestro enfoque crítico? Casi una ejemplificación del autor polifacético de Booth, Juan Benet, ingeniero de caminos, dramaturgo, ensayista, autor de artículos periodísticos, polemista, que a ratos incluso ejerce de crítico literario, elude cualquier tentativa de encajarle en una sola categoría. En este volumen, sin embargo, a pesar de un deseo de dar cuenta cabal de las muchas facetas del hombre y del escritor, hemos optado, tal vez con más razón en el caso de un hombre todavía joven, en plena producción literaria y también tan visible en el horizonte para-literario, por concentrarnos en las manifestaciones del escritor a través de su obra narrativa, tanto a nivel de obras individuales como del conjunto de éstas.

Tal elección supone entrar en el terreno de la crítica, donde vemos, por un lado, un reflejo y una respuesta a la situación del escritor y de su obra. Tanto con respecto a la crítica como al escritor Benet, se trata de una *work in progress*. Esta antología testimonia, por la selección y la organización de los ensayos incluidos, un proceso de aprendizaje por parte de la crítica que ha tenido que aprender y sigue aprendiendo a leer la obra de Benet. Es bastante conocida la historia de las primeras publicaciones de Benet, comentada en la entrevista y en los artículos de la primera sección de este volumen; la colección de relatos, *Nunca llegarás a nada*, costeada por el propio autor, fue recibida con un silencio total por el mundo crítico y editorial, y sólo con la publicación de *Volverás a Región* y *Una meditación*, esta última galardonada con el premio Biblioteca Breve, hizo Benet sentir su presencia en el horizonte literario español, una presencia que desde entonces no ha hecho más que crecer, favorecida por un ritmo de publicación cada vez más acelerado. Pero no sólo en el horizonte español. De hecho uno de los aspectos más interesantes de lo que Ricardo Gullón ha llamado el «fenómeno Benet» es la gran resonancia despertada entre hispanistas norteamericanos por la narrativa benetiana; esta obra ha inspirado cuatro libros de crítica en inglés sin que ni uno solo se haya publicado en español. Pero aquí entramos en cuestiones de sociología de la crítica que no tienen cabida en esta nota preliminar.

De manera que nuestra antología no niega el carácter de aprendizaje que marcan sus páginas, dando testimonio no sólo de varias etapas en la producción de Benet sino también de diferentes e incluso balbucientes momentos de recepción por parte de lectores y críticos. Al contrario, asume esta característica no como defecto sino como virtud y reflejo de una determinada historia de recepción crítica.

¿Y qué decir de la muy citada y ya tópica dificultad de las obras de Benet? Complejo, enigmático, elíptico: son palabras que se oyen con frecuencia en relación con sus libros, cuando no formulaciones más negativas: oscuro, resistente, impenetrable. George Steiner, en un ensayo dedicado a la dificultad en la literatura (*On Difficulty*, Oxford, 1978), señala cuatro tipos diferentes de dificultad: dos localizados en el receptor de la obra que puede encontrar el texto resistente por razones de contexto o lenguaje (las «contingentes» que le envían al diccionario u otro libro de consulta en busca de una palabra rara o una alusión histórica, literaria, mítica), o por diferencias de sensibilidad que le separan irremediablemente del escritor y su tiempo (dificultades «modales»). Las dos restantes, según Steiner, se originan en la actitud o práctica del propio escritor que puede servirse de una dificultad «táctica», a fin de lograr ciertos efectos estilísticos, o de una dificultad «ontológica», para plantear cuestiones fundamentales sobre la naturaleza del lenguaje y el proceso de significación.

Hasta cierto punto estas categorías pueden sernos útiles a la hora de situar a Benet y analizar la naturaleza de las resistencias de su obra. Dificultades de lenguaje (contingentes), sintaxis (¿tácticas?), la indefinibilidad final del propio argumento narrativo (ontológica o, en este caso, más bien epistemológica) son los rasgos fundamentales de la ficción benetiana. Pero lo esencial de la escritura de Benet está en otra parte. Desde la perspectiva del autor/obra, la «dificultad» (para llamarlo así; otros lo llamarían incluso estilo) le presta a la obra una coherencia, una sustancia ausentes de la obra de la casi totalidad de sus contemporáneos españoles. Desde el punto de vista del lector o crítico, la resistencia del texto benetiano le exige, le impone una concentración, una intensidad en su «performance» lectoral que si no es la complicidad brindada por otros textos modernos, funciona al mismo tiempo como condición previa y como recompensa a la entrada en el universo benetiano. Porque Benet es un escritor como los de antes, que crea un mundo novelesco inconfundible para sus lectores con el de cualquier otro escritor.

Así que los ensayos que siguen pretenden ofrecer un camino de acceso a ese mundo. Un camino, por otra parte, transatlántico, puesto que aquí se reúnen artículos representativos del gran interés, ya aludido, mostrado hacia la obra de Benet por el hispanismo norteamericano, junto a ensayos de los mejores y más fieles lectores de Benet en España. La organización de los ensayos requiere poca explicación. La sección «Aproximaciones» responde a un criterio cronológico, al mismo tiempo referente a la aparición de las primeras obras de Benet y a las primeras reacciones críticas a éstas, así como a la necesidad de ofrecer una introducción a su obra para el lector menos familiarizado con ella. El segundo y más extenso grupo de ensayos corresponde a los análisis dedicados a las novelas situadas en Región y creadoras de esa zona literaria y mítica, no exenta de ecos referenciales. La tercera sección sirve el propósito de dar una idea del virtuosismo narrativo de Benet, no sólo dueño y señor de la comarca regionata sino también cultivador de toda una gama de registros ficcionales, desde la parodia descarada hasta el *ghost story* y el relato erótico. La última serie de ensayos representa una tentativa de situar a Benet en un contexto literario que incluye a sus contemporáneos españoles e hispanoamericanos, pero que se centra fundamentalmente en una visión del autor como lector —dejando, además, la palabra final al autor/lector crítico que es Juan Benet.

Una observación en lugar de una conclusión con respecto a la relación escritor/crítica. Aludimos al comienzo a la naturaleza polifacética del autor (de todos, desde luego, y de él, en particular). Frente a esta multiplicidad, presentamos una respuesta crítica que es todo menos única, monolítica. No se trata de crítica *versus* escritor. Tanto en el plano metodológico como en el cultural, la crítica ofrece aquí una cara también múltiple. Confrontados a la obra estimulante de un escritor difícil (o la obra difícil de un escritor estimulante), estos críticos han respondido con el debido respeto para el escritor y su obra y con modestia en cuanto a su propia función, pero sin disculpas ni vacilaciones. Los ensayos de este volumen se inscriben en la línea de un diálogo entre escritor y crítica que confiamos resulte de interés y provecho para todos.

Quiero dar las gracias a los autores de los ensayos y a The University Press of New England y The Johns Hopkins University Press por su autorización para reeditarlos. Debo especial gratitud a varios amigos y colegas: a Ricardo Gullón por su infatigable ayuda y apoyo en la preparación de esta antología, a Ema Rosa Fondevila e Isabel Soto por su ayuda en la traducción y revisión de los ensayos publicados originalmente en inglés, y a Maryellen Bieder por sus consejos críticos y su respaldo técnico.

Kathleen M. VERNON

I

APROXIMACIONES

ANTONIO NÚÑEZ

ENCUENTRO CON JUAN BENET

En el pasado mes de enero, Pedro Gimferrer se ocupó en estas mismas páginas de un escritor de escasa obra publicada, pero que, sin duda alguna, viene a proponer con ella un cambio de orientación en la narrativa española. A este escritor, Juan Benet, le acaba de ser concedido el premio «Biblioteca Breve», instituido por la Editorial Seix Barral. Con este motivo, y muy principalmente con el deseo de que los lectores tengan una nueva aproximación a este escritor, me entrevisto con él en su casa, una casa muy burguesa en su apariencia y un individuo muy diferente. He aquí, con las imprescindibles acotaciones mías, las palabras de Juan Benet:

— *Nací en octubre de 1927, en Madrid. Mi padre murió durante los primeros días de la guerra. Despues de la guerra, hice los estudios de bachillerato en Madrid y la carrera de ingeniero de caminos, que acabé en 1954. He vivido fuera de Madrid entre 1954 y 1964, dedicado a esa parte de la profesión, por decirlo así, que son las obras públicas. La verdad es que he escrito siempre, desde mis tiempos de estudiante. Hacia el año 1961 me decidí a publicar a mi costa un libro de relatos que se llama* Nunca llegarás a nada, *cuya edición me costó poco dinero, pero mucho esfuerzo. Lo editó un amigo mío: Vicente Giner.*

— ¿Mucho esfuerzo?

— *Yo creía que editar un libro por cuenta del autor no supondría esfuerzo, pero resulta que no es así; o por lo menos, no era así. Creo que el editor tampoco es dueño de sus actos al depender del distribuidor. Me vino a decir Giner que él no podía editar un libro de un autor desconocido y, por añadidura, di-*

fícil de leer, porque ello suponía una especie de borrón y el distribuidor le exigía libros comerciales. Así que fue sólo gracias a la generosidad de Vicente por lo que salió el libro. Era un libro muy superficial; muy superficial, no, pero muy torpemente escrito. Ahora me lo ha pedido Alianza Editorial y tengo que arreglarlo.

— ¿Cómo transcurrió tu infancia y tu adolescencia?

— *Creo que lo que más me influyó fue la guerra civil, que me sorprendió a los nueve años: Verse separado de los padres, vivir las dos Españas y, por una de esas paradojas de la vida, desfilar en Madrid con los pioneros de Lenin y ver en San Sebastián el desfile de los falangistas que habían conquistado Calpe. Las circunstancias de la guerra asoman en mis dos novelas, más en la primera. Y luego ese colegio religioso al que hemos ido todos.*

— ¿No te sentías a gusto dentro del colegio?

— *No es esa la palabra. Ni a gusto ni a disgusto, sino en pugna. No creo en la educación. En mis tiempos nos educábamos en la absoluta enemistad con el maestro. Quizá lo más formativo es el coraje que te desarrolla un estado ingrato. Ahora veo que la educación de mis hijos es completamente distinta.*

— Le pido a Benet que me indique los libros que ha publicado y las fechas de aparición.

— Nunca llegarás a nada *(Ediciones Tebas, 1961),* La inspiración y el estilo *(Una serie de ensayos que publicó Revista de Occidente en 1966), y* Volverás a Región *(Ediciones Destino, 1967).*

Iniciamos un comentario sobre *Volverás a Región.*

— *No te preocupes de ella* —termina Benet—; *es muy aburrida.*

— ¿Qué es para ti la literatura?

Suelta un taco y se remueve en el asiento. Mira el reloj y toma la botella de whiski:

— *Hay que echarse de esto*—dice Benet, con una sonrisa—. *La Pavlova contestó: «Si yo supiera responder a esa pregunta, no bailaría.» No sé si fue la Pavlova o Nijinsky, o cualquiera de esos que no hemos visto nunca. Pero algo de razón tenía el hombre cuando lo dijo. No sé, es una pregunta..., si me dijeras: ¿Cómo es la literatura? Pero la pregunta que me haces es una constante de la vida del escritor, no admite respuesta. Todos haremos nuestra pequeña literatura y nadie habrá respondido a la pregunta. A veces piensas que has logrado develar ese interrogante, ese misterio; pero, si lo hicieras de un modo total, agarrarías la puerta y te irías; no escribirías. Yo creo que esa pregunta no tiene contestación.*

— ¿Cuáles son los problemas que te preocupan?

— *Creo que todos. Los mismos que se debió plantear el primer escritor que cogió la pluma: qué decir y cómo decirlo. En definitiva, el último que me plantearía es el sociológico, la pregunta ¿para qué?, que no me preocupa nada. Escribo, en definitiva, porque me distrae, me entretiene, y es una de esas cosas de las que no me harto nunca; cuesta mucho, pero no decepciona. Y seguimos tratando el problema de siempre: que todo lo que nos rodea es un enigma. Mañana se puede poner a volar este sillón, ¿por qué no? Y seguimos sabiendo tan poco sobre nuestra propia naturaleza como en los días de la tragedia griega; o menos, quizá porque el hombre ya es más complejo.*

— ¿Cuáles son, a tu juicio, las dificultades para escribir en España?

— *Deben ser monstruosas. Tengo para mí que si es difícil escribir en todo el mundo, en España lo debe ser mucho más. No lo digo por mi caso, puesto que, debido a determinadas circunstancias, no he tenido dificultades. Las he tenido para editar, pero si a esta dificultad le añades la situación de otros escritores que por no poder editar no pueden escribir, las dificultades adquieren caracteres bíblicos. Ello en razón de que es difícil vivir de lo que se escribe; si se consigue esto, es difícil, en segundo lugar, superar la profesionalización, salvaguardar la independencia para poder seguir escribiendo lo que uno quiere, cosa que considero imprescindible para poder hacer algo. En otro nivel, en España no se puede escribir sobre cualquier tema, todavía quedan muchas cuestiones vedadas al escritor. Y en un último plano, el escritor español, rodeado como está de una sociedad mediocre y no demasiado interesante, debe sacar todo de su imaginación para escribir algo singular. En España debe ser tan difícil que haya un escritor imaginativo como que se dé un pintor de bodegones entre los nómadas del desierto, o algo así. Y ahí se cierra el círculo, porque, cuando escribe algo singular e imaginativo, la sociedad española no lo compra y, más o menos, le obliga a encauzarse por los cánones de la literatura de consumo. Yo estoy muy satisfecho de no ser un escritor profesional y procuraré no serlo nunca.*

Entre un callejón de divagaciones llevadas mano a mano, surge inevitablemente un tema. Juan Benet se expresa en los siguientes términos:

—*El libro último, me refiero a* Volverás a Región, *ha sido censurado; en honor a la verdad, poco censurado, me atrevería a decir que esa censura lo ha mejorado. No hablo de una censura brutal que impida hablar de determinadas cosas y obligue al escritor a entrar en el campo de lo ilegal cuyas dimensiones y alcance podrían precisarse. Pero al margen de ese tipo de censura, existen en nuestra sociedad otras censuras, desde siempre, que el escritor ha tenido que aceptar, burlar y, en algún caso, y por último, rendir. Pongamos el caso de la literatura erótica desde que el mundo es mundo, que ha burlado o desdeñado a la censura, y, en definitiva, ¿qué se ha logrado?: una literatura en cierto modo pornográfica, que por lo general tiene muchas menos virtudes literarias que las que tuvo una literatura vedada.*

—Parece que bendecimos a la censura.

—*En cierto modo, sí. Como bendigo a todo instrumento de defensa que, por eso mismo, se convierte en estimulante. Si la censura no le impidiera abordar al escritor determinados temas, no habría investigación sobre esos temas. Si la naturaleza no fuese misteriosa no habría habido ciencia.*

—Pero imagínate que una vez hallado el resultado, después y con frecuencia de un doloroso proceso de investigación, se le dice al escritor que su trabajo no puede ver la luz.

—*El resultado de tal estado de cosas es nefasto* —replica Benet—, *dado que ese tipo de censura plantea, por lo general, una situación sin evolución, de una vez para siempre, y por lo común se muestra ciega a la investigación. Quizá una situación ideal e imposible, casi platónica se puede decir, fuera una censura que impidiera al escritor hablar de cualquier cosa hasta tanto no hubiera desarrollado su investigación, llegada la cual se levantaría la censura. Se puede estar en desacuerdo con el sistema y las formas de la sociedad española, pero ¿qué sociedad cabe que no se oculte a sí misma? Es como el naturalista que emplea treinta años en la observación de dos mariposas y tres abejas para deducir una sola ley de su comportamiento. Igual le ocurre al escritor. Hace cincuenta años no se podía confesar en un relato que te masturbabas en el colegio. ¿Cuándo podrá declarse una relación incestuosa? La naturaleza del hombre será siempre inextricable, por fortuna.*

—¿Qué juicio te merece la novela española de hoy?

—*No creas que soy un experto. He leído algunos premios sonados, alguna novela que me han recomendado los amigos. Creo que la novela de hoy, la de ayer y la de antedeayer, es una novela que le falta imaginación y que, aceptando en cada momento el dictado moral, el escritor español no ha salido de cierto costumbrismo muy romo. Y eso, sea en la novela de estampas, en la novela de costumbres, en la novela de denuncia social, ha estado siempre limitado a un tipo de narración demasiado sujeta a la vida cotidiana. En este país no ha habido, yo creo que desde el siglo XIX, novela de aventura, novela de misterio, novela del mar —excepto Baroja—, ni novela de imaginación; y, si me apuras, ni novela de pasión. No ha habido más que estampas de la vida familiar, de la vida provinciana, de la vida en el campo y de la vida en la oficina. Y poco más que estampas. A mí no me interesa. Cambio todo Galdós por una novela de Stevenson. Lo que hacía «Fortunata» por la calle Mayor no me ha interesado nunca, absolutamente nada.*

— Pedro Gimferrer ha observado en tu obra determinadas influencias de otras literaturas —le digo a Benet—. De la anglosajona, concretamente.

— *La anglosajona, sí; sin duda. A Faulkner habrá que mencionarlo en primer lugar, aunque hace años que no lo leo. En un tiempo fue Sterne el que más leí. Y Henry James y, sin duda, Melville. ¿Y quién más? Tengo que ir a la biblioteca y mirarlo.*

— ¿A ti te interesó Martín-Santos?

— *La pregunta es muy delicada. Quizá porque el mayor bache que se produjo en nuestra amistad lo originó una opinión bastante descortés y poco atenta sobre* Tiempo de silencio. *Me interesó esta novela, pero no me gustó nada. Y no creo que sea una novela de mucho fondo, pero evidentemente ha ejercido y está ejerciendo bastante influencia. Se trata, a mi modo de ver, de una estampa más, aunque aureolada, ¡qué sé yo!, por un intento lingüístico considerable y un anhelo y un afán por la ironía que a mí me fatigan bastante. Y si es una sátira, mejor será decirlo de una vez para siempre. Yo leí el borrador de la segunda novela que dejó poco más que a la mitad, con el título de Tiempo de destrucción, me parece, y creo que se trataba de una novela muy superior a la primera, más seria y menos folletinesca.*

— Hablemos del premio Biblioteca Breve, que te acaba de ser concedido.

— *La novela se llama* Una meditación, *es bastante extensa y monótona. Un latazo. No tiene diálogo y aparece como un discurso, un largo discurso. Este discurso es la memoria de un señor, que es un joven antes de la guerra, y vive en un país imaginario que tiene un parentesco geográfico con «Región». Es más ambiciosa que la anterior y, por lo tanto, más frágil. Puede ser un buen libro y puede ser un buen bodrio. Esto no seré yo quien tenga que decirlo. Este señor se equivoca, confunde y, sobre todo, como todo narrador de muchas cosas, no dice la verdad y produce en su propio discurso sus insidias y, por lo tanto, se contradice. No creo que haya acertado en retratar indirectamente, porque a confesión propia no lo ha de decir, que es un bellaco y autor o instigador de algunos de los dramas de que consta el argumento. El discurso está basado en una serie bastante cíclica, porque se va repitiendo en unas anécdotas que este personaje narra. Y tras cada narración, divaga y se mete en consideraciones sobre cada caso, sobre cada sentimiento, sobre cada motivación, muchas de ellas prolijas, pesadas, con grandes pretensiones analíticas, que me parece que hacen que el libro sea un volumen bastante farragoso.*

— ¿Cuándo empezaste a escribir *Una meditación*?

— *En 1965, pero he interrumpido mucho la redacción.*

— Se ha hablado mucho de que has escrito la novela en un rollo de papel continuo, acoplando a la máquina un dispositivo especial.

— *Se ha hablado mucho, excesivamente, como si importara eso más que la novela. Te voy a traer el cacharro para que lo veas.*

Benet regresa enseguida con un aparato de madera que pone en el suelo, sobre la alfombra.

— *He aquí lo que ha levantado la polvareda. Como ves, no tiene nada del otro mundo. Yo lo dibujé y me lo hizo un carpintero de obra. Consta de estos dos laterales sobre una base de madera que asienta sobre la mesa, inmediatamente detrás de la máquina de escribir. En el eje inferior situé la bobina de papel, que fue lo más difícil de encontrar hasta que me la hizo un papelero amigo de Guipúzcoa; y en el eje superior, que es en realidad un torno, vas enrollando la tira de papel escrita. Planteé la cosa así para no dejar de escribir la novela, simplemente eso, además de que resulta más cómodo tener el original en una larga tira que en folios que tienes que numerar, o que puedes extraviar. Estos rollos de ciento y pico metros son mucho más baratos que los folios, te lo digo por si te interesa.*

— ¿Has escrito algo más en estos cuatro años?

— *Al mismo tiempo que* Una meditación *he escrito un libro de crítica literaria que tiene Barral (ensayos sobre la metáfora, sobre el rey Lear y algunos más), y dos piezas de teatro.*

El diálogo toca a su fin.

— *Te voy a traer un ejemplar de* Nunca llegarás a nada —se vuelve un momento y me pregunta muy seriamente—: *Te puedo dar cien, tú verás*.

Le digo que un solo ejemplar, que me dedica. Desde la puerta de su casa, me dice:

—*Llama cuando quieras*.

[*Ínsula*, Madrid, n.º 269, abril de 1969, p. 4.]

DAVID K. HERZBERGER

LA APARICIÓN DE JUAN BENET: UNA NUEVA ALTERNATIVA PARA LA NOVELA ESPAÑOLA

Juan Benet es una de esas personas extraordinarias que ha ejercido con éxito dos carreras que requieren niveles contrastantes de intuición, sensibilidad y genio creativo: a saber, el rigor científico de la ingeniería moderna frente a las exigencias estéticas de la escritura literaria. Según su propia afirmación, Benet es ingeniero en plena dedicación (una profesión que ejerce con energía y placer), mientras que insiste que es un autor sólo por horas. Sin embargo desde la publicación de su primera novela, *Volverás a Región*, en 1968, Benet se ha revelado como uno de los escritores más prolíficos de España[1]. Aunque el carácter esotérico de sus obras —particularmente sus novelas— ha limitado mucho su capacidad de atraer a un público numeroso, Benet es considerado por la mayoría de los críticos como una de las figuras más importantes en el desarrollo de nuevas alternativas en la novela española contemporánea. Así concluye Manuel Durán en su estudio de Benet: «La nueva novela española ha nacido ya y está en pleno desarrollo.»[2]

Nacido en Madrid en 1927, Benet pertenece cronológicamente al grupo de escritores conocidos como la Generación de 1950.

---

[1] En este estudio predominará el enfoque centrado en sus novelas. Las letras o palabras que siguen a cada título indican la forma de identificarlas cuando se citan pasajes procedentes de ellas: *Volverás a Región*, Barcelona, Ediciones Destino, 1968 (*V. a R.*); *Una meditación*, Barcelona, Seix Barral, 1970 (*Med.*); *Un viaje de invierno*, Barcelona, La Gaya Ciencia, 1972 (*Viaje*); *La otra casa de Mazón*, Barcelona, Seix Barral, 1973 (*Otra casa*).

[2] Manuel DURÁN, «Juan Benet y la nueva novela española», *Cuadernos Americanos*, 195 (1974), 193-205. [Aquí, pp. 229-241].

Principalmente a causa de su orientación neorrealista y su posición «comprometida» respecto a la literatura, este grupo de escritores y las doctrinas que defendían se convirtieron en la fuerza literaria más destacada en España durante casi treinta años después de la Guerra Civil. Pero a pesar de su afiliación cronológica con estos autores, Benet representa la antítesis directa de sus fundamentales cánones literarios. Aunque escribió teatro y prosa durante los años 50, publicó muy poco durante este período. Su primera obra teatral, *Max* (1953), corresponde en general a las doctrinas neorrealistas del momento pero es la primera y la única que se ajusta a la estética de la literatura social. Ocho años más tarde, Benet publica su primera colección de cuentos, *Nunca llegarás a nada* (1961), que anticipa el tono, estilo y temática que el autor desarrollará con más intensidad en los cuentos y novelas posteriores. Desde una perspectiva actual, se puede ver en estos cuentos que Benet rechaza, ya en fecha muy temprana, las técnicas y los temas neorrealistas, y que posee una actitud innovadora hacia la literatura.

La pregunta fundamental persiste, sin embargo, a saber, qué distingue a Benet como escritor de minorías; un escritor cuyas novelas son difíciles de leer, ya no de comprender; un escritor que se mantiene al margen del «establishment» literario y que ha declarado que «la gloria de un escritor descansa en la facultad de seguir siendo un motivo de gozo para la clase culta». O sea, tenemos que identificar lo que Henry James llamó «la figura en la alfombra», «aquello que más hace que el escritor se aplique, aquello sin lo cual, sin el esfuerzo por lograrlo, no escribiría nada, la pasión misma de su pasión, la parte de su empresa en que, para él, la llama del arte arde con mayor intensidad». Aunque sería precipitado proponer conclusiones definitivas respecto a las novelas de Benet, como si de una obra ya completa se tratara, ciertas observaciones pueden hacerse, que servirán para aclarar «la llama de su arte» y revelar la naturaleza de sus logros hasta el momento. Este estudio pretende proporcionar una revisión panorámica de los rasgos destacados de las novelas de Benet y por consiguiente nos permitirá formular ciertas conclusiones respecto a la relación de Benet con la generación literaria en que ha vivido.

Benet sitúa la acción de todas sus novelas en Región, una comarca mítica creada de modo similar al condado Yoknapatawpha de Faulkner. Este universo narrativo privado —Región— es el símbolo más explícito de la ruina y la desesperación que constituyen el motivo central de cada una de las novelas de Benet.

Creada por primera vez en el cuento «Baalbec, una mancha» (*Nunca llegarás a nada,* 1961), Región no alcanza su pleno desarrollo hasta la publicación de *Volverás a Región*, donde sus peculiaridades geográficas se presentan de forma detallada. Desde cierto punto de vista, Región es la totalidad de personajes, sucesos y temas sociales que, según la visión benetiana, representan la España del siglo XX. Sin embargo, más importante que el trasfondo social es la realidad enigmática de Región en sí, realidad que Benet retrata en varios niveles de complejidad. Desde una perspectiva, Benet describe Región y el área de los alrededores con una precisión científica. De hecho, Región aparece descrita con tal detalle, tanto en su formación geográfica como en la geológica que, como afirma Ricardo Gullón, «el lector se precipita al mapa para buscar en él la ciudad y sus alrededores»[3].

Benet también se esfuerza en dar una impresión de exactitud en la descripción de la *flora* y *fauna* de Región. Mientras que una parte de la zona consiste en un desierto árido y despoblado, otras secciones cerca de las montañas están cubiertas de una vegetación abundante: «Surgen allí, espaciadas y delicadas de color, colchicos y miosotis, cantuesos, azaleas de altura y espadañas diminutas» (*Volverás a Región,* p. 9). Con semejante empeño en el detalle y la exactitud de la descripción, Benet presenta los ríos, valles, desiertos y cordilleras que forman Región y sus alrededores.

En un segundo y más complejo plano de realidad, Benet retrata Región en un estado total de decadencia, rodeada de paisajes hostiles y sumergida en una zona templada amenazante. Una de las imágenes repetidamente asociadas con Región es el laberinto[4]. Si, por un lado, Benet describe las montañas con objetividad científica, por otro lado representa el área como un laberinto de ríos y arroyos peligrosos: «... en la frontera meridional que mira al este el altiplano se resuelve en una serie de pliegues irregulares de enrevesada topografía que transforman toda la cabecera en un laberinto de pequeñas cuencas» (*V. a R.*, p. 8). El viajero que intenta llegar a Región por cualquiera de los caminos de acceso se encuentra con una ruta igualmente laberíntica: «El

---

[3] Ricardo GULLÓN, «Una región laberíntica que bien pudiera llamarse España», *Ínsula,* 319 (1973), 3, 10.

[4] El laberinto es un concepto importante en el desarrollo del *nouveau roman* francés. Según novelistas tales como Nathalie Sarraute, Robbe-Grillet y otros, el mundo es un complejo laberinto que el escritor ha de reflejar en sus novelas.

primer itinerario es penoso y laberíntico, a menudo impracticable, y en algunas estaciones benignas del año, fatal» (*V. a R.*, p. 52). En cambio, aunque no menos peligroso, el camino que va desde Región hasta las montañas de Mantua atraviesa lo que parece ser un desierto interminable. Como nos dice el narrador en la primera línea de la novela: «Es cierto, el viajero que saliendo de Región pretende llegar a su sierra siguiendo el antiguo camino real —porque el moderno dejó de serlo— se ve obligado a atravesar un pequeño y elevado desierto que parece interminable» (*V. a R.*, p. 7).

Benet pinta un retrato muy complejo de Región, compuesto de descripciones contrastantes y complejidades sutiles. Por ejemplo, el desierto —ardiente, solitario, hostil— se contrasta con los valles lozanos cercanos: «Toda la vegetación que la naturaleza ha negado a la montaña y economizado en la meseta, la ha prodigado en los valles transversales donde se extiende y multiplica, se comprime, magnífica y apiña transformando esas someras y angostas hondonadas en selvas inextricables donde crecen los frutales silvestres...» (*V. a R.*, p. 43). Las condiciones climáticas de Región son igualmente malévolas: «Porque si la tierra es dura y el paisaje es agreste es porque el clima es recio: un invierno tenaz que se prolonga cada año durante ocho meses y que sólo en la primera quincena de junio levanta la mano del castigo no tanto para conceder un momento de alivio a la víctima como para hacerle comprender la inminencia del nuevo azote» (*V. a R.*, p. 43). Así que Benet construye cuidadosamente un ambiente en el que subraya los elementos contrastantes y hostiles del medio ambiente físico: desierto-vegetación abundante; calor-frío, montaña-valle, ríos-arroyos secos; vida-muerte.

En un tercer plano de comprensión, la descripción de Región da énfasis a los elementos inexplicables y enigmáticos que penetran todas las novelas de Benet. Una de las técnicas más eficaces empleadas por el autor para crear una impresión de misterio en torno a Región consiste en la yuxtaposición de elementos antitéticos en su evocación del paisaje. Mientras que describe meticulosamente la formación geológica de una montaña o valle, contrasta la descripción científica con la personificación. Las montañas de Región miden unos 2.480 metros pero la cordillera también «se presenta como un testigo enigmático, poco conocido e inquietante de tanto desorden y paroxismo» (*V. a R.*, p. 39). Las montañas están vivas y por tanto pueden testimoniar la tragedia que se desenvuelve en torno a ellas. De modo semejante, los ríos que atraviesan los valles de Región demuestran características de seres vivos: «Y hacia poniente el Fromigoso que, en comparación con su gemelo, observa desde su nacimiento una recta, disciplinada y ejemplar conducta para, sin necesidad de maestros, hacerse mayor de edad según el modelo establecido por sus padres y recipendarios» (*V. a R.*, p. 40); «Cuando el viejo Mazón levantó su casa en el ribazo de enfrente, la ruina fue acelerada— a causa de la venganza del río dirigido hacia su propio santuario...» (*Otra casa*, p. 5). El cielo de Región emite «el silencioso bostezo de un cielo fatigado y pesaroso que envuelto en un halo húmedo presiente su vergüenza y reprime sus lágrimas con un gesto esquivo que el hombre reserva para el reino animal» (*Med.*, p. 57). Puesto que el paisaje está «vivo», sirve no solamente de trasfondo espacial de las novelas sino que se convierte también en un personaje activo. Las descripciones de Benet del paisaje superan la precisión literal de las palabras a través de su poder sugestivo. El medio ambiente físico impone su voluntad y penetra en las vidas de la gente que viven dentro de él.

Benet también caracteriza el medio enigmático de Región a través de una especie de realismo mágico. Según Luis Leal, «en el realismo mágico los acontecimientos claves no tienen una explicación lógica o psicológica. El mágico realista no trata de copiar (como lo hacen los realistas) o de vulnerar (como lo hacen los surrealistas) la realidad circundante, sino de captar el misterio que palpita en las cosas»[5]. En todas las novelas de Benet hay un intento claro de captar los elementos misteriosos que yacen bajo la realidad superficial. En *Volverás a Región*, uno de los elementos más llamativos es la flor roja que crece libre en las montañas de Región. La flor tiene la forma de un cáliz y se cree que contiene la sangre de «todos los cristianos que a lo largo de los siglos han caído de los combates del Torce.....» (*V. a R.*, p. 189). Sin embargo, la flor sugiere no sólo un pasado legendario de violencia sino también desempeña un papel central en las vidas de la gente que vive cerca de ella: «El paisano la maldice, no la coge jamás no la extirpa ni se atreve a llevar el ganado allá donde ella brota. El día que distraído la pisa, da un salto atrás, cae de hinojos y se persigna tantas veces cuantas flores se hallan a su vista... Porque nace siempre donde descansa un resto humano, un hueso o un

---

[5] Luis LEAL, «El realismo mágico en la literatura hispanoamericana», *Cuadernos Americanos*, 153 (1967), 230-235.

escapulario que está pidiendo venganza, recuerdo y redención al mundo de los vivos» (*V. a R.*, p. 190).

Otro caso del realismo mágico, evidenciado en la descripción de Región, consiste en una misteriosa luz roja, un sonido inexplicable y una picadura dolorosa, que manan todos de una fuente desconocida. Según el narrador, el viajero que intenta penetrar en el bosque de Mantua empieza a oir en la cercanía el ruido de un motor de explosión interna. Aunque busca el origen del ruido, sólo logra agotarse en su búsqueda frenética. La misma noche, un viajero cansado es despertado inesperadamente de su sueño intranquilo por una brillante luz roja. Aterrado, mira la luz fijamente y de repente se siente golpeado en la espalda por un objeto puntiagudo que le causa un dolor muy fuerte (*V. a R.*, pp. 215-216). En *Un viaje de invierno*, tal vez la más enigmática de las novelas de Benet, la atmósfera misteriosa se ve realzada por elementos de realidad mágica y pseudomágica tales como el movimiento del caballo hacia La Gándara, la aparición repetida de los grajos y la relación inexplicada entre el Vals K y el destino de Arturo y el músico. Benet no explica ni el origen ni las consecuencias últimas de la mayoría de estos sucesos, porque, de hecho, no hay explicación. Constituyen sólo un aspecto de la compleja realidad enigmática que envuelve Región, que, combinada con otros sucesos misteriosos, completa el intrincado laberinto espacial y temporal que Benet construye con sumo cuidado en sus novelas.

Puesto que Benet presentó la descripción geográfica de Región con tal detalle meticuloso en su primera novela, no era necesario repetirla en las novelas siguientes. Sin embargo, el lector familiarizado con cualquiera de sus novelas, en particular *Volverás a Región*, no puede sino recurrir a sus conocimientos previos de Región al leer las otras novelas. De la misma manera que nuestra familiaridad con el condado de Yoknapatawpha influye en nuestra reacción a las novelas de William Faulkner, nuestro conocimiento de Región enriquece y profundiza nuestra lectura de las otras novelas regionatas. Es más, la comarca mítica de Benet representa para España lo que el condado legendario de Faulkner significa para el sur de los Estados Unidos: un microcosmos de los problemas sociales, políticos y existenciales que confrontan al hombre moderno. Sin embargo, además de su significado social, Región constituye el núcleo de las novelas de Benet al igual que una concretización inquietante de la Ruina y el misterio que impregnan toda su ficción. Tanto la atmósfera psicológica como la física expresan una desolación penetrante y un fatalismo arrollador, y la naturaleza hostil y enigmática de la zona infecta a los habitantes por medio de una especie de ósmosis dañina. Tal como en la Comala de Juan Rulfo, existe en Región una relación directa entre la situación geográfica, las condiciones climáticas y la ruina física del pueblo, además de la abrogación última de la existencia humana. Por otra parte, el fatalismo destructivo de los habitantes de Región hace eco de la trágica aceptación de su destino por parte de la gente del condado de Yoknapatawpha faulkneriano. Ambos escritores sumergen a sus personajes en la atmósfera moribunda de pueblos condenados, y el resultado se ve en una destructividad humana a la vez física y moral, que acaba provocando el arruinamiento total.[6]

Muchos de los grandes escritores del siglo XX —Proust, Joyce, Faulkner, Dos Passos, Gide, Woolf— han intentado luchar contra el tiempo, mutilándolo cada uno a su manera. De modo parecido, Benet, por su parte, o divide la estructura temporal en varios segmentos complejos para ser reconstruidos por el lector, o bien borra totalmente el orden cronológico de los acontecimientos y crea un vacío temporal. Benet cree que el tiempo existe objetivo e independiente de la presencia o ausencia de cualquier individuo. Esta idea se ve claramente en el símbolo del reloj en *Una meditación*, la casa decaída en El Auge en *La otra casa de Mazón* o en los ciclos temporales indicados por el cambio de estaciones en *Un viaje de invierno*. Pero en general Benet tiende a dirigir su enfoque en el tiempo subjetivo, donde el reloj y el calendario pierden su valor independiente y se fusionan con el fluir psicológico de la mente humana.

Benet emplea con frecuencia una técnica de abruptos cambios temporales en sus novelas. Confunde deliberadamente los períodos temporales, de modo que el pasado no se percibe como distinto del presente sino como incluído en él e influyente en su constitución. Para los personajes benetianos, el tiempo es una fusión del presente y el pasado, en la que este último predomina. El presente se convierte incesantemente en pasado mientras que el futuro no existe. En cierto modo el futuro se ve eliminado ya antes

[6] Varias semejanzas fundamentales existen entre las novelas de Benet y las de Faulkner, puesto que este último desempeñó un papel destacado en la formación literaria de Benet. Mi ensayo no tiene como propósito ofrecer una comparación entre los dos novelistas; sin embargo a lo largo de este estudio he señalado varios puntos de contacto entre los dos escritores.

de existir por un fatalismo abrumador. En *Volverás a Región*, por ejemplo, es el doctor Sebastián quien expresa con más precisión el concepto patentemente destructivo que tiene Benet del tiempo. Para el Doctor, el tiempo «es la dimensión en la que la persona humana sólo puede ser desgraciada... El tiempo sólo asoma en la desdicha y así la memoria sólo es el registro del dolor. Sólo sabe hablar del destino, no lo que el hombre ha de ser sino lo distinto de lo que pretende ser. Por eso no existe el futuro y de todo el presente sólo una parte infinitesimal no es pasado: es lo que no fue» (*V. a R.*, pp. 257-258).

En *Una meditación*. Benet pone énfasis en los aspectos nocivos del tiempo y de la memoria de forma más íntima a través de la consciencia de su narrador en primera persona. El paso del tiempo no se mide por el tictac del reloj sino por los mecanismos de la psique humana: «... solamente los desastres y las pasiones son capaces de fijar el tiempo» (*Med.*, p. 203); «... el tiempo se engendró ni en las estrellas ni en los relojes sino en las lágrimas» (*Med.*, p. 71). Claramente, Benet rechaza una visión matemática del tiempo a favor de un concepto más vital y fluido, tal como expresado en la teoría bergsoniana de la *durée*[7]. A lo largo del siglo XX, consistente con la teoría de Bergson, se ha visto una reducción progresiva en la duración de la ficción de una novela a la vez que la duración psicológica de los personajes se ha dilatado. En casi todas las novelas de Benet, sin embargo, aunque el tiempo psicológico supera con mucho la duración cronológica, los personajes experimentan poco desarrollo interno, si es que acaso lo experimentan. Viven en un momento en que su consciencia sigue existiendo, pero donde el tiempo ha parado para siempre. Su presente y futuro consisten en un pasado ruinoso.

Benet elimina casi por completo toda sugestión de tiempo cronológico en un *Un viaje de invierno*. Nunca experimentamos un presente puro, mientras que el pasado específico tampoco está concretamente definido. De hecho, Benet parece crear con toda intencionalidad una visión intemporal de la realidad donde el pasado y el presente se interpenetran para formar una serie confusa

[7] Benet sostiene que el cambio es un aspecto esencial de la existencia de un ser viviente. Podemos estar ciertos de una cosa, del fluir constante, o sea, la Duración: el progreso continuo del pasado que se introduce en el futuro. Puesto que el hombre es un ser viviente que pertenece al fluir de la duración y, como afirma Bergson, si prestamos suficiente atención a nuestra propia experiencia, podemos hacernos conscientes de las pulsaciones de la Duración dentro de nosotros.

de sucesos que escapan al orden y a la razón. Por ejemplo, Demetria, la protagonista, es incapaz de formular una ordenación cronológica de la fiesta anual que celebra en su casa. Al contrario, las fiestas se entremezclan confusamente en su memoria: «barajadas las fiestas entre sí, daban lugar a cierta confusión entre las fechas y las singularidades de cada fiesta lo que, al menos, gozaba de la propiedad de romper la escala aritmética para establecer una cronología con otros cánones» (*Viaje*, p. 21). Los invitados que cada año viajan a la fiesta también anulan el tiempo, existiendo, por tanto, en un vacío temporal en el que ni pasado, ni presente, ni futuro tienen realidad alguna:

> En ese viaje anual, en la conmemoración de la vuelta de una muchacha que probablemente no vive y en la espera del castigo a un indisciplinado viajero que aún no se ha puesto en ruta ¿no existe el deseo de anular en un día todo el tiempo transcurrido en el ámbito social de las costumbres? Y esa reincidencia de todos ellos —tanto los de Región, como los de la otra vertiente de la montaña— en una serie de actitudes y creencias no elaboradas ni cristalizadas en hábitos, ni inscritas en los anales ni presentes en el impasse de la memoria colectiva, ¿no esconderá el anhelo por ese acto único —ni repetible ni, paradójicamente, reversible— que —no está la fecha en el calendario ni el lugar en el mapa, sublimados en el espacio-tiempo anterior a la historia— les liberará por una noche del destino común? (*Viaje*, p. 182).

Aunque Benet a veces caracteriza a los personajes de *Un viaje de invierno* mediante una distinción entre presente y pasado (donde éste penetra en aquél), destruyen completamente la realidad del tiempo en gran parte de la novela. En vez de la técnica de rápidos cambios de enfoque temporal, empleada en *Volverás a Región* y *Una meditación*, Benet evoca una realidad en que el sentido de duración se enrarece hasta tal punto que los días y los meses pierden su valor temporal, fusionándose, y finalmente se dispersan en un vacío donde el tiempo cronológico deja de tener un significado. Al igual que muchas novelas contemporáneas, *Un viaje de invierno* carece de un sistema para medir el tiempo, de modo que la frase final parece fundirse con la primera y gira indefinidamente dentro de la obra misma.

La preocupación de Benet con el tiempo también plantea una interrogante filosófica con respecto al tratamiento de la conciencia de sus personajes. La conciencia puede estar «en el tiempo», en las palabras de Sartre, «sólo si se convierte en tiempo por medio de ese mismo movimiento que hace la conciencia».[8] Por tanto no es posible detener a un hombre en varios momentos de su vida y definirle sencillamente en función de todo lo que ha experimentado. Al contrario, la naturaleza de la conciencia implica una proyección hacia el futuro. Lo que Heidegger ha llamado «la fuerza silenciosa de lo posible», puede aplicarse de modo negativo a las novelas de Benet; es decir, que la conciencia ha de comprenderse según sus propias potencialidades. Para los personajes de las novelas de Benet, sin embargo, no pueden existir potencialidades, puesto que la conciencia no se proyecta hacia el futuro sino que vuelve regresivamente al pasado. Para Heidegger el hombre no es la suma de lo que tiene sino la totalidad de lo que todavía no tiene, de lo que podría tener. Para los habitantes del mundo benetiano de Región, sin embargo, no existe más que un presente esquivo y un futuro que-ya-ha-sido, lo cual se ve resumido con mayor precisión en la afirmación del personaje faulkneriano de *El sonido y la furia*: «Yo no soy es, soy fue» (I am not is, I am was»).

La importancia primordial del estilo constituye, para Benet, la piedra angular de todo su sistema de escritura. En *La inspiración y el estilo*, su estudio más extenso del estilo, Benet afirma que una vez que un escritor haya adquirido un estilo maduro y totalmente suyo puede superar los aspectos puramente informativos de la novela —es decir, argumento, escenario, personajes— para producir una obra de mayor valor duradero. La adquisición de un estilo es importante porque es el instrumento principal del escritor en la creación de su realidad novelística. Para Benet, el mundo es un enigma complejo que el escritor debe penetrar y después retratar en sus novelas. Para acertar como escritor éste tiene que utilizar el medio que ha elegido —el lenguaje— como vehículo de descubrimiento. Cuanto más hábilmente manipule el autor el lenguaje —o sea tanto cuanto más madure su estilo— más agudo será su descubrimiento: «yo creo que ante una situación así el hombre de letras no tiene otra salida que la creación de un estilo. Ninguna barrera puede prevalecer contra el estilo siendo así que se trata del esfuerzo del escritor por romper un cerco mucho más estrecho, permanente y rigoroso: aquél que le impone el dictado de la realidad» (*I. E.*, p. 160). Sin embargo el escritor no sólo

[8] Jean-Paul SARTRE, «Time in Faulkner: *The Sound and the Fury*», trad. Martine Darmon, en *Faulkner: Three Decades of Criticism*, ed. F. J. Hoffman y O. W. Vickery, Nueva York; Harcout, Brace and World, 1967, p. 228.

descubre los misterios de sus alrededores sino que también inventa la realidad a través del uso diestro del lenguaje: «La realidad se presenta ante el escritor bajo un doble cariz: es acoso y es campo de acción. Mientras el escritor no cuenta con un instrumento para dominarla se ve acosado por ella; pero un día su cerco es perforado y toda su inmensa y compacta hueste pasa a formar parte de las filas del artista y a engrosar sus efectivos... De forma que el enemigo —aquella realidad indefinible e infinita— se torna ahora su aliado. ¿Qué barreras pueden prevalecer contra un hombre que en lo sucesivo será capaz de inventar la realidad?» (*I. E.*, página 160).

Muy parecido al estilo de Faulkner, el de Benet se caracteriza por frases largas, una sintaxis laberíntica, un vocabulario esotérico y un sistema intrincado de imágenes, un todo que forma un tejido lingüístico casi impenetrable. De hecho, la escritura de Benet es un laberinto persistente de intromisiones complejas, dilaciones, interpolaciones ambiguas y confusiones. La mera extensión de las frases, por ejemplo, parece formar parte de una estrategia dedicada a retener el significado que últimamente desea comunicar: la presentación diferida de la idea central de una frase ocurre a menudo hacia el final, manteniendo de este modo al lector en un estado de curiosidad (y tal vez confusión) hasta la última palabra. Por otro lado, al revelar sólo parcialmente ciertos incidentes e ideas, Benet elimina en efecto la posibilidad de una comprensión total de su obra. ¿Qué motiva (o fuerza) a Arturo a que siga el Torce río arriba en *Un viaje de invierno*? ¿Qué sucede entre Leo y Carlos Bonaval durante su viaje a las montañas en *Una meditación*? ¿Existe realmente la figura de Numa y si existe «de verdad», por qué y cómo ronda el bosque de Mantua? Al suprimir varios tipos de información y a causa de la naturaleza intrincada de su lenguaje, Benet refuerza la ambigüedad total de sus personajes y el carácter esquivo de sus circunstancias.

Benet también aumenta la dificultad de su prosa a través de la presentación de indicaciones opuestas o contradictorias dentro de un solo contexto. Del mismo modo que Faulkner se sirve de oximorones o términos casi oximorónicos en muchas de sus novelas, Benet utiliza afirmaciones contradictorias para mantener sus obras en un estado de suspensión, impidiendo así la respuesta coherente del lector. Las descripciones oximorónicas empleadas por Benet están basadas en la evocación simultánea de elementos dispares o contrarios y de este modo crean una aguda polaridad o tensión.

Esto se observa particularmente en *Una meditación*. Por ejemplo, cuando Leo y Carlos visitan la cabaña del Indio, Benet evoca una atmósfera de misterio y temor. Los dos viajeros entran en la cabaña y oyen «un ligero crujido de peldaños y un suspiro ahogado, cercano y lejano a la vez» (*Med.*, p. 160). La relación entre Mary y Carlos después de varios años de separación se describe como «esa relación que une y separa a la vez al hombre formado y maduro con un primer apunte hecho en su juventud» (*Med.*, p. 225). Al examinar los resultados potencialmente destructivos de las investigaciones científicas de Cayetano Corral, el narrador concluye que «nada parecía más imposible y remoto y al mismo tiempo más inminente» (*Med.*, p. 281). Al comentar el yo interior de Leo durante su aventura con Carlos, el narrador declara que el yo de Leo «... era al mismo tiempo aniquilado y engendrado» (*Med.*, p. 291). En *La otra casa de Mazón*, el silencio de la casa adquiere un aire de misterio debido al «zumbido sin ruido ni origen» (*Otra casa*, p. 127) asociado con ella, mientras que las cuadras «vertían su oquedad a través de las pintas y grietas de las tablas, y aquellas puertas y mallas cerradas tan débiles y firmes al mismo tiempo» (*Otra casa*, p. 193). Como resultado de estas descripciones contrastantes, Benet logra una especie de orden y coherencia en virtud de las antítesis claras y distintas que los contrastes suponen. Por otra parte tales descripciones crean desorden e incoherencia en virtud de sus cualidades de irresolución y contradicción. Por tanto el empleo de descripciones oximorónicas puede verse como una parte integral de la tentativa de Benet de impedir que el lector ate todos los cabos de la historia en una forma perfectamente ordenada. Benet crea sin cesar obstáculos a la comprensión total y racional de los sucesos ficticios a través de sus experimentos con el estilo y el contenido. Prefiere sugerir realidades complejas y enigmáticas, antes que definir circunstancias ordenadas e inequívocas.

Gracias a su estilo peculiar, los personajes de Benet son creaciones esencialmente estilizadas, abstractas o etéreas. Sus monólogos y diálogos representan, en general, la antítesis de las pautas realistas del habla y ponen en tela de juicio su autenticidad como personajes de «carne y hueso». Aunque Benet tiende a evitar el uso de diálogo en sus novelas, las veces que sus personajes conversan uno con otro, parecen discursos más bien que una interacción directa. Es particularmente evidente en el caso del doctor Sebastián y la hija de Gamallo en *Volverás a Región* y Arturo y Demetria en *Un viaje de invierno*. El uso de un vocabulario esotérico y, por otra parte, la ausencia casi total de rasgos del lenguaje hablado, reduce aún más el carácter realista de los personajes, vinculándolos directamente a la manera peripatética de expresarse el narrador.

Benet refuerza la naturaleza etérea de sus personajes por medio de su elección de imágenes y frases descriptivas. En *Un viaje de invierno* atribuye características a Demetria que confirman su estado misterioso de «no-ser». Su aparición repentina ante Arturo, por ejemplo, está descrita de la siguiente forma:

> [ella] apareció ante él despojada de tiempo y coloreada por la nada, simple yuxtaposición de su figura al instante incoloro tan sólo representado en el miedo: insomne y sin sombras, [...] no había llegado hasta allí, no había estado observándole mientras acuclillado hurgaba en la grama sino que empezó a formarse con la llegada del repentino frío, [...]. No estaba allí sino que él mismo la había llamado con su temor, referido a aquel tiempo por el que —justamente entonces, ni antes ni después— acababa de pasar. (*Viaje*, pp. 92-93)

Además, Demetria posee una «mano impalpable» (*Viaje*, p. 81), y cuando habla, forma «palabras sin vocalización» (*Viaje*, p. 97). Su voz está «concentrada con el silencio y la oscuridad, sin timbre ni tono» (*Viaje*, p. 97) y cuando una noche extiende la mano para tocar a Arturo, él siente «un par de manos sin tacto» (*Viaje*, p. 98). Subrayando la no-existencia de Demetria, el narrador sugiere en una ocasión que Arturo ve sólo la imagen de Demetria y no la mujer misma: «Cuando la imagen de la señora (probablemente no la señora misma)....» (*Viaje*, p. 95). Por lo menos un aspecto de la escritura benetiana parece estar basada en el deseo de evitar la traducción de sensaciones en percepciones. El conocimiento cognitivo de algo, en este caso de una persona, es menos importante que la consciencia de la misma en términos de pura consciencia. En este sentido a Benet se le puede considerar un idealista: puesto que nuestra consciencia sólo aprehende manifestaciones, la realidad permanece ilusoria. De hecho, mucho en el estilo de Benet confirma la noción de que estamos ante el sueño de la realidad en vez de la realidad misma.

Benet intensifica a veces la naturaleza deshumanizada de sus personajes a través del uso de imágenes animalísticas. En *Una meditación*, por ejemplo, a Camila se le atribuyen características felinas y ella jamás alcanza un desarrollo completo en tanto que ser humano: «tenía una cualidad impenetrable e inconsciente... y algo felina también, como si tras sus pupilas dormitara un animal que producido por toda la sabiduría de la naturaleza no hubiera llegado a alcanzar la reflexión, quedándose en ese contradictorio nivel inferior, protegido de los achaques y debilidades de la conciencia» (*Med.*, p. 257). Asimismo en *Una meditación*, Jorje resulta deshumanizado a causa de su intimidad sexual con Camila a la vez que por las imágenes asociadas con él como individuo. Sus sentimientos hostiles hacia su padre, por ejemplo, se describen de la siguiente manera: «su hijo Jorge supo esperar sereno y amenazador, como el animal que con sólo adoptar la actitud de defensa, erguiendo la cabeza y adelantando el pecho, sabe disuadir a su enemigo de lanzar el ataque» (*Med.*, p. 231). Hay que señalar, sin embargo, que aunque los personajes de Benet en general no parecen seres de carne y hueso, los problemas que padecen son palpablemente reales: la huida del tiempo de la desesperación, de la memoria, y la búsqueda de amor. Así que los personajes deshumanizados de Benet luchan con problemas sumamente humanos y característicos del hombre moderno.

Aunque la técnica narrativa de Benet varía de novela en novela, hay una actitud fundamental que se refleja en el papel del narrador, común a todas sus obras: Benet socava la omnisciencia del narrador y limita sus conocimientos. En *Volverás a Región*, Benet trata la cuestión con humor irónico; el ejemplo más destacado es la incapacidad del narrador de nombrar a Rumbal (Robal, Rubal, Rembal, etc.) con precisión o certeza. La técnica narrativa de *Una meditación*, sin embargo, es aún más compleja. Por un lado, Benet ensancha la visión de su narrador en primera persona al permitirle contar sucesos y expresar sentimientos que exceden los límites de sus posibles conocimientos. Los ejemplos de esta técnica comprenden el episodio entre Rufino y Emilio Ruiz en la mina, el viaje de Leo y Carlos a la sierra y las frecuentes descripciones de las actividades sexuales de varios personajes dentro de los confines de sus habitaciones, todos los cuales extienden la base informativa de la novela, si bien caen fuera del campo de observación del narrador en primera persona. Benet amplía el papel del narrador aún más al convertirle en el centro de consciencia de varios de los personajes. Describe los sentimientos íntimos de Jorge hacia Camila, la soledad de Leo después de su vuelta a Región, semejante al uso proustiano del «yo» omnisciente en *À la recherche du temps perdu*[9], controla la ironía dramática de

[9] Para un análisis extenso de la omnisciencia de primera persona en Proust, véase B. G. ROGERS, *Proust's Narrative Techniques* Ginebra, Librairie Droz, 1965.

varias situaciones. Tal vez el mejor ejemplo de este recurso se ve en la relación entre Leo y Emilio. Leo siente repugnancia hacia Emilio después de su coito rutinario en la fonda. Emilio, en cambio, se equivoca por completo en lo que se refiere a su relación con Leo y a la motivación detrás de su aventura sexual. Sólo un narrador omnisciente con acceso a los juicios privados de Emilio y los móviles interiores de Leo sería capaz de comunicarle al actor la naturaleza de esta equivocación. Pero la escena no tendría valor como clave de ambas personalidades si no se nos revelara el juicio erróneo. Por tanto, aquí el «yo» ha adecuado su función a las circunstancias narrativas y ha presentado información privilegiada, normalmente asociada con un narrador en tercera persona.

Pero Benet contrapesa los conocimientos extensos del «yo», en *Una meditación*, con otros límites en la capacidad narrativa de su narrador. Éste admite fácilmente que hay cosas que no recuerda: «Y por si fuera poco tenía un nombre que yo no he conocido otro más solemne, aunque lo he olvidado» (*Med.*, p. 21). «Pero uno de nosotros, no recuerdo quién, era muy pequeño...» (*Med.*, p. 24); «... yo no recuerdo —no lo visualizo— haberme despedido de él» (*Med.*, p. 50) —mientras también confiesa que ignora ciertas cosas: «¿Cómo voy a saber de qué manera se inició aquella conversación?» (*Med.*, p. 199). En yuxtaposición con el «yo» omnisciente, estas vacilaciones subrayan la actitud ambivalente de Benet hacia el narrador omnisciente que viene dominando la novela europea durante todo un siglo.

Otra vez, en *Un viaje de invierno*, el narrador desvirtúa a menudo lo que dice mediante observaciones como «tal vez», «parece que», etc. En *La otra casa de Mazón*, esta irresolución aparece a lo largo de la novela, pues el narrador interpone repetidas veces comentarios tales como «es posible», «al parecer», «tal vez», «acaso», etc., los cuales socavan la omnisciencia tradicional y revelan el carácter incierto de los conocimientos del narrador. Además, cualquier deseo de especificar o poner etiqueta sin matizar sería antitética al propósito global estilístico y técnico de Benet de retener información y de sugerir, en vez de definir, los elementos que constituyen su realidad novelística.

Benet utiliza a menudo símbolos y motivos recurrentes en sus novelas, repeticiones que, de acuerdo con su función habitual en la literatura, generalmente sirven para hacer que el lector recuerde algo o para intensificar la significación asociada con la experiencia o el objeto que reiteradamente se describe[10]. En *Volverás a Región*, tanto la naturaleza fragmentada de la narrativa como la ambigüedad de ciertos sucesos se ven afectadas por esta técnica: la primera porque la aparición de ciertos símbolos recurrentes al comienzo de una nueva sección de la novela facilita la comprensión de aquélla por parte del lector y pone de relieve ciertas asociaciones que se repiten a lo largo de la obra.

Éste es el caso, por ejemplo, del coche negro, que sugiere ciertos incidentes específicos en relación con la hija de Gamallo y con el abandono del niño. De modo semejante, la mención de la camioneta evoca la huida y la violación posterior de la hija de Gamallo durante la guerra, mientras que la moneda de oro alude a ciertos incidentes o temas asociados con el jugador y la ruina de Gamallo y de Región. El uso de *leitmotivs* en la novela también intensifica la deshumanización de los personajes. Rara vez se refiere Benet a los personajes por nombre; en cambio sugiere su presencia por medio de ciertas imágenes metonímicas. A Gamallo, por ejemplo, se le identifica con frecuencia por su mano demacrada, y la presencia de María Timoner a menudo es simbolizada por su anillo de prometida. Asimismo, nunca se nombra al niño abandonado si bien es asociado con unas gafas de lentes gruesos.

Benet también emplea una serie de símbolos recurrentes en *Una meditación*. Tal como en su primera novela, Benet se sirve de *leitmotivs* para realzar la ambigüedad de ciertas situaciones que no se aclaran hasta más tarde en la novela. La imagen de la rata, por ejemplo, desempeña un importante papel temático y estructural, pero sólo descubrimos su significación como símbolo sexual a medida que avanza la novela. Otro símbolo importante de *Una meditación* es el de las gafas oscuras de Mary. En la época de su estancia con la familia Ruan durante su enfermedad Mary siempre lleva las gafas: «sentada Mary en el centro del jardín en un sillón de mimbre, protegida por sus gafas» (*Med.*, p. 110). Mientras su enfermedad se agrava y se avecina el momento de su muerte, el narrador se sirve de las gafas para indicar los cambios en su estado de salud: «... las gafas que parecían crecer a medida que su salud se deterioraba y su cara se reducía» (*Med.*, p. 111). Al morirse Mary, su muerte se simboliza mediante sus gafas rotas: «Mary murió en la hamaca, junto a la gafas caídas y rotas» (*Med.*, p.

[10] Para un estudio detallado de la repetición en literatura y cine, véase Bruce Kawin, *Telling It Again and Again*, Ithaca y Londres, Cornell University Press, 1972.

111); y más tarde: « Mary murió —en pleno verano y en plena tarde— con la única sacudida enérgica que tuvo su cuerpo en muchos años a consecuencia de la cual las gafas cayeron al suelo y se rompieron» (*Med.*, p. 121). En realidad, Benet utiliza una forma recurrente de metonimia. Las gafas oscuras ocupan el lugar del nombre, Mary, y cuando llega el momento de su muerte Mary *es* las gafas oscuras en la mente del lector. Otros símbolos importantes en *Una meditación* son el reloj, un recurso metonímico que sustituye al tiempo, la pasión de Jorge Ruan mordiendo los lóbulos de las mujeres con quienes tiene relaciones sexuales y la fonda, que se asocia repetidamente con el deseo sexual incumplido y con la soledad. Gracias a la aparición recurrente de estos y otros símbolos, el lector llega a asociar temas y acciones que de otro modo no podría vincular. Los símbolos adquieren significados específicos de manera que facilitan el desarrollo de ciertos aspectos de la novela (sexo, tiempo) que Benet quiere poner de relieve.

En *Un viaje de invierno*, Benet se sirve de una serie de imágenes y motivos recurrentes. En breve, éstos incluyen el bausán que permite que Demetria desplace sus frustraciones sexuales, el grupo interrelacionado de símbolos que componen la avería, la luz nocturna en la habitación de Demetria y la linterna que es llevada por el músico mientras se acerca a La Gándara que, en su conjunto, subrayan la búsqueda de una solución —sin embargo imposible— a la agonía y desesperanza de los personajes. Otros símbolos, en *Un viaje de invierno*, incluyen el caballo, asociado con el conflicto entre razón e instinto, los grajos, vinculado al destino de Arturo, la bufanda, el intruso y la papeleta en que figuran las palabras AMAT (o TAMA). Visto en su totalidad, el uso repetido de símbolos y motivos en *Un viaje de invierno* y las demás novelas de Benet intensifica de modo significativo el efecto de ciertos acontecimientos y temas, mientras crea una atmósfera enrarecida, llena de ambigüedad e incertidumbre.

Uno de los motivos principales que aparece en todas las novelas de Benet se centra en la Guerra Civil española. Benet entreteje un comentario sobre los efectos desastrosos de la Guerra Civil a través de todas sus novelas y el conflicto proporciona un telón de fondo que sirve como base de gran parte de la acción. El trasfondo principal de *Volverás a Región*, por ejemplo, es la guerra misma o sus consecuencias físicas y psicológicas. Los sucesos asociados con Región durante los tres años de lucha representan un microcosmos de la guerra en la península entera. En primer lugar, la milicia regionata está compuesta por un grupo heterogéneo de civiles, un hecho simbolizado por la disparidad de su indumentaria y sus armas, y por su desacuerdo con respecto a la estrategia militar. Por consiguiente el tipo de combate en Región refleja el de toda España: «Todo el curso de la guerra civil en la comarca de Región empieza a verse claro cuando se comprende que, en más de un aspecto es un paradigma a escala menor y a un ritmo más lento de los sucesos peninsulares; su desarrollo se asemeja al despliegue de imágenes saltarinas de esa película que al ser proyectada a una velocidad más lenta que la idónea pierde intensidad, colorido y contrastes» (*V. a R.*, p. 75). Más significativo, sin embargo, es el hecho de que la gente de Región se hiciera republicana al principio de la guerra en ausencia de razones ideológicas o políticas: «Fue republicana por olvido u omisión, revolucionaria de oído y belicosa no por ánimo de revancha hacia un orden secular sino por coraje y candor, nacidos de una condición natural aciaga y aburrida» (*V. a R.*, p. 76). Como fuerza política, los regionatos eran «una especie de parlamento sin gobierno que se hallaba muy lejos de poder salir al paso de las desavenencias y decisiones personales» (*V. a R.*, p. 84). Por tanto, el papel de la gente de Región en la Guerra Civil puede resumirse del modo siguiente: son un grupo de milicianos desorganizados que no saben qué hacen metidos en la guerra y que son incapaces de superar las diferencias entre sus deseos personales en favor del bien común. Considerados en conjunto, representan las fuerzas republicanas en España.

A un nivel individual, la Guerra Civil trajo sólo agonía y destrucción a la gente. Para el doctor Sebastián, la guerra no se hizo por razones constructivas sino destructivas. Había pocos aspectos loables en la sociedad española de antes de la guerra, ninguna esperanza para el presente o el futuro. La guerra, sin embargo, no hizo nada por mejorar las cosas: «Es lo que queda de aquel entonces, voces, suspiros, unos pocos disparos al final del verano... es todo el alimento de nuestra postguerra: vivimos del rumor y nos alimentamos de cábalas pero nuestro momento ha pasado, ha pasado para siempre» (*V. a R.*, p. 245). Para la hija de Gamallo, la protagonista femenina de *Volverás a Región*, la guerra está fusionada con la tragedia personal a la vez que con la felicidad. Por una parte, la guerra representa la pérdida de inocencia y repentina maduración de una muchacha joven. Conoció su primer amor durante el conflicto pero también fue violada.

Sufrió una gran angustia pero también descubrió la plenitud de la vida con su amante, Luis I. Timoner. Al fin y al cabo, sin embargo, como ocurre con todo lo asociado con Región y la guerra, su vida ha sido destruída y está condenada a un futuro-que-ha-sido: «Apenas me enteré de aquella guerra sino cuando ya estaba terminando. Algo tarde, en algo más de una semana, sufrí todas sus consecuencias: un padre muerto, un amante desaparecido, una educación hecha trizas, un conocimiento del amor que me incapacitaba para cualquier futuro...» (*V. a R.*, p. 159).

Aunque Benet no trata la guerra con tanto detalle en *Una meditación*, el conflicto da lugar a la predominante atmósfera de ruina y decadencia. Cuando el narrador vuelve a Región en 1939, los efectos destructivos de la guerra están patentes en todas partes:

(estaban abiertas todas las heridas de la guerra, un buen número de casas —las que seguían de pie— vacías, abandonadas u ocupadas por gente desconocida, las familias divididas y dispersas, muchos de los nombres de mi primera juventud pronunciados con encono, otros eran pocos menos que innombrables si se quería dormir en paz, un ánimo inquieto, vengativo y malévolo prevalecía en todos los triunfadores que todos los días, a todas las horas y en todas las esquinas alardeaban de su victoria para lo que no era suficiente glorificar su gesta sino que necesitaban cubrir de insultos a su adversario como si recelosos e inseguros de su triunfo sin decidirse a bajar la guardia y dispuestos a enarbolar en todo momento las banderas, las razones, las armas y los principios que les movieron a la lucha, necesitaran todavía mantener la contienda con la palabra, ese recurso final cuando la acción es impotente, y una estela de rencor, menosprecio y cierta indiferencia que dejó el barco que se llevó a todos los derrotados, ansiosos de tener entre sí y sus hermanos un océano cuando menos)... (*Med.*, p. 63).

Varios recuerdos del narrador están relacionados con hechos que tienen lugar después de la guerra, y el país se describe en términos de un cuerpo enfermo, que en vano ha intentado curarse:

Si el espíritu de postguerra fue o quiso ser una convalecencia pronto se había de convertir en un nuevo mal que... se hizo endémico como vino a demostrar —sólo para aquél que viviera allende de las fronteras pues no había en España una persona tan ajena a su influencia como para establecer el diagnóstico en oposición a su propio pronóstico— el resultado que obró sobre aquel cuerpo enfermo y mutilado por la guerra el conjunto de numerosas, horrendas y paralizantes medicinas que le fueron suministradas en la paz que siguió (*Med.*, p. 88).

De modo que el gobierno de Franco sólo ha logrado exacerbar ciertos problemas económicos y sociales pero, más importante, ha dotado a la sociedad española de un estado de ánimo paralítico, donde la capacidad de pensar o de actuar ha dado por resultado el deterioro continuo de la condición espiritual y física de la nación.

En *Un viaje de invierno*, como en *La otra casa de Mazón*, la Guerra Civil y el período de la postguerra se mencionan varias veces como un símbolo de la ruina pasada que sigue influyendo en las vidas de los personajes. En *Un viaje de invierno*, esto se ve más claramente en la vida de Demetria. Son pocos los viajeros que pasan por el valle cerca de su casa, y éstos traen como noticias sólo las «amargas reflexiones sobre la miseria de la postguerra y premoniciones acerca del mal tiempo avecinante» (*Viaje*, p. 134). La guerra propiamente dicha no juega un papel activo en la novela pero la destrucción resultante está patente en un pueblo cuya alma: «quedó enterrada en la década del 30». (*Viaje*, p. 180). En *La otra casa de Mazón*, la novela en que menos figura la guerra en el argumento o el tema, Benet continúa situando una parte de la acción durante el conflicto y establece un paralelo entre la guerra y el conflicto fratricida entre Cristino y Eugenio. No hay vencedores en tales guerras y sólo queda, tanto desde el punto de vista individual como desde el nacional, un sentimiento abrumador de derrota que niega toda esperanza ya para el futuro.

Puesto que el estilo forma parte tan esencial de su teoría de la literatura, Benet se opone a novelas (y novelistas) que demuestran poco interés en el desarrollo estilístico. Por esta razón, Benet rechaza casi todas las novelas realistas y naturalistas del siglo XIX como carentes de valor literario. Así describe a este grupo de autores:

> ...pero ni Zola ni Galdós lograron encontrar la libertad que concede el lenguaje artístico: el diktat sociológico redactaba todos sus párrafos de tal suerte que sólo hicieron una novela asertórica, exactamente esa clase horrible de novela que la sociedad —no demasiado enterada de la necesidad de una obra así— esperaba que hiciese[11].

Benet denuncia la práctica decimonónica común según la cual un autor elige un tema para su novela y después estudia el asunto por medio de análisis directo y científico durante un tiempo

---

[11] Juan Benet, «Reflexiones sobre Galdós», *Cuadernos para el Diálogo*, XXIII Extraordinario, diciembre de 1970, p. 13. [Aquí, pp. 281-288].

extenso. Este tipo de escritura no es literatura, insiste Benet, sino sociología.

No es sorprendente, por tanto, que Benet también mire a la novela española realista de la postguerra con tanta desaprobación. Sostiene que la novela española en general, desde la época de Galdós, carece de calidad literaria porque no se ha preocupado ni del estilo ni de los elementos misteriosos que yacen por debajo de la superficie de la realidad. De hecho, en una entrevista con Antonio Núñez, Benet insiste en que la novela neorrealista española de este siglo es mero costumbrismo[12].

Mientras rechaza la novela realista de la postguerra, Benet ha surgido en los últimos cinco años como un símbolo importante del cambio radical de actiud en España hacia la ficción. Sin embargo, sólo los años pueden confirmar la afirmación de Julián Ríos de que Juan Benet y Juan Goytisolo son los dos antagonistas en el desarrollo de una nueva dirección la novela española[13]. Su influencia en otros escritores y en las generaciones más jóvenes todavía queda por establecerse. Sin embargo, aunque la figura final de la alfombra de Benet sólo podrá determinarse en el futuro, no es prematuro concluir que las novelas de Benet ofrecen una nueva alternativa literaria española. A Benet se le puede calificar con mayor precisión como novelista de novelistas (o de críticos), que escribe difíciles obras literarias para un público minoritario. En este estudio hemos intentado descubrir varios de los elementos que confieren a sus novelas su carácter tan singular y a menudo tan desconcertante. Sin embargo su modo de escribir no se presta a una comprensión total, en primer lugar, yo creo, porque la realidad que crea en sus novelas se escapa a una hermenéutica lógica y racional. La muy acertada observación de Sergio Gómez Parra lo resume bien: «De todos modos, respecto a Benet, todo lo que se diga será siempre una aproximación.»[14].

[*The American Hispanist,* 1, nº 3, noviembre de 1975. Traducción de Isabel SOTO y Kathleen M. VERNON.]

---

[12] Juan BENET, Entrevista con Antonio Núñez, *Ínsula*, 269 (1969), p. 4. [Aquí, pp. 17-23].

[13] «El nuevo Juan Goytisolo y Juan Benet: los dos protagonistas antagónicos de la nueva novela española», Julián Ríos, Pere GIMFERRER y José María CASTELLET, «Encuesta: nueva literatura española», *Plural*, 25 (1973), 4-7.

[14] Sergio GÓMEZ PARRA, «Juan Benet: la ruptura de un horizonte novelístico», *Reseña*, 9 (1972), 3-12.

PERE GIMFERRER

NOTAS SOBRE JUAN BENET

Juan Benet es sin lugar a dudas la figura nueva más destacada de la literatura española de los últimos años, y uno de los escasos nombres realmente relevantes de la narrativa de posguerra en el país. A sus cuarenta años, en 1967, Benet era un desconocido; en la actualidad, sólo tres escritores de su generación —Rafael Sánchez Ferlosio, Luis Martín Santos y Juan Goytisolo— pueden comparársele en prestigio y repercusión. Los dos primeros que acabo de nombrar pertenecen en alguna medida al pasado. Como se sabe, Ferlosio publicó hace casi veinte años su última —y en rigor única— novela, aunque los rumores de una eventual reaparición se han reproducido periódicamente desde entonces y acaso un día puedan verse confirmados, según parece indicarlo la reciente aparición del ensayo *Las semanas del Jardín*, primer libro dado a conocer por Ferlosio tras el largo silencio que siguió a *El Jarama*. Muerto en 1964, Martín Santos dejó inconclusa la primera redacción de una parte de su posible segunda novela, *Tiempo de destrucción*, cuyo extenso manuscrito se ha publicado póstumamente. Goytisolo, en fin —el Goytisolo de *Señas de identidad* y *Reivindicación del conde don Julián*, a los que vendrá a añadirse en breve *Juan sin Tierra*— ha visto dificultada su influencia en la evolución de la nueva literatura española tanto por las trabas con que tropezó en su día la difusión de estas obras en el país como por el carácter singularizado y decididamente heterodoxo de la ideología que las informa. (A los nombres que acabo de citar podrá sin duda añadirse en breve el de un escritor más joven: Luis Goytisolo, autor de *Recuento*, cuya primera edición ha aparecido en México a fines de 1973.) Por lo demás, ninguno de estos novelistas —a pesar de ser Martín Santos y Ferlosio amigos personales suyos— presenta el menor punto de contacto con Benet, quien se nos aparece así doblemente solitario: en el interior de su generación y en el contexto total de la literatura española. Solitario, también, en la literatura en lengua castellana; aunque Benet, junto a vivísimas críticas de algunos autores latinoamericanos, haya expresado reiteradamente su admiración por Rulfo, García Márquez o Vargas Llosa, lo cierto es que sería erróneo tratar de emparentarle con cualquiera de ellos. La incidencia decisiva de Benet sobre la literatura castellana de la península es un hecho sobradamente conocido; fuera de haber sido proclamado finalista del último premio Rómulo Gallegos, no dispongo —si se exceptúan unas recientes declaraciones de Octavio Paz[1]— de mayor información acerca de la acogida que hasta el momento haya conocido la obra de nuestro escritor por parte de la opinión literaria latinoamericana.

Las notas que siguen tienen un propósito limitado. No me propongo examinar los dos libros ensayísticos publicados por Benet —*La inspiración y el estilo* y *Puerta de tierra*— ni su producción escénica, reunida en el volumen *Teatro*, ni siquiera, en rigor, la totalidad de su narrativa. Centraré mis observaciones en lo que hasta ahora es el núcleo más importante de ésta —el ciclo de Región—, prescindiendo de aquellas páginas que —como el relato que da título a *Nunca llegarás a nada* o algunas partes de *Sub rosa*— abordan otra temática. Hasta el presente, la obra narrativa de Juan Benet comprende cuatro novelas —*Volverás a Región, Una meditación, Un viaje de invierno* y *La otra casa de Mazón*—, tres libros de relatos —*Nunca llegarás a nada, Cinco narraciones y dos fábulas* y *Sub rosa*— y una novela corta —*Una tumba*.

La simple consideración cronológica de los títulos enunciados en el párrafo anterior basta para poner de relieve que —tras el silencio glacial y unánime que acogió en 1961 su primer libro de relatos— Benet ha empezado tarde a publicar, y una vez abierto el fuego, lo ha seguido haciendo a un ritmo creciente. Pese a que cada una de sus obras ha ido presentando dificultades mucho más

---

[1] En «Octavio Paz: literatura y experimentación», entrevista llevada a cabo por Marcos Ricardo Barnatán y publicada en el suplemento literario número 305 (16 de mayo de 1974) de *Informaciones*, Paz declara: «Una novela como el *Conde don Julián* o las novelas de Benet está muy cerca de lo que a mí me interesa en literatura, a veces mucho más cerca de lo que hacen algunos latinoamericanos célebres».

graves que la anterior, el éxito de crítica ha sido también cada vez mayor, aunque la resuelta independencia de Benet y su voluntad polémica (su ataque a Galdós, en ocasión del cincuentenario de la muerte de este novelista, es sólo una prueba de ello), unidas a su ruptura básica con el estilo dominante en la literatura española de posguerra, podían haber hecho temer que se desencadenase un movimiento de signo reaccionario contra su figura. Si esta reacción ha llegado siquiera a existir es evidente que quedó sofocada de inmediato por el simple hecho de que cuantos puedan gozar de alguna autoridad literaria se han pronunciado resueltamente en favor de la novelística benetiana. Sin embargo, conviene notar que esta aceptación no fue pronta. La primera novela de Benet, *Volverás a Región*, escrita entre 1962 y 1964, no halló editor hasta diciembre de 1967, y, de hecho, apenas conoció más que un tardo «succès d'estime» entre algunos iniciados hasta que el premio Biblioteca Breve concedido en 1969 a *Una meditación* y la posterior publicación de esta obra convirtieron a Benet primero en un autor polémico, luego en un autor de moda, y finalmente en el escrito español que de modo más patente (lo cual resulta paradójico: Benet es un escritor irrepetible) está influyendo en los nuevos novelistas.

En su origen, *Volverás a Región* era, casi como *Una meditación*, un bloque único, ininterrumpido; la actual división en cuatro extensos capítulos le fue sugerida a Benet por su amigo Dionisio Ridruejo. De hecho, en la novela se distinguen dos partes estructuralmente bien diferenciadas. La primera —el actual capítulo primero; aproximadamente el primer tercio de la obra—, tratada como un amplio fresco, narra los antecedentes colectivos del drama individual que ocupará la segunda. Ésta, que cubre los tres siguientes capítulos, transcribe sin solución de continuidad una vasta conversación entre dos personajes. Varias cosas podían sorprender en *Volverás a Región* al lector de literatura española de la época. Ante todo, el escenario y el estilo (aunque uno y otro se hallaban ya en *Nunca llegarás a nada*, libro que, pese a sus cualidades, nadie se había tomado en su día la molestia de leer). Región —suerte de provincia imaginaria española, afín a ciertos parajes leoneses— es, hasta ahora, el escenario privilegiado de la narrativa de Benet. Más que con el Macondo de García Márquez (al que, por lo demás, es anterior) tiene que ver con las topografías imaginarias de Faulkner o de Thomas Hardy, o incluso con el sertón de Euclides da Cunha o la Cuernavaca reinventada por Malcolm Lowry.

Las primeras páginas de *Volverás a Región* ya insinúan la unidad del ciclo: la «tumultuosa, ensordecedora y roja riada» de «los días torrenciales» será en *Una meditación,* casi textualmente («una roja, ensordecedora y violenta riada») el nexo inicial entre las dos familias que centran la primera parte del relato. La «tumba recién abierta que aún conserva el aroma de la tierra oreada y el fondo encharcado de agua» será la imagen obsesiva que presidirá *Una tumba*; el viejo guarda —el Numa—, temible y vengativo morador del monte, acerca de cuya significación nos extenderemos luego, no faltará en ninguna obra del ciclo; más adelante, en fin, se nos aludirá al «horror de los viajes invernales», se nos presentará a la familia Mazón y se hará mención de episodios de la lucha entre sarracenos y cristianos: el primer dato preanuncia en filigrana *Un viaje de invierno*, los otros dos serán capitales en *La otra casa de Mazón*. Esta interrelación, este juego de claves y referencias veladas, se reproducirá en cada nueva obra. Así, el doctor Sebastián, que ya apareció en *Nunca llegarás a nada*, es el protagonista de *Volverás a Región*; el suicidio de un cabo de la Guardia Civil, al que se alude repetidas veces en *Una meditación,* reaparecerá en *Un viaje de invierno;* Yosen el demente místico, de *La otra casa de Mazón,* había sido ya fugazmente mencionado en *Una meditación*. De este modo, la novelística de Benet —y éste es, a mi juicio, su principal paralelismo con la de Faulkner— se desarrolla en espiral, por una sucesión de anillos concéntricos; no es arriesgado afirmar que, a pesar de las diferencias de tratamiento que en el plano estético las separan, cada una de las piezas hasta hoy publicadas del ciclo de Región forma parte de una vasta estructura conjunta.

Lo que más pudo en su día chocar al lector español en Benet es el estilo, violenta transgresión y desafío lanzado a la totalidad de la prosa castellana de posguerra. Se ha ponderado su dificultad: Benet construye interminables párrafos, pródigos en los más inesperados y prolijos incisos, y eriza su período de complicaciones sintácticas. No se han notado tanto, quizás, otros rasgos: el gusto por la solemnidad, por cierta tétrica grandilocuencia, por las comparaciones y asociaciones desusadas, por la ironía derivada del contraste entre el énfasis oratorio de la prosa y la materia a menudo irrisoria o abyecta a que hace referencia (este último rasgo se aplica sobre todo a algunas partes de *Una meditación*). Entre los contemporáneos se ha mencionado, casi exclusivamente, el antecedente faulkneriano. Diré que otras herencias no me parecen en Benet menos perceptibles que ésta. (Siendo un escritor de estilo inconfundible, Benet presenta al propio tiempo una de las características centrales del arte moderno: la pluralidad de niveles referenciables.) La preferencia por los cultismos y la adjetivación deliberadamente recargada recuerdan sin duda a Conrad y Melville; mucho del sistema de comparaciones y metáforas imprevistas remite a Proust; el tono de discurso filosófico —dominante sobre todo en *Una meditación* y en *Un viaje de invierno*— evoca el Thomas Mann de la madurez. Más genéricamente, el estilo de Benet se inscribe en una extensa tradición literaria europea: el estilo solemne, el de los oradores e historiadores (el título de *Sub rosa* fue sugerido por una locución leída en Tácito). Es además un estilo bifurcado, un palimpsesto: contiene su propia crítica y su propia parodia latente. De ahí la brusca irrupción de citas entrecomilladas e incrustadas en el texto en forma a menudo pintoresca (en *Volverás a Región*, por ejemplo, se toman de Nietzsche o Faulkner frases referentes a perros), la concatenación voluntariamente oscura de términos abstractos y abstrusos, los vocablos extranjeros —épave, degoût, etc.— incorporados sin más aparente funcionalidad que la decorativa.

Región es, a todas luces, y en uno de los niveles de lectura más visibles, una representación de España, y las dos novelas primeras de Benet constituyen —lo cual no agota, ni con mucho, sus implicaciones— una reflexión sobre el destino histórico de este país a partir del estallido de la guerra civil. En un dificilísimo y admirable «tour de force», Benet dedica, al principio de *Volverás a Región*, no menos de diez páginas a una exhaustiva descripción orográfica de la imaginaria comarca donde transcurre la acción de la novela. Utilizando los conocimientos del vocabulario especializado adquiridos en su profesión —Benet es ingeniero de caminos— el novelista lleva a cabo la insólita proeza técnica de otorgar a una descripción de apariencia rigurosamente objetiva, tan escueta y concreta como el informe de una comisión de geólogos, una inquietante ambivalencia. Valga sólo un ejemplo: «...aquellas *largas, profundas y tenebrosas* inmersiones silúricas y devónicas con las que el cuerpo *azotado y quebrantado* del continente se introduce en el *bálsamo esterilizador* de la mar para *recubrirse de una coraza* de calcio y sal» (los subrayados son míos). Aunque la propiedad de esta descripción es irreprochable, la presencia de los hechos de estilo que he subrayado basta para conferirle una dimensión mítica y alegórica.

Volverás a Región y *Una meditación* encarnan el tema central de Benet —la ruina, la decadencia y el deterioro físico y moral inherentes a la condición humana— en el proceso de la vida española de posguerra. El primer capítulo de *Volverás a Región* es épico: las descripciones de escaramuzas y acciones bélicas, de movimientos tácticos y repliegues de tropas —con una precisión y un dominio del vocabulario militar que nada tiene que envidiar a los de Saint-Simon—, tanto como el retrato de figuras arquetípicas (el viejo profesor republicano súbitamente heroico y patético en la derrota, el franquista teniente Gamallo a quien la contienda vale un súbito y tardío ascenso en el escalafón) parecen apuntar a una vasta crónica colectiva. En los capítulos siguientes se produce el brusco viraje: una única situación —un joven idiota, tarado por una infancia ominosa y recluido en su cuarto; el viejo doctor Sebastián, un derelicto humano, y la mujer que viene a visitarle como oscuro nuncio de la muerte— se prolonga hasta el fin de la novela. La posguerra ha sumido a Región en la postración moral más extrema; recreándose en su propia abyección una población escasa, diezmada y mezquina se complace en acogerse a la irracional protección del Numa, encarnación a la vez trágica y grotesca de la ciega brutalidad de las fuerzas reaccionarias: un viejo guarda jurado que vive solitario en el monte — se le compara repetidas veces con un pastor tártaro o un habitante de la taiga— sin más designio que abatir de un tiro a cuantos irrumpan en un coto cuyo dueño ya nadie recuerda.

La principal dificultad de lectura de esta parte de *Volverás a Región* reside en el hecho de que Benet —renunciando, como Faulkner, a cualquier pretensión de diálogo realista— convierte los prolongados parlamentos del doctor Sebastián y su visitante en un discurso fluctuante que desplaza constantemente su nivel de significación. La historia central no es, con todo, inextricable tras una lectura atenta: la mujer es la hija de Gamallo, retenida como rehén por los republicanos y marcada por esta experiencia, como su padre lo había sido por su fracaso amoroso con María Timoner, que pasó a manos de un desconocido tahur, defraudando con ello también las esperanzas del doctor Sebastián. De un modo o de otro, ambos personajes han llegado al límite de la desesperación: sus muertes, igualmente gratuitas (en manos del idiota, el doctor Sebastián; abatida por un tiro del Numa, su visitante), sellarán una condena que sólo en lo material no estaba ya cumplida.

El esquema que acabo de transcribir resulta engañosamente simplificador; de hecho, gran parte de la dinámica de la novela reside en la maraña de referencias oscuras o parciales, de pequeñas contradicciones, de datos inquietantes o incompletos que cuestionan la convención narrativa. Muchos sucesos permanecen oscuros e inexplicados; otros sorprenden por su extravagancia; no faltan aquéllos cuyo significado deberá rastrearse subterráneamente en los entresijos de la obra posterior del autor. Así, nunca llegaremos a saber —tras un dilatado clímax expositivo que se cerrará burlando la expectativa del lector— de dónde procede aquel ruido semejante al de un solitario e inverosímil motor de explosión que oye en el monte el viajero extraviado. Pero en un relato publicado seis años más tarde —«De lejos», perteneciente a *Sub rosa*— se nos dará casi entre líneas una tardía pista en el pasaje siguiente: «Un monte perdido, un cielo sin una nube, tan sólo los graznidos —como las infructuosas revoluciones de un motor que no se decide a arrancar— de un par de urracas...» En otro orden, el sorprendente episodio del aprendizaje en la mina, con la vieja barquera que adopta múltiples disfraces, anuncia el género de fabulación bufa que dominará *Una meditación*. Un pasaje fantástico, que parece salido de una moralidad medieval o de un relato de Achim von Arnim —el encuentro nocturno del doctor Sebastián con una desconocida en quien adivinamos a la Muerte, que viene en busca de María Timoner— introduce, en clave, un «calembour»: la Muerte es burlada porque confunde a María Timoner con María Gubernäel (Gubernäel vale por «gobernalle», es decir, timón, de donde Timoner) y éste es el apellido de una anciana paciente del mismo establecimiento donde, al cuidado de Sebastián, convalece María Timoner de una enfermedad por otra parte imaginaria.

Si en *Volverás a Región* predominaban lo épico y lo dramático —y el primero de tales registros no ha vuelto hasta ahora a ser abordado por Benet— en *Una meditación* el discurso y aun el ensayo se superponen constantemente a la narración y ésta abunda en percances de farsa. Es sabido que Benet, que ya en *Volverás a Región* había mostrado su preocupación por el tiempo y la memoria, decidió en *Una meditación* someter el acto mismo de la escritura a las discontinuidades del recuerdo en la experiencia diaria: escrito en un rollo de papel continuo que imposibilitaba la relectura, el original de *Una meditación* debía confiar solamente en la memoria de su autor para proseguir. No debe exagerarse la importancia de este procedimiento, decisivo sin duda para el trabajo de Benet, pero en modo alguno determinante total de los resultados. De hecho, Benet no publicó el producto bruto de su experiencia, sino que, una vez concluido el texto, lo sometió a una extensa revisión.

Una meditación es posiblemente la más importante de las novelas publicadas hasta ahora por Benet y una de las cimas de la narrativa española de este siglo. Tras un prólogo retrospectivo, que evoca, en un apacible ambiente burgués, los días anteriores al inicio de la guerra civil —que se sitúa en la infancia del narrador, cuya edad coincide por lo tanto con la de Benet, aunque visiblemente el libro esté muy lejos de ser autobiográfico—, la obra va transcribiendo en un «continuum» enunciativo (en el libro no hay un solo punto y aparte y los escasos diálogos se integran en el cuerpo del texto) a la vez la narración dispersa de unos pocos hechos sórdidos y las reflexiones del narrador sobre ellos. Si —discúlpeseme la esquematización— *Volverás a Región* era ante todo la novela de la guerra, *Una meditación* es principalmente la novela de la posguerra, en una Región que se nos describe como embalsamada y momificada. *Una meditación* es la novela del temor, de la renuncia, del desánimo, de unos seres convertidos en caricaturas de sí mismos, de un país replegado hacia su «protopaís».

El principal hallazgo de Benet, en *Una meditación*, es posiblemente la homogeneidad e impasibilidad del tono. El estilo, rico en cláusulas y considerandos, que en *Volverás a Región* perseguía ante todo efectos plásticos y retóricos, se aproxima aquí al discurso científico. Más que estilo de orador, es estilo de ensayista, y más aún estilo de filósofo, de jurista o de moralista. Desde esta perspectiva distante, las acciones humanas aparecen automáticamente niveladas en un mismo plano moral, y sólo son relevantes, precisamente, como datos que permiten formular un juicio en el terreno ético. De ahí que el constante tránsito de lo narrativo a lo reflexivo, del relato al discurso —aludo a las dos categorías propuestas por Benveniste, a la segunda de las cuales viene a adscribirse a mi modo de ver buena parte de la narrativa de Benet— se integre en un solo bloque estético.

Aunque narrada en zigzag —puesto que es interrumpida constantemente por las reflexiones del narrador, que además suele entrecruzar o sobreponer unos recuerdos a otros— la trama de *Una meditación* es en líneas generales menos ambigua que la de *Volverás a Región*. Las principales oscuridades, salvables en una lectura atenta, derivan del hecho de que Benet suele omitir el sujeto a lo largo de varias páginas, dándolo por sabido o supliéndolo a lo sumo mediante un pronombre personal que puede ser aplicable a distintos personajes. Sin embargo, resulta evidente que, si en *Volverás a Región* el autor se complacía en procurarnos datos equívocos y confundir las pistas, aquí el narrador —a quien el propio Benet ha definido como un canalla, culpable de varios de los hechos que narra— no sólo no nos dice todo lo que sabe, sino que omite algunos hechos esenciales, que sólo podemos colegir, al modo detectivesco, a través de sus consecuencias. El ejemplo quizá más concluyente de esta característica del libro nos viene dado por la personalidad de Jorge Ruan y las relaciones que mantiene con su padre. Jorge, a quien su muerte ha convertido en un mito local, adquirió celebridad como poeta; su padre, escritor más oscuro, le profesó una inquina creciente: por otro lado, la producción poética de Jorge quedó bruscamente interrumpida en edad que todavía le hubiera permitido seguir dando mucho de sí. ¿Qué hay detrás de todo ello? El narrador no nos lo dirá: posiblemente tenga razones para no hacerlo; sin embargo, en el texto están —y semejante técnica, más aún que en las novelas policiales, hace pensar en los relatos de madurez de Henry James— los elementos necesarios para que el lector llegue por sí mismo, aun a pesar de las ambigüedades y falacias de la exposición, a la conclusión más certera. Sabemos que nunca se le habían conocido a Jorge particulares aficiones literarias: que, lo que es más, rehuía hablar, o lo hacía en tono chocante y despectivo, de cuantas gentes y cosas tuvieran que ver con la literatura. Ello, aunque singular, podía no pasar de ser extravagancia de escritor. Pero será el propio narrador de *Una meditación* quien nos procure, inadvertidamente, la pista decisiva. En los últimos tiempos de la vida de Jorge, éste sólo llegó a escribir un poema de amor, del que se nos habla en los siguientes términos: «...todo el poema no era más que una sarta de vaciedades, filosofía barata sobre el tema de la posesión y la renuncia, hecho con tan poco arte que bien se podía decir del hombre que lo había escrito *—si era el mismo de los famosos poemas de quince años antes—* que estaba completamente agotado». (El subrayado es mío.) Unas pocas páginas más adelante, otro inciso casual nos confirmará la sospecha que puede suscitar el pasaje anterior: «...el hombre que con tan pocas palabras» —se nos dirá de Jorge— «había sabido encender el entusiasmo de tan buen número de contemporáneos se recreaba con frecuencia en poner en evidencia todos los aspectos grotescos de un culto fariseo al verbo. Y su propia poesía, a la que no se refería a menos que algún imprudente la sacara a colación, era el primer objeto de su furor crítico «No he conocido nunca, ni creo que conoceré, un escritor (*si es que llegó a serlo*) más negativo...». Tanto en el microcontexto del pasaje transcrito como —con mayor razón todavía— en el macrocontexto de la obra, donde no puede dejar de ser pertinente, la reaparición de esta cláusula hipotética, del todo innecesaria incluso como recurso retórico, procura al lector la pista que necesita para inferir la verdad: Jorge no fue el autor de los poemas que le dieron fama, sino que los hurtó a su padre. De ahí el comportamiento posterior de uno y otro.

Volverás a región y *Una meditación* son dos novelas extensas (más de trescientas apretadas páginas) y elaboradas a lo largo de un dilatado período de tiempo: la escritura de *Una meditación* no ocupó a su autor menos de cinco años y, aunque *Volverás a Región* esté fechado entre 1962 y 1964, el inicio de su gestación debe fecharse en época muy anterior. (He tenido acceso a un primer manuscrito en borrador del arranque de *Volverás a Región* en el que aparecían los gitanos que en el primer relato publicado acerca de Región, «Baalbec, una mancha», incluido en *Nunca llegarás a nada*, acampaban en aquella comarca.) Tras estas dos obras de vastas proporciones, Benet parece haber tendido a la concentración: su siguiente título será una novela corta, y sus dos nuevas novelas largas son sensiblemente menos extensas que las anteriores y muestran un planteamiento muy distinto, centrado —en contraste con la visión totalizadora y omnicomprensiva de *Volverás a Región* y *Una meditación*— en el juego de relaciones entre unos pocos personajes en el asfixiante enclaustramiento de un escenario único. A diferencia del diálogo entre el doctor Sebastián y su visitante en *Volverás a Región*, las conversaciones de los protagonistas de estas obras no suscitarán, o lo harán sólo en débiles y pasajeros fogonazos, las visiones de la memoria. Son personajes hundidos, condenados; si en *Volverás a Región* y *Una meditación* asumían su caída o intentaban escapar de ella, en *Un viaje de invierno* y *La otra casa de Mazón* parecen hallarse (recogiendo las palabras finales de *Una meditación*) «en busca de este consuelo que sólo se encuentra en la desesperanza». En consecuencia, la acción de estas novelas será mucho menos pródiga en incidentes que la de las anteriores: en un tiempo parado, estático —como en la inmóvil catalepsia de un acuario—, los personajes borrosos y fantasmales de *Un viaje de invierno* convocarán una y otra vez las ceremonias rituales de un pasado abolido, y los grotescos títeres que recorren *La otra casa de Mazón* se limitarán a farfullar su abyecta complacencia en la propia ruina.

Una tumba es, en su género, una obra maestra. Se trata de una «ghost story» al modo anglosajón, género que Benet volverá a abordar en algunos relatos de *Cinco narraciones y dos fábulas*. El episodio de la Muerte, ya mencionado, en *Volverás a Región*, o el fantasma del padre del Indio, en *Una meditación*, habían anunciado ya esta vena en Benet. El fantasma que protagoniza *Una tumba* terminará posesionándose del ánimo de un niño; si añadimos que, en otro orden, este niño mantiene relaciones paraeróticas con la señora de la casa, el recuerdo del James de *The Turn of the Screw* parecerá inevitable; sin embargo, tratamiento e intención son muy distintos. Como el Numa, el antepasado —un militar carlista— que inquieta el mundo de los vivos en *Una tumba* es una supervivencia abominable y maligna de otros tiempos, un espectro súbitamente devuelto a la vida por el precipitado de odio y rencor de la guerra civil. Benet había descrito escenas eróticas en *Volverás a Región* y, más frecuentemente, en *Una meditación*. En ambas ocasiones llamaba la atención su impasibilidad, su desprecio hacia los lugares comunes de la literatura galante. Por ello, las páginas que narran la muda iniciación erótica del niño de *Una tumba* en el lecho de la señora constituyen una excepción en la obra de Benet, acaso el primer signo de una zona nueva, casi inexplorada hasta hoy por el escritor (en distinto registro, y fuera ya del ciclo de Región, así lo anunciarían en parte los primeros relatos, irónicos y casi vodevilescos a sabiendas, de *Sub rosa*), que puede ser relevante en el ulterior desarrollo de su obra.

Una tumba está narrada con el fúnebre aparato escénico de una vieja película de terror. El gusto de Benet por la adjetivación enfática y sombría, por el tono sentencioso y hermético, conviene admirablemente a la atmósfera de la obra, que en un plan claro, ordenado y casi simétrico (el primer capítulo nos enfrenta a la tumba profanada; el segundo nos narra la vida anterior del niño y su iniciación erótica; el tercero relata la espectacular muerte —que evoca las leyendas en torno al asesinato de Rasputín— del siniestro antepasado; el cuarto, en fin, la posesión del niño por el mundo de los muertos) contiene acaso una alegoría de los grupos sociales encadenados a su pasado y con él y por él precipitados a la propia destrucción, tema éste de los más característicos de Benet y que dominaba ya *Una meditación*. Es, en todo caso, la más lírica (con *Un viaje de invierno*) de las obras de Benet, y sólo las características de su edición, por otra parte bellísima, explican que hasta el presente no haya alcanzado la difusión de otras.

Por contraste, *Un viaje de invierno* es sin duda el libro más secreto, difícil y oscuro de cuantos Benet lleva publicados. El título procede del ciclo que Schubert compuso en sus últimos tiempos (Benet es autor de un ensayo sobre la época final de este músico, incluido en el volumen *Puerta de tierra*) y, a decir verdad, a lo que más se parece el libro es a la depurada serenidad de un concierto de cámara. La obra transcurre nuevamente en Región, pero escenario y personajes son evanescentes. Aquél se reduce a su pura connotación; las interminables descripciones topográficas de los libros anteriores son sustituidas por indicios casi emblemáticos. En cuanto a los personajes, sólo de tres —la dama enlutada que anualmente convoca una recepción para festejar el temporal retorno de una hija acaso inexistente; el sirviente que ha acudido a la casa llamado por un oscuro designio, y el músico fracasado que terminará irrumpiendo en aquella recepción fantasmagórica para tocar el piano ante un auditorio de sombras— poseemos la suficiente información para considerarlos algo más que puntos de referencia de la escritura. En torno a un solo incidente —el rito, observado con escrupulosidad maníaca, de la recepción anual en la que siempre habrá de presentarse, siniestro, un desconocido a quien no se esperaba—, *Un viaje de invierno* excluye toda progresión: transcurre en un tiempo cíclico, circular, del mismo modo que, maniatados por la cadena prolija de sus incertidumbres y premoniciones, la dama y el criado reducen su existencia —prisioneros de un ceremonial vacío de sentido— a la reiteración silenciosa de constantes idas y venidas por la mansión desolada, en tanto que, signos amenazantes de otro ámbito, un bando de grajos y un caballo errante inquietan el monte, heraldos de la destrucción.

De todo lo debido a Benet, me parece *Un viaje de invierno* el libro que de modo más flagrante está escrito a contrapelo de los hábitos del lector (y por una paradoja que ya mencioné es en cambio el que parece haber obtenido mayor consenso por parte de la crítica).

Desde el elemento distanciador introducido por unas acotaciones marginales, cuya ironía no puede las más de las veces resultar más evidente, hasta la compacta cerrazón de una prosa voluntariamente huérfana casi por completo de contenido anecdótico, *Un viaje de invierno* extrema el difícil rigor de la anterior producción de Benet. Una atmósfera macabra, solemne y glacial (evocamos un baile anual de aparecidos) se cierne sobre el discurso benetiano. Pese a que el autor ha reducido visiblemente el empleo de la imaginería y la metáfora con respecto a obras anteriores, *Un viaje de invierno* es, como ya apunté al hablar de *Una tumba*, la más lírica de las novelas largas de Benet.

Representa, al propio tiempo, una de las experiencias-límite de su escritura, cristalizada aquí en una hermética y solitaria perfección.

Escrita casi simultáneamente a *Un viaje de invierno*, *La otra casa de Mazón* muestra características muy diversas. Como el Faulkner de *Requiem for a Nun*, Benet alterna aquí la forma narrativa y la dramática; como el de *Wild Palms* —cuya traducción castellana ha prologado[2]— narra paralelamente dos historias contrapuntadas. Apresurémonos a señalar las diferencias. En primer lugar, mientras que las páginas narrativas eran un puro apéndice en *Requiem for a Nun* y el cuerpo del libro estaba constituido por la sección dialogada, *La otra casa de Mazón* alterna rigurosamente ambos procedimientos: el libro se compone de cinco partes narrativas y cinco partes dramáticas. En segundo lugar, si las historias de *Wild Palms* eran independientes y hasta heterogéneas del todo, en *La otra casa de Mazón* las dos tramas principales —una de las cuales corresponde a los capítulos narrativos y la otra a los dramáticos— abordan desde distintos segmentos temporales episodios diversos de la sombría saga familiar de los Mazón.

Tras una espléndida obertura descriptiva, en la que reaparecen viejos motivos del ciclo de Región —un mundo proscrito, de decrepitud y decadencia—, Benet nos introduce en una zona alucinatoria. Los capítulos narrativos relatarán lúgubres historias de rencores y venganzas, sobre el diorama sangriento y difuso de la Guerra Civil: la muerte, la putrefacción física, la sombra del manicomio, el acecho del odio, los habitantes de las tinieblas, el erotismo irrisorio y casi fúnebre, el poder de una silenciosa e inexorable maldición, la infancia condenada por las fuerzas oscuras —arquetipos de la panoplia benetiana— serán las constantes de este relato compacto, acezante, brutalmente puntuado por las bruscas precipitaciones del recuerdo o la ira. No menos sombría, la parte dramática de la obra preferirá recurrir al sarcasmo: en 1954, en la vieja y ruinosa casa de los Mazón, los últimos supervivientes —presididos por el vástago Cristino Mazón, a quien posee un irracional orgullo de aristócrata de guardarropía— mantendrán, atento el oído a los disparos del Numa, un inacabable diálogo de desesperados. Un rey de baraja, cubierto de ferralla, con corona de latón, narrará prolijamente su muerte en una batalla medieval de moros y cristianos; Yosen, enloquecido,

---

[2] Se trata de la edición publicada en 1970 por Edhasa, de Barcelona, en la colección «Latinoamericana de Bolsillo».

proferirá dicterios e imprecaciones como un profeta bíblico; serán convocados fantasmas familiares; Cristino Mazón y su sirvienta se dirán su odio impotente. Pocas veces Benet ha empleado tanto como en estos capítulos dramáticos la ironía y la burla; pocas veces ha obtenido resultados tan trágicos. Chirriante y sangrienta en unas partes, atravesada en otras por inaudita violencia, *La otra casa de Mazón* es por ahora la última novela de Benet. En *Sub rosa,* publicado pocos meses después, algunos relatos retornan a Región, ya sea para, en filigrana, ambientar ahí las andanzas de Sherlock Holmes y Watson («Una línea incompleta»), ya para exponer una variante de los conflictos de venganza y derrota que conocemos desde *Volverás a Región* («Horas en apariencia vacías»). En otras partes del libro, Benet se complace en volver la espalda a su propio mito regionato, por la vía de lo irónico o —en el relato que da título al libro— de la aventura marítima. Pero, en la medida en que resume las categorías morales y estéticas propuestas por el escritor, el ciclo de Región no está cerrado. Explícitamente expuesto o no —hemos visto que en *Un viaje de invierno* particularmente la incidencia de este escenario era mínima—, Región es el núcleo central de este universo.

[*Radicalidades,* Barcelona, Antoni Bosch, 1979, 125-138.]

II
LA NOVELA DE REGIÓN

JOSÉ ORTEGA

ESTUDIOS SOBRE LA OBRA DE JUAN BENET

La dimensión temporal en «Volverás a Región»

Volverás a Región, de Juan Benet, constituye la búsqueda del tiempo perdido de unos seres, especialmente del doctor Sebastián y la hija de Gamallo, quienes a través de soliloquios-dialogados exploran en su dimensión temporal, entendida ésta como duración o tiempo psicológico, la aprehensión de experiencias vitales en el pasado que quedaron en simple proyecto, frustrando todo tipo de solución a los problemas que sobre su identidad se plantean estos personajes en el presente.

La experiencia temporal en *Volverás a Región* afecta esencialmente a la conciencia duracional, personal o subjetiva, la cual se integra en el tiempo objetivo o cronológico, así como en el espacio (Región) que el tiempo requiere para encontrar su certidumbre. La memoria vehiculiza la captación de esos momentos únicos (o segunda memoria, que Proust distinguía de la memoria habitual, o condicionada por la simple repetición), para alcanzar la plenitud de ciertas vivencias pasadas en las que los personajes tratan inútilmente de encontrar una justificación a la ruina pasada y la cesación del proceso destructivo interno que en el presente sufren. El conflicto queda planteado entre la heterogeneidad o salvación individual y la homogeneidad o fin trágico de la vida, y se resuelve, como vamos a ver, en favor de esta última instancia, es decir, en el olvido, o la nada.

Una breve ubicación literaria de Benet nos ayudará a una mejor apreciación de las coordenadas histórico-culturales en que se mueve este autor. El realismo crítico-social de los componentes de la *Generación de medio siglo*, es decir, aquellos escritores nacidos entre 1925-1935, cuya obra empieza a aparecer en la década de los cincuenta, pierde vigencia en la primera parte de la década de los sesenta por la imposibilidad del esperado cambio en las estructuras socioeconómicas españolas. Esta nueva toma de conciencia proyecta al escritor de la *Generación de 1950* (J. Goytisolo, Luis Goytisolo, A. Ferres, García Hortelano, etc.) a la exploración de orbes intersubjetivos mediante la impugnación y superación del pasado instrumental literario. De un naturalismo, basado en las motivaciones y acciones del hombre externo, se pasa a la existencia psíquica, al hombre interno. La actitud de estos escritores obedece, pues, a los condicionamientos históricos del país que provocaron, como hemos dicho, el abandono de una literatura de denuncia, «antiestética», en favor de una narrativa basada en la búsqueda del sentido de la personalidad humana, ahondando en el fondo del caos, donde subjetividad y objetividad han desaparecido.

La prolongada estancia de algunos de estos autores (J. Goytisolo, Ferres, López Pacheco, etc.) en el extranjero ha enriquecido, por la integración cultural a que el escritor se ve obligado, la cosmovisión del hombre y los módulos expresivos que trasladan esta experiencia vital. No es, pues, un afán innovador lo que caracteriza a esta *contraola*, integrada por los así llamados *novísimos*[1], sino una nueva forma de apropiación de la realidad determinada por la subversión de valores que han condenado al hombre de fines del siglo XX a una radical incomunicación y desposesión. El escritor de la *Generación de medio siglo*, sin

---

[1] «En los dos últimos años del quinquenio, a que me he referido en el capítulo anterior (1965-70), la protesta irrumpe de lleno y vigorosamente, tomando las proporciones de un verdadero movimiento de rechazo, de una verdadera *Contraola* antirrealista en todos los sentidos, lo mismo en cuanto a la construcción y a la forma de la obra narrativa, que en cuanto a los motivos incitadores y a la sustancia interna de la misma. Esta actitud es lo que caracteriza, por encima de todo, al grupo de narradores que podríamos calificar de novísimos si tal cualificación no implicara una disparidad cronológica, de edad, que nos permitiera diferenciarlos temporalmente», José Corrales Egea, «La novela española actual», Madrid, *Cuadernos para el Diálogo*, 1971, p. 191.

En esta corriente novísima se integran dos promociones. En la primera se integran los escritores de la *Generación de 1950* que, por las razones antes apuntadas, abandonaron el naturalismo o realismo crítico para indagar, a distintos niveles de conciencia, la desarticulación vital del hombre de nuestro tiempo. Se podría incluir en este grupo de obras novísimas: *Reivindicación del conde Don Julián*, de J. Goytisolo; *En el segundo hemisferio* y *Ocho siete seis*, de A. Ferres; *El gran momento de Mary Tribune*, de García Hortelano; *Rey de Gatos*, de Concha Alós; *Leitmotiv*, de José Leyva; *La saga/fuga, de J. B.*, de Torrente Ballester, etc. La nueva generación estaría compuesta por autores nacidos entre 1940 y 1950: Ana María Moix, Sánchez Espeso, Fernándo de Castro, etc.

abandonar el compromiso social con su momento histórico, ha encauzado sus modos expresivos hacia el compromiso con el lenguaje y con el minoritario grupo de lectores a los cuales se les exige una cooperación y participación total en la lectura-creación de la obra.

El iniciador de esta corriente innovadora es Martín Santos con *Tiempo de silencio* (1962), relato que inicia una dialecticidad en la novelística española mediante un discurso con el contexto histórico y con el lector basado en la ruptura-construcción de moldes ideológicos-expresivos en los que se había venido apoyando la narrativa española de posguerra. Entendió Martín Santos que la naturaleza de las contradicciones de la sociedad española necesitaban un nuevo instrumental literario capaz de articular la complejidad de la problemática psicosocial del hombre de su tiempo. Juan Benet, amigo íntimo de Martín Santos, se inscribe de cierta forma en la corriente subjetivista que iniciara en 1962 el escritor-psiquíatra[2], distinguiéndose de éste por su divorcio con la problemática social.

Nacido en 1927, conoce Benet, como los miembros de la *Generación de medio siglo*, la guerra de niño, conflicto que marcará la vida y obra de este autor[3]. Ingeniero civil, vive Benet marginado de la vida cultural del país, excepto por el contacto personal con algunos escritores en las tertulias del Gambrinus (Sastre, Soler, Quintanilla) y el café Gijón. *Revista Española*, la publicación que Antonio Rodríguez Moñino quiso poner en las manos de Ignacio Aldecoa, Sánchez Ferlosio y Alfonso Sastre, acaba publicando una pieza corta de teatro de Benet[4].

Por la fecha de nacimiento y la experiencia de la guerra como niño pertenece Benet a la *Generación de 1950*, pero por la tardía aparición de su obra, la peculiar recreación de orbes fantasmales, mediante un control matemático de la lengua y la sintaxis, así como su falta de preocupación social parece acertado, como indica Gonzalo Sobejano, incluirlo en un grupo *independiente*[5]. *Volverás*

---

[2] C. BARRAL cree que *Volverás a Región*, *El Jarama* y *Tiempo de silencio* marcan el contraste con la literatura social en estado de disolución, «Treinta años de literatura», *Cuadernos para el Diálogo*, mayo del 69, p. 41.

[3] Su padre muere en los primeros años de la guerra civil y este conflicto, según Benet, «fue lo que más influyó en él: verse separado de los padres, vivir las dos Españas y, por una de esas paradojas de la vida, desfilar en Madrid con los pioneros de Lenin y ver en San Sebastián el desfile de los falangistas», A. NÚÑEZ: «Encuentro con J. Benet», *Ínsula*, núm. 269. abril 1969, p. 4. [Aquí, p.p. 17-23].

[4] *Agonía Confutans*, Editorial Siglo XXI, 1971.

[5] *Novela española de nuestro tiempo*, Madrid, Editorial Prensa Española, 1970, p. 401.

a Región, la primera gran obra de Benet, no obedece, como afirma Corrales Egea, a un simple motivo de superación del neorrealismo precedente o a la actitud mimética hacia el *nouveau roman*, sino a la unívoca forma de aprehensión de la realidad que este artista presenta. Tampoco representa esta novela «la posición más distante y extrema al tradicional realismo español, del que se aparta radicalmente»[6], afirmación un tanto gratuita no sólo por los paradójicos frutos del realismo español (Góngora, Quevedo, Valle-Inclán), sino especialmente porque la obra de un creador ha de ser concebida como forma de trabajo específica capaz de dar respuesta a la situación que su vida o circunstancia histórica le plantea, visión del mundo que en Benet se centra en los efectos destructivos que la ruina moral de la guerra ha producido en la psique de sus personajes.

Las tres unidades del relato: tiempo-lugar-acción

El tiempo novelesco, el espacio cronológico en que se desarrolla la fábula de *Volverás a Región*[7], abarca desde 1925 a

[6] «Esta obra [*Volverás a Región*] hay que colocarla entre los diversos intentos que se han hecho desde que empezó a acusarse la decadencia del neorrealismo, a fin de sobrepasarlo y sustituirlo por un género de novela de otro tipo, aunque siempre más o menos opuesto a los cánones precedentes, y cuyo resultado ha sido, en definitiva, un ensayo de aclimatación del *nouveau roman*. Los dos propósitos aparecen tan imbricados e interdependientes, que el deslinde no resulta nada claro», CORRALES EGEA *op. cit.*, p. 209. «*Volverás a Región*, de Juan Benet, representa la posición más distante frente al tradicional realismo español, del que se aparta radicalmente», E. GUILLERMO-J. Amelia HERNÁNDEZ, *La novelística española de los 60* (Nueva York: Torres Library of Literary Studies, 1971, p. 129).

[7] Cito por la primera edición, Barcelona, Ediciones Destino, 1967. La obra de Benet está compuesta de los siguientes títulos: *Max*, Madrid, *Revista Española*, núm. 4, 1953; *Nunca llegarás a nada*, Madrid, Ediciones Tebas, 1961, y Alianza Editorial, 1969; *La inspiración y el estilo*, Madrid, Ediciones de la Revista de Occidente, 1966; *Volverás a Región*, Barcelona, Ediciones Destino, 1967; «Toledo sitiado», *Cuadernos Hispanoamericanos* (216), diciembre de 1967, páginas 571-588; «Agonía confutans», *Cuadernos Hispanoamericanos* (236), agosto de 1969, páginas 307-332; «De Canudos a Macondo», *Revista de Occidente*, enero de 1969, pp. 49-57; «Los padres», *El Urogallo*, 1 de febrero de 1970, pp. 62-66; *Una meditación*, Barcelona, Editorial Seix Barral, S. A., 1970; *Puerta de tierra*, Barcelona, Editorial Seix Barral, S. A., 1970; *Una tumba*, Barcelona, Lumen, 1971; *Teatro*, Madrid, Editorial Siglo XXI, 1971 («Anastas o el origen de la constitución», «Agonía confutans», «Un caso de conciencia»); *Un viaje de invierno*, Barcelona, La Gaya Ciencia, 1972; Poesías: «Dos poemas», *El Urogallo*, III, septiembre-octubre de 1972, páginas 7-8. *Barojiana*, Madrid, Taurus, 1972; *Cinco narraciones y dos fábulas*, Barcelona, La Gaya Ciencia, 1972; *La otra casa de Mazón*, Barcelona, Seix Barral, 1973.

enero de 1939, concretándose en los combates que tuvieron lugar en Región durante 1936, 1937, 1938. La andadura narrativa temporal corresponde a una noche («último sol de la tarde», p. 97; «no era aún de día cuando el doctor despertó», p. 312) de un año de la década de los sesenta, según la predicción del padre del doctor (p. 126). Novela-noche en la que el doctor Daniel Sebastián y la hija de Gamallo mantienen un diálogo que se nutre fundamentalmente de los soliloquios de ambos. La noche o tiempo de la acción evidencia más efectivamente la interna movilidad que provoca el recuerdo, acentuando a la vez el carácter misterioso, fatalista, que envuelve el orbe de Región. Los personajes se nos dan sin descripción física, pues sólo su vida interior, fantasmal, interesa. Una noche, un lugar (la casa del doctor) y dos personajes, aunque la verdadera acción tiene lugar en la vida síquica de éstos, y de aquí el desorden aparente que permea el relato.

El diálogo (entre el yo actual y el pasado, entre el yo y el lector) marca el progreso mínimo de la acción narrativa[8], mera ilusión de un presente en un espacio vital donde lo que cuenta es el pasado. El diálogo aparece entrecomillado (lejos de la tradicional forma con guión), sirve para mejor marcar el encerramiento, ensimismamiento en que se encuentran los protagonistas de la fábula. El vacío, la ruina en que se desenvuelven las criaturas de esta narración minimiza las acciones, lentificando el tiempo y recreando el detalle de esos seres espectrales que necesitan cierta estabilidad.

El tiempo novelístico, el ritmo narrativo, no obedece a la secuencia lógica temporal y el anacrónico *orden* novelesco de Benet —estructurado un tanto artificialmente en cuatro capítulos de 84, 89, 79 y 56 páginas, respectivamente— obedece al hecho de que el tiempo descrito en Región está muerto y frente al fantasmal mundo que nos presenta Benet la cronología no cuenta.

La primera parte de la narración nos introduce en el clima físico-histórico de Región; la segunda se centra en la problemática temporal del doctor y su visitante femenino: la hija del coronel Gamallo; la tercera trata de la ruina de la Guerra Civil, y la cuarta nos lleva a las consideraciones sobre las motivaciones que llevaron al doctor a su actual encerramiento, así como a la viajera a emprender su final itinerario. Básicamente el tema de la ruina —deterioro del contorno físico, social, individual— se presenta en

[8] La acción presente es mínima y el diálogo mantiene una tenue ilación en las páginas 96, 117, 120, 145, 147, 149, 180, 201, 245, 259, 265, 300, 301, 312.

la primera parte, y las tres restantes son un desarrollo de la primera, mediante la compleja técnica musical del fragmentarismo, el adelantamiento y el *ritornello*.

Todo tiempo está encadenado a un espacio. Así como el yo esencial requiere para su realización un tiempo, éste, a su vez, se realiza en el espacio, lo cual resulta en la unidad espacio-temporal, en la que el espacio no es la simple abstracción del tiempo, sino su concreta prolongación.

En *Volverás a Región* la subjetividad e irrealidad del vivir de los personajes tiene una concreta apoyatura histórica (Guerra Civil) en un específico lugar (Región). Tiempo y espacio se encuentran, pues, en acción recíproca, y Región es el punto espacial del tiempo vivido donde la conciencia de los estados sicológicos de los personajes convergen. El doctor y la hija de Gamallo reviven en Región las memorias de su destruido pasado. Región es el espacio donde el tiempo se ha inmovilizado, donde se localiza la angustia del hombre, como el Dublín de Joyce, el Macondo de García Márquez, el Comala de Juan Rulfo.

Región constituye la realidad dada a la que se articula la realidad imaginada. La científica, y un tanto excesiva descripción de esta zona («La Sierra de Región, 2.480 metros de altitud en el vértice del Monje —al decir de los geodestas que nunca lo escalaron— y 1.665 en sus puntos de paso, los collados de Socéanos y La Requerida...», página 36), sirve como contraposición a la realidad imaginada, al elemento mitológico, telúrico, poético, que invade la geografía. «La Sierra de Región se presenta como un testigo enigmático, poco conocido e inquietante de tanto desorden y paroxismo» (p. 39). En Región se adecua la frustrada épica de la Guerra Civil con el juego de apariencias e irrealidad, es decir, con lo más temporal. El género épico tiene mayor flexibilidad para testimoniar el tiempo, la evocación en la que los tres tiempos se mezclan.

En Región, tierra de odios y muertes, la violencia externa no ha transformado el fondo de las cosas, sino que ha servido para confirmar la fatal ley histórica de esta tierra, la cual guarda la leyenda de «los caballeros cristianos que a lo largo de los siglos han caído en los combates del Torce» (p. 189) en unos montes testigos de los combates de las primeras guerras carlistas, donde «la historia y la leyenda» (p. 209) sitúa a una partida de misteriosos guerrilleros. Durante los primeros años del siglo XX, según los recuerdos juveniles del doctor, Región se inventó como sitio de descanso para disfrutar de los avances de la civilización (p.

217) y el progreso, los cuales no lograron destruir el reaccionario miedo de sus habitantes hacia los inventos técnicos, provocando un nuevo tipo de miedo del hombre «a sí mismo y sobre todo a sus semejantes» (p.218).

El doctor cree que en Región se acepta resignadamente todo hecho regido por la ley mecánica del orden establecido por las coordenadas del odio y el miedo («sólo vivimos para nosotros, tan sólo es necesario un suelo de odios y rencor para alimentar y desarrollar y hacer prevalecer a la planta humana», p. 221). La Guerra Civil, conflicto que se asocia con la decadencia de la zona durante los combates que el grupo republicano dirigido por Ruibal opuso a los partidarios del gobierno de Burgos, vino a romper el absorto y atemporal vivir históricos de las gentes de Región, las cuales, ante el manifiesto para unirse contra las fuerzas nacionalistas, dudan ante la amenaza de la ruptura del aburrimiento del olvido o limbo sideral en que vivían: «nadie quería leerlo, era demasiado terrible; lo más terrible era encontrar una finalidad de los actos y un motivo de lucha» (p. 32).

Gamallo es asignado al Estado Mayor en el verano de 1937, y los primeros contactos con Región se realizan el 13 y 27 de septiembre de 1938. Este militar nacionalista organiza el cuartelillo de operaciones precisamente en la clínica del doctor Sebastián (donde el médico cuidó a la amante de Gamallo para escaparse posteriormene con ella). Gamallo muere en diciembre de 1938 sin poder haber roto la inviolabilidad de la montaña y el secreto de su atraso. La guerra termina igualmente sin haber resuelto nada, y los fugitivos reublicanos se pierden en la niebla en 1939, dejando las cosas como estaban en 1936, sin haber podido alterar el secular orden opresivo de Región. La sociedad se refugia de nuevo en la nueva paz, provocada por la mera extinción del conflicto bélico, pues el hombre de Región había crecido y desarrollado en el miedo y la ruina, «toda su vida se habían alimentado de ruinas, nunca llegaron a ver cómo se pone una piedra» (p. 183).

El destino de los seres de *Volverás a Región* se halla determinado por el azar, que en forma de objetos —moneda, cartas— o personas —barquera, Numa—, afectan las vidas de los personajes del relato. La naturaleza, agreste, seca, de extraña flora y fauna, es protegida por el pastor Numa, el cual defiende la inviolabilidad del espacio temporal de lo muerto, de la decadencia. Este Numa, según el doctor, es la postrer esperanza de Región y su historia-leyenda (militar que habiendo amado a una mujer hasta la locura huyó despechado para ocultar sus voluntarias mutilaciones y cobrar venganza, página 251) se identifica con la historia de Gamallo. El viejo Numa es el símbolo del tiempo-fatalidad, el mismo fatídico signo que anunciaría la muerte del doctor en Región y que marca esta tierra de odios, «tienen, como tantas razas habituales a la espera, un sentido de anticipación funeral del porvenir; ¿pues qué otra anticipación del porvenir que no sea la cita con la muerte cabe en esa tierra?» (p. 51). De ese futuro concebido como violencia, destrucción, sólo puede preservarlos el Numa, guardián del supuesto paraíso perdido, hoy sombra e incomunicación: «Y todo el futuro suspendido en el vacío colgando de un hilo que ha de romperse al primer arrebato, ese deseo de violencia solamente frenado por un guardia forestal viejo y mudo» (p. 181). La vida del instinto en que vivían los habitantes de Región fue modificada por la historia (la Guerra Civil) y puesta bajo una razón que no logró destruirla, como simboliza el Numa.

La ruina de Región se identifica, en la parábola *Volverás a Región*, con la del militar Gamallo, a quien, en 1925, «una mujer adúltera, un donjuán de provincias y una moneda de oro sobre la mesa de juego destruyeron su carrera y arruinaron su porvenir» (p. 67). Gamallo pierde la moneda y María Timoner contra el Jugador-Hortera que acuchilla su mano. La huida del doctor con María y el posterior abandono de ésta, obligan al doctor al casamiento con la hija del guardabarrera. El hijo de María Timoner y el Jugador, Luis I. Timoner, es el ahijado del doctor y amante de la hija de Gamallo. María Timoner morirá con la mano crispada sobre la famosa moneda que ha señalado el fatal destino a todos los que estuvieron en contacto con ella.

El desamoroso triángulo: doctor-hija de Gamallo-niño

El doctor y la hija de Gamallo —personaje este último que aparece como el más sensitivo del relato— mantienen un diálogo que en realidad es soliloquio más que monólogo interior, pues en el caso de estos personajes existe comunicación, mientras que en el monólogo interior es proceso síquico desarticulado antes de ser formulado deliberadamente por las palabras. Este fantasmal diálogo expresa la radical soledad de dos seres cuya comunicación trata de establecerse con el pasado sin gran éxito, pues es el fatal porvenir el que definirá sus destinos. El doctor, como la casa, los objetos, el jardín donde se ha encerrado, simboliza un mundo ruinoso donde el tiempo parece haberse detenido, anulando toda esperanza en el futuro; «un hombre —identificado con el mobiliario—, ya entrado en años, contempla el atardecer en el cristal de la ventana, esa fortuita e ilusoria coloración; el jardín en abandono desde aquella hora del ayer —más acá y más allá de los climas, las estaciones, los años y las vigilias» (p. 95). El inexorable transcurrir del tiempo hacia un porvenir vacío constituye el pensamiento obsesionante del doctor: «No creía en el tiempo ni en la salud del cuerpo; sabía que no existe porvenir ni las nevadas ni las avenidas del río» (p. 142). En su intemporal orbe el doctor quiere olvidar todo su pasado lleno de dolor, pero la hija de Gamallo le obliga a enfrentarse con su total renuncia, de la que se salva la necesidad de paz consigo mismo, «hay una reclusión y una renuncia y un abandono de todo menos de la paz consigo mismo que no están dictados por la cobardía, sino por el orgullo» (p. 99). Esta intranquilidad espiritual proviene de su fracasada evasión con María Timoner y su compensatorio matrimonio con la hija del guardabarrera, esposa cuyo recuerdo vive en los objetos que ésta cosió durante la ausencia de su marido (pp. 106, 107).

El destino de la hija de Gamallo está íntimamente relacionado con el de Región y el del doctor. El coronel Gamallo, su padre, fue el que llevó las operaciones contra Región, alterando el orden sagrado de este lugar en persecución del Jugador, que le había ganado su dinero y su amante, María Timoner. El hijo de ésta, Luis I. Timoner, combatiente republicano, será el amante de la hija de Gamallo, la cual aparece cuarentona durante la declinante tarde (p. 100) en la clínica del doctor, lugar «en el que sólo lo incurable tiene acogida y en el que no se sabe otra cosa que de la predestinación» (p. 101). Su llegada a Región —proyecto de vida metaforizado en el título de la novela— se efectúa a través de penoso viaje cuyo término pocos alcanzan, aunque aquellos que lo hacen permanecen en el lugar por haberse acostumbrado a la paz y al aislamiento (p. 102). La razón de la visita de esta desencantada joven es la de buscar una justificación, un consuelo o preservación de la experiencia amorosa que trata de restaurar (pp. 115-117). El viaje mítico, el regreso a Región tiene como fin conquistar su propia individualidad en la casa: «Supongo que vengo por todo eso, en busca de una certeza y una repetición, a volver a pisar el lugar sagrado donde el conjuro de un perfume y un exorcismo resucitarán los héroes desaparecidos..., no pretendo reconstruir nada ni desenterrar nada, pero sí quiero recobrar una certeza —lo exige una memoria viciosa, amamantada por su enfermiza mitomanía—, que es lo único que puede justificar y paliar mi cuarentona desazón» (pp. 300-301). Al pasado va a buscar momentos de placer consciente, sin embargo, de la dificultad de una lucha contra el tiempo. La memoria puede servirle como forma posible de recuperación del tiempo de la gratificación y la realización.

La visitante actualiza a la vez la desazón del doctor, para quien aparentemente el pasado no cuenta (p. 105) y cuyo futuro depende de fatídicos presagios, en contraposición a la hija de Gamallo, quien ha venido a «devolver un poco de calor a los años que tiene por delante» (p. 265).

La ausencia de la madre, las traumáticas experiencias amorosas con aquellos republicanos que tenían derecho a violarla (p. 163), la ausencia del padre, a quien sólo recuerda por la esporádica visita al colegio y por la conversación telefónica cuando es tomada como rehén, son vivencias que quedan sintetizadas en este pensamiento: «En algo más que una semana sufrí todas las consecuencias: un padre muerto, un amante desaparecido, una educación hecha trizas, un conocimiento del amor que me incapacitaba para el futuro» (p. 159).

El estado de desamparo y ruina del doctor y la hija de Gamallo es compartido por un tercer elemento: el misterioso niño que habita en el piso de arriba, personaje que abandonado por su madre vivió encerrado durante los últimos años de la guerra al cuidado de Adela hasta el fin de la guerra civil, cuando pasó a estar bajo la tutela del doctor. Este niño se relaciona también con la frustada maternidad de la hija de Gamallo, la cual, al volver a Región, ve a este mismo niño con gafas que había visto en 1936 (p. 309), el cual pronuncia su nombre y el de su marido (p. 310).

El tiempo le ha sido igualmente usurpado a este niño, el cual se refugia en un pasado desprovisto de encanto infantil, movimiento simbolizado en ese juego de bolas que el pequeño practica a través de los años, en un deseo inconsciente de recuperar los frustrados proyectos juveniles que el pasado abortó. La separación y el encierro no han logrado eliminar los impulsos afectivos del niño con el lazo materno, y al comunicarle el doctor que la viajera no es su madre, éste lo apuñala (p. 314). El lamento del perro y el ruido del disparo del Numa simbolizan vuelta al orden fatal del memorioso monte de Región que, impasible ante los actos humanos, guarda y preserva el pasado. Para la viajera la búsqueda del pasado personal, del lugar, es la búsqueda del paraíso perdido que nunca alcanza, pues la hija de Gamallo morirá, fundiéndose con el lugar que le arrebata la vida. El tema del regreso se convierte, pues, en el tema de la condenación.

Instinto-razón

Volverás a Región presenta el conflicto entre instinto y razón. El doctor cree que la familia es la verdadera trampa de la razón, y su dialogante, la hija de Gamallo, confirma esta idea de que la norma, es decir, el superego (razón), fue la causa de su condena, así como del sentimiento de culpabilidad por la supuesta transgresión moral cometida contra la colectividad. El desarrollo de su instinto no es posible en una sociedad represiva, y al término del relato, el principio de la realidad se le impone, conduciéndola hacia la muerte, después de la renuncia total del placer. La necesidad afectiva a nivel familiar y amistoso le fue negada por la sociedad-razón, trauma que le produce una insuperable esquizofrenia personal (p. 172). El doctor le aclara cómo la enajenación es el resultado actual, final lógico que sigue a la racionalización del impulso (pp. 254-255).

Aunque es la razón la que inicia el movimiento de captación del presente y el pasado, los personajes tratan de aprehender las motivaciones de una conducta determinada por el instinto. La forma en que se lleva a cabo la recreación del pasado temporal, o relación del ser con las cosas, es a través de la «sub-expresividad; su conformación a ellas (relación ser y cosas) se efectúa más desde los sentimientos del temor, odio, esperanza, que desde las categorías propias de la mente o praxis»[9]. La viajera se deja guiar por el impulso vital, instinto, para captar la conciencia de su pasado, al que vuelve más por racionalización afectiva (Proust) que por sensación (Bergson). El retorno al pasado se efectúa mediante la apoyatura mecánica provocada por distintas sensaciones: coche (luz y sonido), el disparo, el picaporte que clausuró una época, etc. (pp. 248, 249, 253, etc.).

Temporalidad

En Benet, como en Faulkner, más que una filosofía del tiempo se trata de expresar el sentimiento de la conciencia. Los personajes buscan la totalidad mediante la incorporación de diversos momentos del pasado, presente y futuro, pero fundamentalmente el contenido de su conciencia explora los resortes que le

[9] El mundo pre-perceptivo de *Volverás a Región* en *La sociedad española en la novela de la posguerra*, Nueva York, Eliseo Torres & Sons, 1971, p. 174.

den una fijeza y consistencia en el presente, porque «el pasado ilumina un presente desmemoriado» y el futuro «es un engaño de la vista» (p. 175). Los personajes saben que el pasado no produce nostalgia y se cuestionan por qué cuando ese pasado les fue presente no produjo nada. La futurización del pasado ha devenido un terrible presente. Respecto al pasado existen dos impulsos para el doctor y la viajera: *a)*, olvidar ese pretérito lleno de experiencias desgraciadas; *b)*, recuperarlo, totalizarlo, identificándose con él. El doctor ha detenido el tiempo y su desconcierto y estupor lo han mantenido en estado absorto, sin pasión (pp. 143-144), sin aparente preocupación por el pasado hasta la llegada de la viajera. Resultado de ese pasado exento de recuerdos afectivos es la presente soledad del doctor, quien llega incluso a pensar que su padre, el telegrafista, vivía bajo la tutela del Numa y que su madre era la que disparaba en una especie de fiesta saturnal que preparaba al hijo al regreso al útero, «para borrar los errores y descarríos de la edad presente y preparar el nacimiento de una nueva raza» (p. 144). Este pensamiento se relaciona con la «herencia arcaica» de Freud como forma de identificación del niño que careció de amores compensatorios.

El diálogo entre la viajera y el doctor es interrumpido por esas voces del pasado a las que no presta atención, porque ni el pretérito, vivido como miedo, ni el futuro, vivido como angustia, pueden mitigar su desazón: «El presente ya pasó y todo lo que nos queda es lo que un día no pasó; el pasado tampoco es lo que fue, sino lo que no fue; sólo el futuro, lo que nos queda, es lo que ya ha sido» (p. 245). El pasado es la esencia del futuro, pero como ese pasado se recuerda en ruina, así el futuro también representa un tipo de destrucción. La viajera cree que el pasado suprimió el condensado futuro y, consciente de la irrealidad de todo presente, quiere regresar a esa edad de anteguerra donde gozaba de cierta armonía. Quiere recuperar la fe en el pasado y, por ende, en el futuro, mediante el rescate de cierta identidad en su pasada juventud para restaurar así la confianza en el futuro. Sin embargo, la memoria, el vehículo de liberación, trata de justificar la ruina del presente: «Es cierto que la memoria desvirtúa, agranda y exagera, pero no es sólo eso; también inventa para dar una apariencia de vivido e ido a aquello que el presente niega» (p. 247). El tiempo, pues, defrauda toda esperanza de identificación a los personajes, pero mientras en la viajera existe una cierta esperanza en el futuro («En realidad el presente es muy poca cosa: casi todo fue», p. 260), en el doctor, la vivencia temporal se traduce en el último estado de desesperación (p. 264). La viajera, reiteradamente, pregunta sobre el motivo de su viaje, pues sabe que ha venido por una certeza «a pisar el lugar sagrado donde el conjuro de un perfume y un exorcismo resucitarán los héroes desaparecidos, los que inocularon en mis entrañas estériles las células cancerosas de su memoria, para recuperar su presa postrera» (p. 301), mientras el doctor busca el enigma de su destino en el dolor de la memoria que anuncia un terrible futuro. Ella tiene plena conciencia de que su salvación depende de su capacidad de identificación con esos momentos del pasado que contienen los fundamentos de su yo profundo: «Es cierto, yo no soy la que yo conozco porque la imagen que tengo de mí ha sido trazada en la soledad, purificada por el abandono e idealizada por el amor propio, pero no se corresponde con la imagen de la joven que no acudió al teléfono, pero sí al rincón del alemán...» (p. 305).

El fantasmal encuentro del doctor y la viajera termina con la muerte del primero y la desaparición de la segunda, ambos orientados no hacia el devenir, sino hacia la nada que lo precede, hacia la muerte o liberación total, final.

«Una meditación»: segunda variación sobre la ruina temporal

En 1925 aparece *Ideas sobre la novela*, de Ortega y Gasset, cuando el naturalismo había perdido su dominio director, y en 1968 se publica *Volverás a Región*, de Juan Benet, primera parte de una triología (*Una meditación*, 1969, y *Un viaje de invierno*, 1972), que representa la reacción contra el realismo crítico de los miembros de la *Generación de 1950*. Benet, como Ortega, define la novela como intrascendente[10], sin propósito moral o social, sólo como un objeto de arte, por lo menos teóricamente, pues toda la obra de un creador es una forma de actividad humana como respuesta a una situación que le plantea la realidad con la cual es necesario estar vinculado. Los temas novelescos de este escritor madrileño —la ruina, la ruina de una ruina— son un puro pretexto para provocar toda una serie de reminiscencias sobre las que construye los fantasiosos orbes de sus personajes que hermética-

[10] «En definitiva, el último que me plantearía es el sociológico, la pregunta ¿para qué?, que no me preocupa nada. Escribo, en definitiva, porque me distrae, me entretiene, y es una de esas cosas de las que no me harto nunca», Antonio NÚÑEZ, «Encuentro con Juan Benet», citado.

mente incomunican al lector de su realidad fáctica. Los generales títulos de su triología explican la carencia de acción, parálisis que resulta en un necesario mejoramiento de la técnica novelística, tesis —la de los nuevos derroteros de la novela por agotamiento de temas y énfasis en la técnica— que profética y acertadamente pronosticó Ortega y Gasset. Novela, pues, la de Benet morosa, cerrada, basada esencialmente en la realidad interna o profundidad sicológica mediante una técnica depurada.

Una meditación[11] presenta muchos puntos de contacto con *Volverás a Región*, primera obra del ciclo novelístico de Benet. El arbitrario espacio continúa siendo Región y el narrador de *Una meditación*, como el doctor Sebastián y la hija de Gamallo, explora las vivencias del pasado para tomar conciencia de la ruina física-moral. Las coordenadas del odio y el miedo siguen determinando la conducta de los seres que pueblan estas ruinas. Algunos de los personajes de *Volverás a Región* reaparecen en *Una meditación*: el doctor Sebastián, el médico de la tía María (p. 4); Gamallo (p. 108); la Muerte, la persona que regenta la fonda (p. 124). La geografía mitológica de *Una meditación* presenta afinidades espaciales con la imaginaria Región y la Guerra Civil, sin tener la importancia temática que este conflicto presenta en *Volverás a Región*, sigue funcionando como el motivo central provocador de la ruina personal, familiar, geográfica y moral encarnada por el narrador desde su juventud. El narrador es partícipe y heredero del odio de su abuelo contra Bonaval, conflicto clasista cuyo origen se remonta a la Guerra Civil. En el plano temático es fundamental, como en *Volverás a Región*, el viaje, y el retorno del narrador-protagonista de *Una meditación* se puede equiparar al de la viajera de *Volverás a Región*, que llega a casa del doctor para comprobar la ruina pasada y su vacío futuro.

El motivo de la vuelta está íntimamente relacionado con la inútil búsqueda que de su mismidad llevan a cabo los personajes de *Una meditación*, itinerarios que pueden agruparse en dos categorías: *a)* Viajes de los que regresan del extranjero: Cayetano Corral vuelto en la década de los cuarenta e instalado en almacén (p. 74); Leo regresa en los sesenta para restaurar su casa paterna (pp. 186-187); Mary, casada en el extranjero con Julián, vuelve después de una ausencia de seis años (p. 99); Bonaval retorna después de la Guerra Civil, (p. 213). *b)* Itinerarios dentro de

[11] *Una meditación*. Cito por la edición de Seix Barral, S. A., Barcelona, 1970.

España: Jorge, a la Cueva del Indio (p. 262); Carlos-Leo, a la Sierra (pp. 159, 204); narrador que vuelve a la muerte del profesor Jorge y después de la desaparición de Mary (pp. 63, 64, 111, etc.).

El discurso del narrador nos pone en contacto con su vida interior, con la desesperada búsqueda de su unidad por la memoria, instrumento para incorporar su yo, sus vivencias y las de los que estuvieron en contacto con su vida desde la infancia. Ese sentido de lo oculto e inexplicable que pertenece a la naturaleza de las cosas y que el innominado narrador-personaje intenta descifrar, explica las aclaraciones que éste hace sobre los acontecimientos o sentimientos que registra y el tono indeciso, vacilante, con que nos introduce en el orbe de su fábula («según me contaron», p. 233; «me temo», p. 215; «según he oído decir», p. 42; «como se verá más adelante (o no se verá, creo que eso da lo mismo)» (p. 9), etc. La acción narrada se extiende desde 1920, cuando el niño recuerda a su extravagante tío Alfonso (p. 172), a la década de los sesenta, cuando vuelve Leo (pp. 186-187). Los recuerdos del niño-narrador se van pautando con sus distintos regresos, cada uno de los cuales supone una nueva frustración: «Yo, yo, me repetía: ¿a santo de qué voy a volver? ¿En dónde está la virtud de la prueba? ¿Qué puedo encontrar que me sirva de clave para encontrar la razón —no ya la justificación—, ni de ser lo que fui ni lo que esperé, ni de poder esperar ya otra cosa que no ser nada ni al menos poderme anticipar al no sé nada para ser algo dejando de ser nada?» (p. 65).

El padre de este niño-narrador desaparece al iniciarse la guerra (p. 47), muriendo posteriormente de ansiedad (como su amigo, el republicano Enrique) durante el conflicto (p. 72), pérdida que marca el comienzo del carácter escéptico, pusilánime del narrador hacia el pasado y el futuro, especialmente después de las desapariciones de Jorge y Mary. La vuelta implica para este ente de ficción el enfrentamiento con la ruina y el odio, cuya semilla procedía de la enemistad entre su abuelo y la familia de Ruan de Escaen[12], escisión que se ratifica por el matrimonio de Mary y Julián (Ruan), así como por la rivalidad provocada por la

[12] En la familia del abuelo del narrador se encuentran: hija Isabel, casada con Luis Torrens; Luisa; Soledad Hocher y su hija Cristina; Mary, casada con el profesor y después divorciada de Julián y posteriormente unida al médico. En la familia rival, los Ruan: Jorge, padre y el hijo poeta; Elvira, hija del abuelo, casada con Antonio; el hijo Enrique (de quien Julián era tutor), desaparecido en la guerra civil, y Ricardo, el hermano del abuelo (que aparece igualmente como tío del narrador, p. 35). En el círculo de amigos de los Ruan: Carlos Bonaval, señor Hernán, doctor Sebastián, Valentín Corral, padre de Cayetano y Emilio Ruiz, pariente lejano de los Corral.

fabricación de licor entre el abuelo y Carlos Bonaval (Ruan). Toda narración, a pesar de su lógica inmediatez, es siempre evocación, memoria, recuperación de un pasado que los personajes presienten como única vía de salvación individual, según nos confiesa el testigo central del relato: «Casi todo lo que ahora trato de traer a mis ojos tiene ese cariz, no como consecuencia de la ruina, sino a causa de la memoria; debe de ser la facultad de toda especie dolida, que necesita saber en parte lo que fue —o contar en sustitución del conocimiento de un paliativo engañoso— para vencer el dolor que le produce lo que es» (p. 52). Esta reminiscencia se efectúa en *Una meditación* por la racionalización afectiva (Proust) más que por la sensación. Como los datos de la memoria son limitados y arbitrarios, el narrador completa su testimonio con observaciones y digresiones sobre las causas que provocaron y mantuvieron su ruina. La reflexión distingue de la memoria habitual, las circunstancias normales y no las anormales (pasión), coexistiendo junto a la memoria voluntaria la involuntaria que estimula la pasión: «El día en que se produce esa inexplicable e involuntaria emersión del recuerdo, toda una zona de penumbra, que parecía olvidada y sobre la que el afán de conocer había perdido todo estímulo» (p. 31).

El discurso se basa en el soliloquio obsesionante del niño-adulto-narrador iniciado antes de la Guerra Civil, soliloquio por comunicar emociones y estados de conciencia próximos a la superficie más que identidad síquica (monólogo interior). El contenido de los personajes se nos da sin ahondar en el subconsciente o mundo onírico y sin distinción en los distintos niveles de conciencia de los personajes, los cuales no se expresan según una lógica variedad lingüística, si exceptuamos el nivel metafórico, cuya riqueza y variedad requiere un estudio separado. La conciencia memorística del niño-narrador aparece dotada de una gran capacidad de movimiento que al anotar la destrucción interior elimina todo tipo de organización mecánica: «Para la memoria no hay continuidad en ningún momento: una banda de tiempo oculto es devorada por el cuerpo y convertida en una serie de fragmentos dispersos, por obra del espíritu; para ella sólo el cuerpo es inmortal —evanescente pero inmortal— por lo mismo que es el espíritu lo que muere» (p. 31). No hay, pues, cronología, pues no hay nada que analizar, aunque sí existan digresiones, comentarios que más que aclarar acentúan el carácter inaprensible del tiempo.

La memoria —que rechaza la razón y la voluntad (p. 33)— aparece como archivador del pasado más que como conservador de éste. Memoria representativa que busca la continuidad perdida, el recuerdo como vivido y su presente actualización. Además de la función reguladora de la memoria, ésta posee un nivel afectivo (pues sentir y conocer pueden, según Proust, reforzarse y no oponerse) que hace reaparecer estados anímicos, emotivos en un afán de mantener la experiencia del pasado. El adulto trata de comprender desde el presente la oscilación, superposición y confusión de sus sentimientos hacia su prima Mary, a quien por primera vez acompañara a Escaen a jugar el croquet (p. 34). El recuerdo, a menudo, guarda un hecho (que no recoge la memoria), conservando ese sentimiento afectivo de la pasión que la memoria elimina[13], pues la pasión se sacrifica con el paso del tiempo a la costumbre, la repetición. La reflexión trae, pues, a veces, el elemento afectivo del personaje-narrador que fue registrado por la memoria y no el sentimiento, pero que posteriormente surge por asociaciones de carácter incidental: «Tiempo atrás hube de recordar que en aquel día y en aquella ocasión sufrí una caída —al pretender alcanzarlos porque estaba retrasado— que me produjo, además de una herida en la rodilla de poca monta, la acongojante sensación de perderme la entrada de Mary en la terraza donde la esperaba la familia de Ruan» (pp. 28-29). El gesto «heroico» de levantarse inmediatamente después de la caída para ver a Mary le explica al personaje en el presente la razón por la que Mary «había despertado su atracción y admiración» (p. 29). Este recuerdo se reitera en numerosas ocasiones, como cuando con motivo del homenaje al poeta Jorge de Ruan el narrador evoca a Mary (entonces muerta, pp. 239-240). El personaje-narrador asocia con Mary el exilio cuando ésta se despide de Julián antes de la Guerra Civil (p. 50), o cuando Mary vuelve del exilio en los cuarenta (pp. 33, 34, 100). Las consecuencias de este exilio, tras el cual se corre un telón (p. 50), provocan la vuelta a episodios anteriores a la guerra de alguna forma relacionados con este destierro.

[13] «Es el recuerdo, esto es, la memoria de la pasión, la memoria específica de aquellos momentos de la existencia en los que la memoria no compareció para hacerlos posibles. Porque si la pasión no es otra cosa que el agente catalizador capaz de transformar un tiempo en suspensión en existencia depositada, en cuanto lo hace posible (y una vez que lo ha consumado) su presencia empieza a ser superflua, tanto como la de la memoria comienza a ser necesaria para reconocer la naturaleza del nuevo precipitado. Así que, en cierto modo, pasión y memoria no son nunca simultáneas, sino fases diferentes de un proceso que se inicia con el momento de divergencia y descontento de un espíritu al que la memoria le distrae de su función para disociar el tiempo... », *Puerta de tierra*, Barcelona, Editorial Seix Barral, S. A., 1970, p. 96.

Meditación, pues, como reflexión o reversión de la conciencia sobre sus propios actos. Reflexión sicológica donde el problema del conocimiento se relaciona con una actividad síquica; reflexión que surgida de las ideas, no de las sensaciones, se proyecta sobre el pasado, pero sin separarse del presente, única e inescapable realidad del personaje-narrador. El homenaje al poeta desaparecido y el descubrimiento de la lápida constituyen unos tipos de asociación donde la memoria se relaciona con el odio que ha minado a Escaen y que finalmente mina la lápida (pp. 56, 111, 228, 238). Por otra parte, el presente tampoco es tiempo, pues la memoria, la facultad que lo organiza, lo anula al clasificarlo. El concepto de tiempo como posibilidad se esfuma porque lo previsto (futuro) por la memoria es menos tiempo. El personaje niño-adulto se siente bajo la influencia de un pasado que no puede abolir y esto le enfrenta con un destino cuya futurización no es temida, pues lo que realmente le preocupa es la inalterabilidad del pasado como destino. El destino, al no aparecer asociado con ninguna sucesión cronológica que un posible determinismo temporal pudiera implicar, explica el multiperspectivismo y las ocasionales confusiones que sufre el narrador. El pasado aparece como un bloque, no como presente sucesivo, lo cual justifica ese continuo enunciativo sin divisiones en capítulos o convencional puntuación que adopta el texto.

El sentimiento afectivo introduce la esperanza que, aunque racionalmente justificada, no encuentra su realización cuando trata de cumplir las promesas que no se cumplieron en el pasado (p. 64). La imposibilidad de asimilar ese yo al pasado, cuyo mejor atractivo era la proyección del presente en cuanto acontecimiento completo, pasado, implica que la futurización, el destino, sólo sirve para acentuar la confusión del narrador: «La vida humana es demasiado larga en la cuenta de los días, pero muy breve en la de los momentos. Sin ese juego —y sin esa ilusión de poder convertir el tiempo en momento—, ¿qué queda?» (p. 321). Después de haber fracasado en incorporar ese pasado a su yo, el personaje de *Una meditación* teme que su destino no esté configurado y que el amor (problemática solución) sólo sea un verdugo (p. 66), siendo la conciencia de ese futuro vacío lo que destruye el presente (p. 71).

El destino fatalista en Benet, como en Faulkner, proyecta al personaje y al lector un enfrentamiento con las cosas que permanecen ocultas y que evidencian el carácter ominoso de personas, lugares y objetos. En el primer apartado, nos encontramos en *Una meditación* con el Numa (pp. 50, 149, 246); la Muerte (pp. 124, 307); el Indio (pp. 159, 204, 262); el Penitente (pp.297, 300); Antonio, el hermano de Camila, que tiene un sentido fatalista de todo (p. 264); el tío Ricardo (cuyo equivalente en *Volverás a Región* sería el padre telegrafista del doctor Sebastián), que anuncia con sus auriculares la guerra (pp. 39, 40, 176, 217, 246). El sitio que marca profundamente el destino de algunos de los personajes es el cobertizo de Cayetano Corral, donde se conocen Carlos Bonaval y Leo (p. 199), mujer a la que el propio Cayetano admiraba. En este mismo sitio Carlos Bonaval conoció a Jorge y a este «altar del Tiempo y la Palidez» iría, después de haber sido incendiado, en acto expiatorio (pp. 82-83). Entre los objetos portadores de fatídicos presagios se destaca la carta de Cayetano Corral a Carlos Bonaval previniéndole de un posible peligro (pp. 205, 209, 280, 286, 287, 311, 327) y el reloj (pp. 74, 80, 83, 165, 287, 288).

La referencia al reloj averiado sirve de base a la idea central de la ruina o tiempo detenido que exento de continuidad pone de manifiesto los desórdenes de la conciencia, especialmente en relación con el vacío y paralización provocados después de la Guerra Civil (p. 90), conflicto que sume al pueblo en la quietud e irracionalidad, estatismo que se romperá con la conciencia del tiempo. El reloj parado simboliza ese compás de espera, frágil orden donde se aloja la latente hostilidad, la cual se hará patente cuando el reloj empiece a andar (pp. 285-286). El personaje que cuida la ausencia del sentido de la duración del reloj, cuyo posterior funcionamiento traerá imprevisibles males, es, como ya hemos visto, el extravagente Cayetano Corral vuelto en 1940 e instalado en el barracón para componer el reloj, «cuya obligación era marcar con el silencio el compás de espera entre la vida y la existencia» (p. 74). Realmente empieza a trabajar en el reloj cuando descubre que Leo y Bonaval se han ido de excursión a la Sierra, viaje que alterará, como veremos, la vida de muchos de los personajes. La acción de Cayetano parece determinada por el deseo de regularizar la ausencia de la amada, o puesta en marcha de un tiempo que inexorablemente desemboca en un futuro catastrófico. El reloj que estuvo incapacitado para medir el tiempo se transforma en virtud de la pasión amorosa de Leo en agente destructivo. El propio reloj toma conciencia de que el tiempo es más pesado cuando puede ser advertido, medido (p. 81), y el pacto entre Cayetano y el reloj, basado en la abstracción del tiempo, se rompe después del abandono de Leo, cuando el tiempo se convierte en algo independiente, nefasto, contabilizador de un infausto futuro. Al ponerse en marcha el reloj —después de que Cayetano se entera de la muerte de Jorge y del incendio de la casa de Mary— el tiempo se transforma en pronosticador de tragedias (p. 82), pues su marcha regulada en el reloj implica una especie de robo de la existencia al tiempo por la contabilización de la cantidad de existencia que hay que pagar para el consumo de cuota de tiempo cronológico[14].

La puesta en marcha del reloj (p. 287) se transmite a todos los relojes del mundo, que hasta entonces han permanecido parados, expandiendo su mortal latido que afecta a seres y objetos[15]. El genio maligno detenido por la inactividad de este instrumento renueva su perniciosa influencia a partir de la reparación de Cayetano Corral. El tiempo está íntimamente relacionado con el amor y la muerte, dos formas de destemporalización. El amor constituye, en la mayoría de los personajes de *Una meditación*, la única posibilidad de lograr la liberación de miedos y terrores que le impidieron realizarse totalmente como seres humanos, y la idea de la muerte impregna la vida y acciones de los personajes de un sentido fatalista del tiempo.

Emilio Ruiz, el ex falangista, trata de superar sus represiones y complejos sexuales (cuyo origen se encuentra en la Guerra Civil) en distintas aventuras amorosas que terminan en el fracaso. Leo lo desprecia (p. 188), como la belga que se refugió en la fonda, y la dueña de la pensión, la cual es consciente de la imposibilidad que la pasión sexual de Emilio pueda tener contra su soledad (pp. 308-309)[16].

En el poeta Jorge la rivalidad con el padre se canaliza, en forma compensatoria, por el allanamiento de la morada sexual de

---

[14] «Pero al hombre —muy al contrario— no le es dado sino que lo tiene él —de suyo— y es (y no paradójicamente) lo que tiene que dar a cambio de existir; es la dimensión heterogénea con todas aquellas que hacen posible su llegar a ser, la que da a cambio de dinero, de habitación, de amor y que —incluso durmiendo— sabe que está obligado a dar pausada y constantemente a cambio de seguir en el reino de los vivos», *Puerta de tierra*..., p. 91.

[15] Consecuencia del latido que afecta a todo es el fatalismo que envuelve las acciones últimas del penitente que pega fuego a la bolsa de gas que provocaría el hundimiento de la cueva donde está el Indio, donde también se encuentran el capataz y el patrón que esperan al Indio para matarle (p. 328); Camila no puede conciliar el sueño pensando en el hijo calvo que le nacerá, según profecía del barbudo cura; etc.

[16] Las descargas sexuales, forma de liberación de las represiones sicosomáticas de Emilio, se efectúan en forma de orgasmos que éste tiene a la puerta de la habitación de la dueña de la fonda (p. 135).

Camila, una de las dos hermanas prostitutas, la cual le fue presentada por otra de sus amantes, Rosa de Llanes (p. 260). Jorge regala una rata a Camila por asociación con el recuerdo del hombre que limpiando la cañería salió con una rata adherida al brazo, la cual despegaría mediante un mordisco. La cañería, como la Cueva del Indio (llena de imágenes eróticas, p. 328), es un símbolo erótico del centro femenino relacionado con la vagina, o lazo materno del que Jorge careció. La rata simboliza el mal, el castigo por la satisfacción del instinto. La liberación final de Jorge se produce en forma de muerte después de su viaje con Camila por la Cueva del Indio (p. 262), fatal condena a la que parece precipitar una pasión amorosa en la que falsamente había confiado.

Carlos Bonaval y Leo viven, por su parte, una aventura amorosa en la que buscan una solución a su conflicto, o enigma de sus vidas, aunque, como en los casos anteriores, la relación sexual los sume en el vacío. La actitud inicial de la relación Carlos-Leo se basa en la mutua desconfianza (p. 322), pues ninguno quiere sacrificar su mismidad, aunque en ambos exista una tenue esperanza de montar sobre su mutua ruina una especie de compenetración, situación ambivalente de quien desea descubrir su yo en el otro, temiendo a la vez que el despertar de ese yo fuerce a la explicación de las razones por las que se mantuvo el yo encerrado tantos años: «Su recelo estaba justificado y su recíproca prudencia era la mejor prueba de la magnitud de la hecatombe que cualquiera de ellos —y sobre todo Bonaval— presentía si se decidía a tomar la pasividad del otro como una invitación a sus propias iniciativas... extraño respeto a su intimidad —que ninguno de los dos estaba dispuesto a entregar sin menoscabo, a cambio de cualquiera sabe qué conjeturas que dominaban sendos ánimos— para levantar sobre sus ruinas el edificio de una compenetración —inédita para ambos— por más singular, elaborada y pretenciosa, mucho más catastrófica» (p. 322). El problema de Carlos radica en su deseo de tener conciencia de su independencia, libertad y saber que sólo podrá conseguir su meta identificándose (por unión o eliminación) con ese *alter ego* que acaba de despertar y que, personificado, le persigue en la encrucijada (p. 235); su salvación depende de la fuerza con que rompa con ese pretérito que lo enclaustró bajo la utópica esperanza de un posible orden (p. 326). Carlos, poseyendo a Leo, trata de incorporar a la amada a su caótico orden, pero ella cae en expresión beatífica, en el olvido, y posteriormente Leo, continuando su viaje a Titelacer, tiene completa certeza de que sólo existe la nada. Carlos sale de la casa dejando a Leo en un éxtasis (o tiempo detenido que anuncia un futuro aciago) sobre la cama en posición de cruz de San Andrés (símbolo de esas dos partes del alma, razón y pasión, unidas en un nuevo orden de contrarios) y al salir se tropieza con el hombre de amarillo, color que anteriormente aparece asociado con seres (capataz, penitente, patrón, Indio) condenados a otro trágico final. El acto de expiación de Carlos, restregándose con las cenizas del destruido barracón de Corral, se califica como «consuelo en la desesperanza» (p. 329) de quien no encontró en la aventura, el viaje y el amor solución a su problema. El itinerario, la búsqueda, la salida del laberinto termina con el retorno al comienzo del ciclo natural, a ese invierno que, descomponiéndose en marzo (p. 313), no logra clausurar totalmente el invierno, estación que simboliza la salida del reino del temor, del miedo hacia un problemático futuro que se tornará fatalmente trágico: «En verdad casi toda historia de amor es un viaje a los infiernos, en el corazón del invierno, al término del cual el mundo curado de su parálisis recobra su animación. Bonaval lo sabía muy bien, pero aun así no le dijo: "Aguarda; no ha llegado todavía el momento de traer a colación tu lastimera experiencia. No existe experiencia amorosa como no existe tampoco para las estaciones. Existe la ley del ciclo y a ella hay que atenerse"» (p. 320). La animación, la pasión que el mundo recobra con la historia de amor, o viaje a los infiernos de Carlos-Leo, se resuelve, pues, trágicamente, y Bonaval, al sentir el agitado latir que ha invadido a la amada, toma conciencia de la inutilidad de su pasión convencido de que «el viaje de invierno había terminado» (p. 327).

Razón, nostalgia y destino de «Un viaje de invierno»

Un viaje de invierno, de Juan Benet, cierra el ciclo iniciado con *Volverás a Región*[17] en torno a la búsqueda del destino por unos personajes, aspiración que concluye en cada uno de los tres relatos con el fracaso de este proyecto de individuación.

La clave de *Un viaje de invierno* se encuentra en el viaje[18] que

[17] Las citas corresponden a *Volverás a Región*, Barcelona, Ediciones Destino, 1967; *Una meditación*, Barcelona, Seix Barral, S. A., 1970; *Un viaje de invierno*, 2ª ed., Barcelona, La Gaya Ciencia, 1971.

[18] El motivo del viaje —como la hija de Gamallo que va a la clínica a comprobar su ruina (*Volverás a Región*) y la misteriosa excursión que Leo y Bonaval hacen a la sierra, alterando de esta forma el destino de muchas vidas (*Una meditación*)— vehiculiza la exploración que de sus vivencias llevan a cabo los personajes.

la hija de Gamallo emprende a la clínica del doctor para recobrar su individualidad y superar su desazón y soledad: «Supongo que vengo por todo eso, en busca de una certeza y una repetición, a volver a pisar el lugar sagrado donde el conjuro de un perfume y un exorcismo resucitarán los héroes desaparecidos, los que inocularon en mis entrañas estériles las células cancerosas de su memoria» (*Volverás a Región*, p. 300). En *Una meditación*, la segunda parte de la trilogía, el simbólico itinerario concluye con la fatal vuelta al ciclo natural de ese marzo que, después de un tenebroso invierno, anuncia una engañosa primavera portadora de signos ominosos. Cada viaje supone la renovación de una esperanza que la falsa pasión despierta en la razón, promesa que se satisface y que termina, como en el caso de Bonaval, con la toma de conciencia sobre la inutilidad de su pasión.

El análisis de los más destacados incidentes en *Un viaje de invierno* nos ayudará a penetrar en los secretos móviles de las conductas de unos personajes obsesionados por la aprehensión de un estado anímico con el que poder identificar su secreto anhelo de libertad.

Viaje-fiesta

La indeterminación del viaje sugerida por el artículo de *Un viaje de invierno* parece aludir a los varios itinerarios que en el relato simbolizan la futilidad del regreso de los que intentan alcanzar la comprensión de su destino personal, así como la frustración que sigue a esta fallida tentativa por dilucidar su contingente existencia. Siete recorridos podrían considerarse en esta narración: *a)* la vuelta de Coré, la hija de Demetria, cuyo retorno se celebra con la fiesta; *b)* el posible regreso de su marido Amat, cuya marcha se conmemora; *c)* el viaje de los invitados a una fiesta, que en principio constituía la celebración de los esponsales de Demetria y Amat; *d)* el viaje de Arturo; *e)* la salida de Demetria de la casa, después de doce años, para cancelar el pedido de las invitaciones; *f)* la llegada del Intruso, posible familiar de los Amat; *g)* la ruta del músico.

El reiterativo imperfecto nos introduce en la costumbre o rito de la celebración de la vuelta de la hija Coré, preparada por su madre Demetria, evanescente personaje que aparece bajo los nombres de «La Obscura» y Nemesia (*Un viaje de invierno*, pp. 64 y 112) en confusa proteicidad que caracteriza a los personajes benetianos, nebulosos entes como esos recuerdos que inútilmente tratan de fijar y descifrar. La dimensión espacial de este relato continúa siendo una Región «yerma y desolada» (p. 18) en perfecta adecuación con el alucinado y solitario vivir de sus pobladores[19]. La fiesta, sin embargo, conmemora actos espaciohistóricamente no registrados, quizá porque la duración que el personaje trata de captar elimina toda impresión espacial.

Bajo el pretexto de la vuelta de su hija Coré, de cuya existencia hay prueba en cierto registro, y el posible retorno de su marido Amat, de cuya existencia no hay prueba fehaciente, vive Demetria su deseo en una soledad como condición, soledad que intenta romper con un acontecimiento donde poder ejercer su voluntad, introduciendo la sorpresa, pero sin hacer de esta interrupción una ley, una repetición. Demetria quiere provocar el cambio con una fiesta, rechazando todo registro histórico, para autodefenderse contra un destino amenazador. El viaje está, pues, indefectiblemente unido a la fiesta (no convocada, imaginada como respuesta y personificación de un vehemente deseo), cuyas implicaciones son: *a)* suspensión del rigor, la rutina; *b)* forma de hacer volver a su marido y combatir la soledad ocasionada con su marcha, superando igualmente la enemistad con la familia de los Amat; *c)* instrumento para ejercer su voluntad.

La repetición de la fiesta bajo fechas y circunstancias ambiguas, que la continuidad no puede archivar, crea un elemento de confusión que trae a un pretérito próximo el tiempo prerracional, inmemorial («en el limbo del ser-fue», *Un viaje*..., p. 103), en un más allá de la frontera de todo acto de recordación. Este tipo de preterización, basado en una superación del vacío pasado y futuro, hace presente todo el contenido de la conciencia en la actualización de un instante que, pese a su fugacidad, constituye, durante la fiesta «el único momento del año que merecería llamarse vivido, no frustrado por el hastío ni atormentado por el después» (*Un viaje*..., p. 116).

La fiesta no es convocada, pues, con ninguna finalidad, aunque el viajero se pregunte durante su trayecto por el objetivo de ésta, inquietud que se esfumará en el momento de llamar a la puerta de la casa de Demetria. La velada sólo representa una suspensión de un proceso continuativo cuyo comienzo viene

---

[19] La simbiosis entre el espacio novelesco como entidad autónoma y los personajes en *Volverás a Región* (recurso narrativo que podría extenderse a las otras dos partes de la trilogía) ha sido analizada por Ricardo GULLÓN en «Una región laberíntica que bien pudiera llamarse España», *Ínsula* (319), junio de 1973, pp. 3 y 10.

marcado por la súbita presencia de un caballo destrabado, idea asociada con los invitados que, liberados de una engañosa razón e impulsados por el instinto, acuden a una celebración en la que recordarán formas de conducta mediante la recreación de una memoria crédula y no añorante. Los invitados acuden con la idea de anular en una noche todo el tiempo de unas costumbres que los condenan a un destino común. Todo indicio de la pasada fiesta, incluso las invitaciones, es destruido para salvaguardar sólo esas reminiscencias prerracionales que podrían haber ocurrido durante la fiesta: «No es tanto que se exigiera la garantía del secreto ni que se adoptara la actitud más fortificante hacia las costumbres, sino que, cualquiera que fuera la razón que les llevaba allí, era preciso homogeneizarla con el pecado del olvido, en la esperanza de encontrar en el olvido la huella de una fosilizada intención, de una frustrada voluntad sepultada por siglos y generaciones de deberes y costumbres» (*Un viaje*..., p. 178). Pasado apócrifo que vive en la memoria de alguien, pasado cualitativamente existencial como materia de infinitas posibilidades.

En el anual rito los invitados, hastiados y solitarios como Demetria, encuentran en la casa un estímulo (o la posibilidad de éste) viviendo la soledad de la anfitriona, de la cual extraen su razón (*Un viaje*..., p. 120). Demetria inculca en sus invitados su propia desazón, de la misma forma que imbuyó el deseo nostálgico y la inquietud en su marido para que éste con su vuelta hiciese tolerable el vacío de su actual existencia. El presente, generador de una preterracional lucidez, es a la vez un engaño que no posibilita ningún tipo de permanencia (a la que alude el «espíritu de la porcelana»), inmutabilidad contra la que lucha Demetria, quien sólo confía en la reivindicación de lo contingente: «No, no quiero en mi casa porcelanas ni objetos de metal, nada que dure. Observa cómo aquí todo es inestable y putrescible, es como debe ser» *Un viaje*..., p. 91). La anfitriona confía en la ambigüedad de un momento basado no en la memoria, sino en cierta forma de intuición de un hecho feliz, evocador de una condición inocente donde era posible la libertad. El fin primordial de los invitados es igualmente encontrar un acto libertador que los redima de un destino caracterizado por la soledad, la congoja y la muerte.

Invitados, Arturo, Intruso

Demetria ve por primera vez a Arturo cuando éste, a la puerta de su granja, intenta recordar una canción oída en su niñez. Arturo está preocupado por una conciencia nostálgica que fatalmente le impulsa a emprender una marcha que termina en la casa de Demetria, la cual esperaba esta visita como algo insólito, sorprendente, no previsto. La llegada del visitante está relacionada con la restauración del orden físico y emocional de la casa, organización que Demetria rechaza por considerar que el restablecimiento de toda costumbre constituía la restauración de ese principio finalista negador de una posible lucidez sobre su problemática existencial. Arturo presiente que su visita a la casa constituirá el último ejercicio de su voluntad (libertad) y que después de la salida de la casa de Demetria su destino será fatalmente decidido en los abandonados caseríos de los Amat.

Las «decisiones» que Arturo toma están relacionadas con los indefectibles ciclos de la naturaleza, como la marcha de los grajos (pp. 40, 46), o ese caballo que, pese a tener trabadas las manos, se mueve por un impulso semejante al de Arturo; ambos, racionales e irracionales, tratando de satisfacer una imperiosa ansiedad por la liberación de unos obstáculos que imposibilitan todo movimiento autónomo (pp. 41, 58, 60). Su decisión coincide con ese momento de fin de verano (el otoño marcó la salida de Coré a la vez que anunciaba la fiesta de marzo), cuando en el poniente aparecen la mula-hombre-arado (p. 42), símbolo de las leyes intrahistóricas cuya contravención acarrea daños irreparables. Este determinismo que define la conducta de Arturo se contrapone al ejercicio de la voluntad y autoridad de su ama, quien introduce la incertidumbre en la vida de su sirviente, cuando éste, una vez aprendidas sus tareas domésticas, empieza a cuestionar la finalidad de su trabajo. Demetria imprime la duda en el ánimo de Arturo, convenciéndolo de lo absurdo de su deseo por encontrarle una finalidad a una vida que, según ella, está definida por el deterioro: «En cuanto a los conocimientos "parecen el tributo que es menester pagar para tener derecho a la desgracia" —aunque no le amonestaba, ni siquiera le prevenía, tan sólo deseaba hacerle saber una vez más que su camino sólo tenía una meta—, "es el gravamen de una memoria que recaudando tan sólo esperanzas conscientes, tributa por la desesperación de mañana"» (p. 230).

La ignorancia y el olvido que Demetria cultiva para combatir el tiempo de la memoria o la costumbre se concretizan en el bausán, objeto que le ayuda a soportar la soledad y que representa un homenaje a Amat, a quien sólo dejaría entrar en la casa para enriquecer la pudrición del tiempo. El destino de los seres que pueblan *Un viaje de invierno* está íntimamente relacionado con ciertos objetos (en *Volverás a Región* estos objetos son: moneda, carta, barca) que, como el bausán, esa figura de hombre hecha de paja, funciona como un fetiche que sirve para retener el recuerdo de Amat. El ocultamiento del bausán a Arturo le sirve a Demetria para mantener el misterio y el control de su voluntad sobre el sirviente (pp. 50, 54, 66, 86, etc), de quien esconde definitivamente el bausán, cuando éste marcha hacia Mantua, después de haber tomado conciencia (por esa iluminación producida por el contacto de su mano con la de Demetria) de un vacío y soledad insuperables: «Cerró con llave el compartimento donde guardaba el bausán. Sabía que no le volvería a ver, que al día siguiente —sin que entre ellos mediara una palabra— quedaría resuelto el contrato, con una muesca vertical sobre las runas inclinadas y horizontales de la jamba, con su esperada, pero intempestiva marcha hacia los confines de Mantua. Que tal vez eso significara el final de muchas cosas, incluida la tradición del festejo y toda aquella larga serie de transgresiones a la ley de la espera, transferidas al bausán desde la memoria de Amat» (p. 232).

El papel con la palabra *Amat* en un lado y *Tama* por el otro simboliza la inversión dialéctica razón-espíritu que Amat adivinó la noche de la celebración de sus esponsales, enigma que se transmite a Arturo, quien encuentra este papel a la puerta de la alcoba de Demetria, y, al entregar a su ama este testimonio del uso, toma conciencia del vacío decidiendo prolongar su estancia en la casa. Este papel posteriormente se transforma en el pañuelo que la vieja dama usa para limpiar las lágrimas provocadas por el sufrimiento del recuerdo nostálgico, pañuelo que Arturo arrojará finalmente a la basura para destruir toda prueba del hábito sentimental.

La avería eléctrica señala la aparición del invierno, así como el carácter indeterminado del destino de Arturo, estado anímico que se patentiza nuevamente en el segundo apagón, cuando Demetria le pide que no alumbre nada (pp. 87, 97, 98)[20], dándole a entender así que cualquier intento para aclarar el misterio de su soledad y vacío eliminaría la posibilidad de un promisorio futuro.

El Intruso es la persona que furtivamente abandona una bufanda en el festejo como protesta de los Amat por la boda de uno

---

[20] La luz de la linterna del músico que avanza a través de las sombras (pp. 157, 169, etcétera), así como la mariposa que Demetria mantiene encendida, simbolizan la búsqueda de una luz que pueda aclarar el misterio de las vidas de estos seres.

de éstos con Demetria, así como para introducir el testimonio de la costumbre entre aquellos que se habían convocado para romper la norma. El acto de dejar esta prenda en la fiesta tiene un carácter repetitivo y sugeridor de una añoranza contra la que lucha la anfitriona para centrar el interés en un momento vago, sin referencias a pasado ni futuro. La bufanda introduce la finalidad, pues alguien ha de venir a recogerla, pero es sólo el azar, manteniendo despierto el ánimo en continua espera, el que posibilita la incierta vuelta del Intruso. Contra las falsas promesas introducidas por el Intruso y su bufanda se alza la nota musical que en un momento determinado fusionará el instante con el espacio no irreversible, momento revelador de todo un destino que se produce por la melodía, pero precisamente en el momento en que ésta se interrumpe.

El Intruso, que, como niño, aparece en el Conservatorio acariciando una ilusión musical, simboliza la frustración de quien perseveró en la búsqueda de un triunfo futuro para volver fracasado de su experiencia a un arrabal. Esta fallida carrera fue presentida por Demetria, que entendía que propósito por alcanzar un triunfo estaba condenado al fracaso, e invitando al músico a que toque en su fiesta trata de hacerlo comprender a éste que lo que distingue a todos los actos es su carencia de finalidad. Los consejos del bedel del Conservatorio, último representante de un orden decadente, traducen explícitamente el sentimiento de Demetria sobre la futilidad de las ambiciones del aspirante a músico famoso: «No te aturdas, joven —le dirá más tarde—; no pierdas el sentido porque te halles cansado de esperar. Pierde más bien la impaciencia. No tengas prisa. No tengas la menor prisa. Este es un oficio de difuntos, nunca mejor dicho. A la vista de lo que te espera te recomiendo calma, mucha calma. Dile a tu ánimo que no se envanezca y a tu vocación que no te tiente... y a tu ambición que se calle. Sábete que es lo único que se puede aprender aquí. Te olvidarás del apetito de la conquista y llegarás a saber —ya tal vez sólo aquí lo enseñen— que hay una disposición del espíritu para convertir la espera y la falta de sentido en arte verdadero» (p. 146).

El Intruso tiene su revelación o iluminación en el Conservatorio al escuchar al profesor las cuatro variaciones del vals, notas que hacen coincidir por minuto y medio el orden y el caos, el amor y el dolor. En este breve momento *intemporal* el vals brota en misteriosa concatenación provocada por el azar, del que el ejecutor (o inspirador, pues las manos no accionan el instrumento de donde surgen los sonidos) extrae la lección de que para el enfrentamiento con el destino (o la carencia de éste) no se necesita la música o la duración medible, sino la superación o abstracción de la historia (razón) y la esperanza (pp. 147-148).

La duda actúa, pues, como la única realidad que, manteniendo vigente la incertidumbre del ser humano, potencia una probable revelación. La inmovilización instantánea, eternización del momento, provocada por la música, no admite medición, aniquilación, pero posibilita la aprehensión de la realidad interna de la vida. La objetivación de esa realidad interna —sin pasado ni futuro— deviene éxtasis mágico de esa vivencia que se realiza en el instante; extraño momento que crea un nuevo presente formado por una conciencia fija, donde presente e ignoto pretérito se unen en próspera simbiosis.

La actual frustración del músico tiene sus orígenes en la juventud de este personaje de extracción humilde, hijo de la mujer de la limpieza del Conservatorio, quien al escuchar de niño el vals proyecta su futuro en torno a esta melodía. El fracaso posterior clausura este vano sueño de la conciencia de este personaje, que aparece como Arturo niño, quien, al oír la misma melodía, siente, en virtud de la supremacía del instinto sobre la razón, que su destino está en las tierras de Mantua después de la fiesta donde la nostalgia le permitió por unas horas lograr una fugaz lucidez sobre su enigmático proceso vital (pp. 238-239).

La iluminación del músico se inicia en el café austríaco (el país del vals), donde el camarero, extraño instrumento del azar, informa al músico sobre la suerte de otro colega que, como el músico de ahora, buscaba un sentido o razón a su profesión y viaje. Persuadido de lo inútil de su intento, el músico volverá al arrabal, donde las horas del vals del organillo proclaman la inanidad de un arte con el que trató de descifrar el misterio de la vida. Movido más por la conciencia nostálgica que por la reflexión, el músico se dirige (después de la invitación que le da Coré, p. 227) a la fiesta en busca de una respuesta a sus dudas. La primera intuición que tiene al llegar a este lugar en una noche de marzo es el de la sumersión en una «memoria sin fondo ni recuerdos» (p. 234), lúcido momento en el que se actualiza su infructuoso pasado (Conservatorio, viaje por Europa Central, etc.). El fracaso profesional se patentiza cuando, al poner en práctica un arte en el que pasó la tercera parte de su vida, el piano inicia el vals sin su participación. La primera reacción del músico es la de refugiarse en el espíritu de la porcelana, identificándose con la impavidez de este objeto. Sin embargo, el espíritu de la porcelana desaparece, como la fiesta y los invitados, mostrando así que nada hay imperecedero y que todo está sujeto al cambio, a la duración. Por esta razón, en la segunda fuga del piano, el músico y Demetria se sitúan más allá de la reflexión, en esa preterracionalidad fuera de los límites de la memoria.

Tiempo

La duración de la fábula en *Un viaje de invierno* es mínima y se reduce —como en *Volverás a Región* y *Una meditación*— a una larga reflexión, que se inicia con la marcha de Coré, la hija de Demetria, a principios del otoño, después de la cancelación de las invitaciones para la fiesta (p. 23), escritas durante la primera decena de marzo (p. 9). En *Un viaje de invierno* aparece la referencia a la Guerra Civil (pp. 134, 141, 180), símbolo de la ruina pasada cuya sombra se proyecta en el presente vivir de los personajes. Este conflicto sintetiza el estado de frustración de los habitantes de Región que creyeron encontrar en esta guerra «una finalidad de los actos y un motivo de lucha» (*Volverás a Región*, p. 32).

Demetria vive sin historia, intemporalmente con una «atrasada hoja de calendario» (p. 100), y en su soledad siente su propia vida de la forma más íntima, en una duración donde los heterogéneos estado de conciencia vienen marcados por el continuo flujo y reflujo de sus pensamientos[21]. El sueño de la vigilia, tiempo de la reflexión de Demetria, es una forma posible de conocimiento por el que se sorprende al mundo, a las cosas en transformación. Indivisible duración en la que la repetición encierra la posible esperanza de retomar ese pretérito situado en el más allá, donde se le reveló el destino mediante un radical acto de afirmación esencial: «Pero sobre todo no podía explicarlo en el curso de una velada por falta de tiempo, no podía... sino conservar su marcha y mantener el flujo de la huida, hacer permanentemente presente el vacío que dejó, repetir la fiesta que —con un mínimo de esfuerzo colectivo— nunca tendría lugar al haber sido inmemorialmente interrumpida por la repentina desaparición de aquel cuya presencia entre ellos celebraban y celebrarían *sine die* en cuanto la memoria supiese restituirse al instante furtivo circunspacial que reconocería como propio» (p. 121-122).

---

[21] A esta recurrente idea del fluir del pensamiento a través de todo el relato aluden las palabras griegas que abren *Un viaje de invierno: διὰ ῥόον*.

Así como en Proust la música sirve para recuperar el pasado, el vals de *Un viaje de invierno* constituye, como hemos visto, una prueba de la futilidad en aquellos que, como el músico, todo lo confían a este arte. La música, sin embargo, potencia ese momento especial capaz de revelar la realidad interior y total de un alma, instante único provocado por una avería eléctrica que, como en el reloj parado de *Una meditación*, ayuda a profundizar en la ruina de la conciencia. Esta adivinación tautológica se produce igualmente por la detención de la melodía. Instantaneidad que define el ser o verdadera realidad del objeto cuya actualidad es su única auténtica realidad.

En Demetria predomina cierto concepto de duración bergsoniano, es decir, la consideración del tiempo como elemento creador de formas nuevas que ayudan a un perfeccionamiento del destino, en oposición a la teoría mecanicista que pretende deducir el futuro del pasado según la causalidad. La idea de la falacia de la historia (la repetición) se relaciona con el recuerdo de Demetria sobre la aparición de la vieja dama que abre a destiempo e imprevistamente la ventana, deteniendo con su acto la música y creando un vacío que muestra a sus invitados la futilidad de su esperanza en satisfacer su anhelo en el pasado o en el futuro. La perturbadora aparición de la vieja se equipara a la llegada del caballo calvo, el cual introduce el elemento intemporal (lo desprovisto de lo caedizo), símbolo de la inutilidad del festejo anual. El «espíritu de la porcelana» en el que la memoria y los recuerdos se han refugiado es un engaño, como lo prueban la imprevisible aparición de la vieja y el caballo. El fin del vals supone el fin de los invitados, de los cuales quedarán sólo sus disfraces, como prueba de un pasado que quiso convertirse en historia.

El itinerario de invierno que emprenden Arturo y el músico son pruebas irrefutables para Demetria de la supremacía de la fortuna sobre la razón, potencia esta última que continúa teniendo validez en tanto en cuanto supone una aceptable repetición que posibilita el cambio. Un fatalista impulso conduce a Arturo a casa de Demetria con la conciencia de la irreversibilidad de su decisión, de la imposibilidad de volver a un mundo ordenado, y este retorno a casa de la señora, al límite de la razón, le lleva igualmente a descubrir que tanto conocimiento como voluntad desembocan en la nada.

El destino no se aclara ni explica con la razón (finalidad), y azar e intención no se oponen y aparecen en *Un viaje de invierno* como dos aspectos de una misma realidad. La fiesta constituye ese punto más allá de la razón y la nostalgia donde el destino se aprehende por una comprensión intuitiva que no se opone a la causalidad (muerte), cuya comprensión es lógica y racional. Demetria, entre la causalidad y el ejercicio de su voluntad, trata de armonizar su deseo de salvación individual (heterogeneidad) y el fatalista fin a que parecen condenados todos sus actos personales e interpersonales (homogeneidad). Una especie de instinto en Demetria se vuelve forma de conocimiento integrando razón y causalidad, inteligencia e instinto, en una unidad vital que se proyecta hacia la armonía de un mágico instante que no está en el pasado ni en el futuro. Intuición, pues, como visión de la totalidad donde se conforman la captación de nuestra conciencia (yo profundo) con los elementos superficiales, mecanizados, racionalizados.

[*Cuadernos Hispanoamericanos*, 284, febrero de 1974, 229-258.]

STEPHEN J. SUMMERHILL

PROHIBICIÓN Y TRANSGRESIÓN EN *VOLVERÁS A REGIÓN Y UNA MEDITACION*

Resulta casi un lugar común decir que el de Benet es un mundo de ficción construido sobre la duda, sobre la incertidumbre y sobre cierta conciencia del misterio. Ricardo Gullón ha dicho que *Volverás a Región* (1967) es un intento de «recuperar un mundo ignorado, enigmático, extraviado en las nieblas del olvido»[1]; mientras que Marisa Martínez-Lázaro vio *Una meditación* (1970) como una «narración fundamentada en la incertidumbre»[2]. Al leer una novela de Benet resulta imposible no sentirse abrumado por una sensación omnipresente de que la realidad representada contiene fuerzas inexplicables y que siempre escaparán a cualquier intento de análisis. El propio Benet lo ha dado a entender. Cuando se le preguntó qué era lo que le preocupaba dentro de su literatura, constestó: «...el problema de siempre: que todo lo que nos rodea es un enigma. Mañana se puede poner a volar este sillón, ¿por qué no? Y seguimos sabiendo tan poco sobre nuestra propia naturaleza como en los días de la tragedia griega; o menos, quizá porque el hombre ya es más complejo»[3].

Pero por otra parte, Benet ha dicho también que no debemos perder «la capacidad de introducir una cierta luz dubitativa en las sombras»[4]. Lo que al parecer quiere decir con esto es que no basta con crear simplemente una sensación de lo misterioso o inexplica-

[1] Ricardo GULLÓN, «Una región laberíntica que bien pudiera llamarse España», *Ínsula*, nº 319 (junio de 1973), p. 10.

[2] Marisa MARTÍNEZ-LÁZARO, «Juan Benet o la incertidumbre como fundamento», *El Urogallo*, n.os 11-12 (septiembre-diciembre de 1971), p. 176.

[3] Antonio NÚÑEZ, «Encuentro con Juan Benet», *Ínsula*, nº 269 (abril de 1969), p. 4. [Aquí, pp. 17-23].

[4] Tomando de Jorge RODRÍGUEZ PADRÓN, «Volviendo a Región», *Camp De L'Arpa*, nº 7 (agosto-septiembre de 1973), p. 38.

ble; también es necesario llegar a una cierta comprensión del misterio, a un hilo de significado que tal vez no sea definitivo, que jamás ofrezca una total seguridad en sí mismo, en torno al cual pueda surgir la luz del conocimiento. En otras palabras, la noción de misterio tiene dos aspectos: escribir de tal modo que se dé al lector una sensación de acontecimientos y motivos que son enigmáticos, pero dándole al mismo tiempo —lo cual es igualmente importante—, una pista sobre la dirección que podría permitirle captar el significado. Y si aceptamos esto, no podemos conformarnos con pasar por alto todos los enigmas de la obra de Benet por el mero hecho de que son inexplicables; debemos correr también el riesgo de buscar su coherencia. En lo que sigue, me gustaría considerar esta otra dirección de la obra de Benet, la del significado, analizando *Volverás a Región* y *Una meditación* desde el punto de vista de los motivos y del comportamiento de los personajes. El mundo de Región, donde el autor sitúa casi toda su ficción, está habitado por muchos tipos extraños de personajes algunos de ellos al parecer sobrenaturales, e inmersos todos ellos en intrincadas pautas de conducta que en ocasiones parecen resistirse a cualquier intento de explicación. Por otra parte, mucho de lo que sucede está sumergido bajo una minuciosa disección de las razones que tiene la conducta de los personajes, razones que muchas veces son más complicadas que la misma conducta. *Una meditación*, por ejemplo, podría tomarse por una narración sobre un grupo de gentes mediocres y anodinas a las cuales no les sucede casi nada importante en un período que abarca unos veinticinco años. Y sin embargo, las complejas meditaciones del narrador entretejen en torno a ellos toda una mitología de pasión, y su mediocridad se transforma en una configuración misteriosa, tal vez arquetípica, del destino humano. Podríamos decir que el procedimiento es exactamente el reverso del empleado por Sánchez Ferlosio en *El Jarama*, donde se desnuda totalmente la mediocridad y se le deja hablar por sí misma. En Benet ésta se embellece hasta transformársele en un mito; está sometida al poder hermenéutico de la palabra y por él transfigurada en una pauta de vida misteriosa[5]. Puede que la necesidad de desconfiar de esta

---

[5] Resulta significativo que el supuesto narrador objetivo de *El Jarama* introduzca de una manera similar un elemento «mágico» o mítico todo a lo largo de la novela, especialmente en la presentación de la naturaleza. Véase Darío VILLANUEVA, *«El Jarama» de Sánchez Ferlosio: su estructura y significado*, Santiago de Compostela; Universidad de Santiago de Compostela, 1973, pp. 135-149.

interpretación y de ponerla en duda, sea el punto final contradictorio de Benet. Pero esto no nos impide percibirla como una coherencia interna en torno a la cual, aunque de una manera insegura, están construidas sus novelas. Esta coherencia es, precisamente, lo que me gustaría sacar a luz aquí.

Comencemos con el que quizá sea el caso más emblemático de misterio en Benet, el extraño personaje llamado Numa, que aparece por encima de todo en *Volverás a Región*. Numa es, por supuesto, el guardián del bosque, el enigmático ser sobrenatural que recorre acechante los bosques de las afueras de Región y mata a todo aquél que sobrepase una antigua señal prohibiendo el paso situada en un lugar aparentemente arbitrario en la espesura de aquel terreno montañoso. Se nos dice que ha estado en el bosque desde tiempo inmemorial y, sin embargo, a pesar de su omnipresencia dentro de su misterioso protectorado —o tal vez precisamente por causa de ella—, sabemos también que nadie lo ha visto jamás. Jamás se han obtenido pruebas de sus disparos, se acepta sin discusión el hecho de que su «infalible puntería» acaba con cualquier «alma cansada» que cruza la barrera de su territorio, como si se tratase de algo necesario e indemostrable a la vez, de algo que se ha de creer sin explicaciones y sin perplejidad[6]. Al final de la novela es Numa el que escucha la invocación de Daniel Sebastián para mantener las cosas tal como están y para no permitir que se marche la hija de Gamallo, pues la novela acaba con el sonido de un lejano disparo que «vino a restablecer el silencio habitual del lugar» (p. 315).

Esto ya nos dice bastante sobre el personaje, pero podríamos recordar también que Numa aparece descrito como una «encarnación de una voluntad que duerme a la intemperie, dispuesta a despertar al primer sonido extraño» (p. 181). Más aún, «Quizá no existe sino como cristalización del temor o como la fórmula que describe (y justifica) la composición del residuo de un cuerpo del que se sublimaron todos los deseos» (p. 221). Y por último, recordamos que en un momento Numa habla dentro de la novela (o más bien Sebastián lo imagina como si hablara), y dice que es evidente que la gente quiere que siga allí. Lo que él les da es paz y tranquilidad sin pedirles a su vez nada más que la esperanza de que todo transgresor reciba su castigo (p. 252).

---

[6] Juan Benet, *Volverás a Región*, Barcelona, Ediciones Destino, 1967, pp. 11-14. Las referencias que hagamos de aquí en más a la novela corresponderán a esta edición y aparecerán indicadas entre paréntesis en el texto.

Las críticas han visto en Numa un símbolo de «Franco y sus seguidores», según lo expresa Manuel Durán[7]. Sin embargo, uno podría seguir otra línea de pensamiento, no necesariamente contradictoria, considerando las numerosas sugerencias de que quizá ni siquiera exista. El hecho de que todos los personajes de la novela acepten a Numa sin la menor duda, a pesar de que jamás lo han visto, podría implicar que la narración establece una cuidadosa distinción entre su tipo de existencia y la existencia de todos los demás. Efectivamente, da la impresión de que está presentada como una ficción dentro de una ficción, es decir, no como un personaje igual a los demás personajes de la narración, sino como un ser imaginario que ha sido creado colectivamente por las gentes de Región en un intento de huir de la naturaleza. Al parecer, los habitantes de Región tienen una percepción intuitiva de la naturaleza como una fuerza amenazadora, potencialmente incontrolable, una especie de voluntad ciega, apasionada, que los sobrepasa («una voluntad que duerme a la intemperie»), que es capaz de destruirlos si se ponen a su alcance. La novela sugiere que esta *naturaleza* o *pasión* existe primordialmente en los hombres, pero el temor que despierta es tan grande que ha sido proyectada imaginativamente fuera de la sociedad bajo la forma de un hombre sobrenatural, armado de una escopeta, que protege una zona prohibida. La fuerza amenazadora queda así exiliada de la sociedad a un lugar donde no puede hacer un daño inmediato, y de esa manera actúa como un gesto de autoprotección, un intento de aumentar sus oportunidades de sobrevivir. En consecuencia, Numa tiene un papel ambiguo. Como amenaza, induce a la gente a quedarse en su lugar por los posibles daños que podrían sobrevenirles si transgredieran la barrera de su mundo, es decir, si cedieran al impulso que los lleva a la pasión. Por otra parte, también los protege, no sólo porque él mismo, al igual que la pasión, está neutralizado por el exilio, sino también porque se supone que él elimina a aquéllos que potencialmente amenazan a la sociedad permitiendo que la naturaleza domine sus vidas. Esto explica el hecho de que se le describa de una manera contradictoria, como fuente de paz y como amenaza al mismo tiempo, pues en realidad es una protección y al mismo tiempo una amenaza.

Así pues, en Numa tenemos todo un modo de vida, un símbolo animista que expresa un conflicto existente en los perso-

---

[7] Manuel DURÁN, «Juan Benet y la nueva novela española», *Cuadernos americanos*, 195, nº 4 (julio-agosto de 1974), p. 202. [Aquí, pp. 229-242].

najes, un conflicto entre la naturaleza o la pasión por un lado y la sociedad por otro. Los habitantes de Región parecen haber heredado y conservado una sociedad de la cual se ha excluido la pasión (o la «naturaleza» o el «instinto») porque inspira temor. Para ellos, ceder a la pasión equivale a transgredir una barrera para penetrar en una zona prohibida o tabú de la existencia, y todo aquél que ose violar la prohibición, ya sea respondiendo a la pasión que lleva dentro de sí o —en lo que simbólicamente viene a ser lo mismo— aventurándose más allá de los límites de la sociedad, más allá de la señal de advertencia, y penetrando en la naturaleza, es considerado un transgresor y debe ser castigado.

Por otra parte, el mero hecho de que haya que establecer una prohibición tan dura, el hecho de que la pasión provoque tanto miedo que deba ser colocada fuera de los límites, indica que se debe considerar muy fuerte su poder de atracción. Esta ciega voluntad no podría inspirar el menor temor a menos que ejerza cierto tipo de atracción, aunque sólo para unos pocos, del mismo modo que Numa no podría seguir existiendo si los hombres no supusiesen que de vez en cuando alguien trataría de ignorar la señal de advertencia y habría necesidad de disparar contra él. Así pues, los habitantes de Región se deben sentir irremediablemente arrastrados hacia la pasión y esto es lo que los hace ser tan temerosos. Acorralados entre el deseo personal y la prohibición social, la vida es una lucha irresoluble entre la pasión y la sociedad, entre la transgresión y la prohibición.

Considerado bajo esta luz, Numa sintetiza gran parte del drama de los personajes de Benet y, por lo tanto, puede contribuir al esclarecimiento de buena parte de su comportamiento aparentemente enigmático. Fundamentalmente, tanto *Volverás a Región* como *Una meditación* describen cómo han vivido al menos dos, pero en el fondo muchas, generaciones de españoles bajo el peso abotagante de la misma clase de conflicto que dio origen a Numa. Han estado atrapados entre las restricciones sociales impuestas a sus pasiones y el perentorio deseo de violar estas restricciones en una búsqueda de la libertad, de sí mismos, del amor. La contradicción está en que ellos saben que son los propios causantes de la restricción y, sin embargo, al mismo tiempo se sienten incapaces de aceptarla por completo o de superarla. Quieren y no quieren escapar de ella. Constantemente tratan de derribar las barreras de la sociedad, pero siempre tienen miedo de hacerlo y, por lo tanto, nunca lo intentan con demasiada convicción. Esto desemboca, de una manera casi fatal, en una sensación personal de fracaso, ya que tarde o temprano renuncian a toda esperanza de un futuro y pasan sus vidas mirando hacia atrás, frustrados por la falta de realización del pasado. Este fracaso, la suprema incapacidad de una persona para romper el fatal punto muerto entre la prohibición y la transgresión, ya sea rompiendo con la sociedad en bien de la persona o aceptando la sociedad y olvidándose de la persona, es, al parecer, una de las fuentes fundamentales del tema de la ruina que compone una parte importante de la obra de Benet. En un mundo estructurado sobre una oposición irremediable entre la pasión y la sociedad, parece que la única respuesta final es un reconocimiento fatalista de que siempre triunfará el miedo, dejando el desastre y la decadencia como producto último del paso del hombre.

Podemos examinar esto más de cerca analizando los dos personajes principales de *Volverás a Región*, Marré Gamallo y Daniel Sebastián. En el caso de la primera, nos encontramos ante una mujer que ha vivido en un perpetuo ir y venir entre un deseo de libertad sexual y el temor que ese deseo le inspira. Su educación restrictiva durante los años de la República hizo nacer su deseo de explorar la sexualidad al dejar el colegio; pero durante dos años estuvo paralizada por el miedo de hacerlo (pp. 260-261). Cuando la sociedad se desmoronó en la Guerra Civil, consiguió un breve instante de realización personal gracias a su amor con el ahijado de Sebastián. Sin embargo, a él pronto lo mataron, como si el placer tuviera que desembocar inevitablemente en el castigo, o al menos en la condenación de ser efímero. De vuelta en la sociedad de posguerra, Marré vivió una vida socialmente aceptable, casada y rica, con las pequeñas transgresiones permitidas por la sociedad, por ejemplo el adulterio; aunque siempre experimentó un profundo deseo de romper con todo lo que representa la decencia (p. 158), durante muchos años se sintió incapaz de hacerlo. Finalmente volvió a Región en un último intento de abandonar su rutinaria vida conyugal y de establecer un vínculo común con Sebastián, el padrino de su perdido amante. Debatiéndose durante muchos años entre un deseo de pasión y el temor omnipresente que esto le inspiraba, por fin logró triunfar sobre el miedo abandonando toda posibilidad de aceptación y reconociendo que sólo su apasionada experiencia de la juventud había valido la pena.

En cuanto a Sebastián, había recibido la misma educación represiva y esto provocó en él un resentimiento contra la institución clave de la sociedad: la familia. El considera a la familia como una «lucha por la estabilidad» (p. 134) que amputa las pasiones por considerarlas inestables (p. 138). Cualquier miembro de la familia que no se someta, o que trate de guardar para sí un trozo de su vida, dice el personaje, será castigado; ya que la familia no es más que la «trampa de la razón» cuyo único propósito es ocultar al hombre de su «demonio», la pasión. Así pues, lo mismo que en el caso de Marré Gamallo, el trasfondo de prohibiciones de Sebastián da lugar a una sensación de la prioridad de la pasión y a un deseo de expresar los impulsos que han sido socialmente reprimidos.

Y sin embargo, todavía más que Marré Gamallo, que por fin se las ingenia para romper con la sociedad aunque sólo sea temporalmente, Sebastián carece de valor para transgredir. Su tímido intento de huir con María Timoner, hace muchos años, estuvo marcado, sobre todo, por el temor a dar el paso final; y su reacción cuando la perdió fue casarse con una mujer a la cual no tenía intención de amar y con la cual se negaría siempre a tener relaciones sexuales en el curso de su vida matrimonial. Es como si su incapacidad para transgredir lo hubiera amargado hasta el punto de hacerle tomar la decisión de someterse totalmente a la sociedad y de llevar al extremo su prohibición contra la pasión. Al actuar así, Sebastián llega a sintetizar todas las contradicciones de Región. Está resentido contra la sociedad, se opone a su prohibición contra la pasión, pero al mismo tiempo está resignado, de una manera fatalista, al dominio que ejerce sobre la vida. En realidad, llega incluso a necesitar la prohibición ya que sabe que el regreso de Marré Gamallo amenaza con dejar a la pasión suelta por Región: al regresar, ella pretende transgredir la sociedad y debe ser castigada. Así, en su supremo acto de defensa, Sebastián invoca a Numa para que la destruya. Para él, toda transgresión ocasiona un trastorno pasajero que de entrada está destinado al fracaso, y él prefiere acelerar el derrumbamiento en lugar de unirse a esta mujer en otro fútil intento de amar.

Podemos decir, pues, que en general *Volverás a Región* gira en torno a una oposición entre una generación más vieja y otra más joven, la de Sebastián y la de Marré Gamallo. Ambos consideran que la pasión es algo primordial en sus vidas; ambos rechazan las prohibiciones de la sociedad contra ella, y ambos se caracterizan, sobre todo, por un miedo constante a la transgresión. Pero cada uno de ellos adopta un modo diferente de vivir con ella: Marré Gamallo se debate infructuosamente para derribar las barreras que la apartan de la pasión, mientras que Sebastián ha tomado hace tiempo la decisión de dejarlas intactas.

Resulta significativo que en los dos casos, como en los de

otros personajes que encajan en este tipo[8], la narración dé gran importancia a la niñez, especialmente a los aspectos restrictivos y limitadores de la educación. La infancia es un leitmotiv complejo en toda la obra de Benet, en parte porque sugiere un estado ideal de espontaneidad instintiva, y especialmente porque en el período de socialización el adulto despoja al niño de sus impulsos naturales (o «instintivos») perpetuando de esta manera el dilema de la represión. En *Volverás a Región*, la infancia no sólo está presente en las referencias a los primeros años de la vida de los personajes, sino también en el muchacho solitario, abandonado por su madre durante la Guerra Civil y que queda bloqueado en una espera infantilista de su regreso, y que ahora, muchos años después, cree equivocadamente que Marré es la madre tanto tiempo esperada. Al igual que Numa, este niño es un símbolo que tiene que ver con la dialéctica entre prohibición y transgresión[9]. Por una parte, es la desesperanza de todo lo que sea inocencia y pasión en este mundo antinatural. Al mismo tiempo, es el hijo que Marré Gamallo nunca tuvo de su amante, y, por lo tanto, una imagen de la frustración de su pasión, y del vínculo posible que podría haberse creado entre ella y Sebastián. Y, por último, es un símbolo de la futilidad de toda transgresión, que sin embargo es también un derecho moral, ya que en un ataque final de pasión desesperada mata al personaje más representativo de la prohibición: Sebastián.

Resulta difícil no percibir en muchas de estas ideas una concepción freudiana bastante elemental de la existencia. Esto no significa necesariamente que Benet pretenda hacer una transferencia artificial de la teoría psicoanalítica a su mundo de ficción, sino que, al parecer, hay una coincidencia general de actitud. El papel preeminente de la sexualidad, por ejemplo, como la forma principal que adopta la pasión, y la sensación general de que el conflicto entre el individuo y la sociedad es una estructura perpetua de la existencia, parece muy próximo a Freud. Si recordamos, además, que el propio Benet dice que la idea de Numa se le ocurrió a partir de una lectura de *The Golden Bough*[10], y que la obra monumental de Frazer tuvo una profunda influencia

[8] El ejemplo más obvio es el Coronel Gamallo, cuya formación restrictiva se describe en las pp. 71-72.

[9] De este niño habla con gran perspicacia José ORTEGA en «La dimensión temporal en *Volverás a Región* de Juan Benet», *Ensayos de la novela española moderna*, Madrid, José Porrúa Turanzas, 1974, p. 148.

[10] Juan BENET, «Breve historia de *Volverás a Región*», *Revista de Occidente*, n. s. nº 134 (mayo de 1974) p. 160.

sobre la obra de Freud *Tótem y tabú*, podemos empezar a considerar el trasfondo general de sus ideas. En un sentido muy real, Benet contribuye al mismo mito que Freud perpetuó, el del instinto y el miedo «eternos» del hombre a expresar sus instintos libidinales[11].

En cambio, *Volverás a Región* no presenta realmente vinculaciones con los detalles de la teoría freudiana, ya que Benet parece mucho más interesado en presentar un mundo de ficción completo, con su historia y su rico paisaje natural[12]. Sin embargo, esta impresión se modifica tan pronto como nos enfrentamos a *Una meditación*, donde uno tiene una sensación mucho más clara de que un narrador en primera persona está utilizando a Freud para explicar una conducta colectiva. *Una meditación* es una novela compleja y difícil porque, al final, ni siquiera podemos estar seguros de que algunos de los personajes hayan existido jamás fuera de la mente del narrador, cuyas ideas acerca de la oposición entre prohibición y transgresión son el núcleo ideológico del texto. En lo esencial, la novela es el discurso de un hombre sobre la incapacidad de toda persona para violar la sociedad por medio de la pasión; y los detalles de la historia —los fragmentos de la trama, los personajes que entran y salen— podrían haber surgido después de los hechos para ejemplificar la teoría. Benet nos ha advertido de la necesidad de ser sensibles a las ambigüedades de la narración inconstante de esta obra, un indicio de que no debemos confiar sin más en la manía del narrador de interpretar las vidas de los demás[13]. Puede que haya una distancia irónica entre la interpretación y la realidad de los propios acontecimientos, un hecho que, puesto que dependemos totalmente del narrador, sólo podría verificarse «leyendo entre líneas» y captando un mundo subterráneo diferente del que se nos presenta. Tal como antes sugerimos, esto podría residir en la general mediocridad de los personajes. Aunque hay ejemplos definidos de conducta patológi-

---

[11] Entendemos que Freud «perpetúa» el mito en el sentido indicado por Claude LÉVI-STRAUSS, *Anthropologie Structurale*, París, Plon, 1958, p. 240, cuando dice que el psicoanalista vienés es una fuente tan importante del mito de Edipo como Sófocles, en la medida en que da otra versión de él y contribuye a nuestra percepción del mismo como una forma de verdad. La relación entre Freud y Benet ha sido percibida por Alberto OLIART, «Viaje a Región», *Revista de Occidente*, n. s., nº 80 (noviembre de 1969), p. 232.

[12] Véase el sagaz comentario sobre la novela en la obra de David K. HERZBERGER, *The Novelistic World of Juan Benet*, Clear Creek (Ind.), American Hispanist, 1976, pp. 43-69.

[13] NÚÑEZ, *Encuentro con Juan Benet*, p. 4. [Aquí, pp. 17-23].

ca o «excepcional» (Jorge Ruan, por ejemplo, que rocía a las ratas con gasolina para determinar a qué distancia se «disparan» al ponerles fuego), las figuras que pueblan *Una meditación* son notoriamente anodinas, a duras penas merecedoras de los apasionados motivos que se les atribuyen. ¿Se trata, pues, de ironizar la hermenéutica mitificadora de Freud? ¿Debemos leer la dialéctica entre prohibición y transgresión como un embellecimiento ocioso de una realidad carente de interés? Ni siquiera esto está claro, porque la dialéctica no falsifica ni oculta la mediocridad de los personajes. Lo que hace más bien es explicarla al hallar los motivos que la subyacen. En todo caso, la posibilidad de que hubiese que entender al narrador irónicamente nos impide llegar a una conclusión definitiva sobre si el propio Benet realmente *se cree* la dialéctica. Al final trataré de sugerir algunas implicaciones de esto.

Resulta significativo que precisamente *Una meditación* comience con una larga introducción sobre la vida familiar de la mayoría de los personajes, sobre su infancia antes del estallido de la Guerra Civil. Como en la novela anterior, lo realmente importante aquí es el proceso de socialización por el que han pasado los jóvenes. Con muy buen ojo para las pequeñas hipocresías de la vida cotidiana, el narrador presenta a un grupo de adultos que dan a la pasión prioridad absoluta en sus vidas, pero que realizan grandes esfuerzos para ocultar ese hecho a la mirada del público. Esto hace que pierdan todo contacto los unos con los otros y da lugar a una vida de soledad y de aislamiento, que ofrece un marcado contraste con la vida espontánea y comunal de los niños. Sin embargo, como se regaña constantemente a los niños y éstos tienden a imitar a sus mayores, poco a poco y de una manera casi inevitable van tendiendo a reprimir su espontaneidad y a vivir en el mundo dual del adulto: a vivir tras la fachada de la «sociedad decente» y a buscar el placer en sus pasiones secretas. Sólo cuando llegan a convertirse en unos hipócritas como sus padres, cuando han hecho suyo este irresoluble conflicto entre prohibición y transgresión, sólo entonces se puede decir que se han convertido en adultos. En la novela, esto coincide con el estallido de la Guerra Civil.

Lo que sigue es una serie de recuerdos narrados de una manera fortuita sobre éstos y otros niños con antecedentes similares durante su vida adulta después de la Guerra Civil. En esta parte principal de la novela encontramos a diversas parejas impelidas por la fuerza de la pasión a buscar un contacto sexual mutuo. El narrador presenta cada experiencia como una entrada en una peligrosa «zona de sombra» en el interior de uno mismo, identificable con un largo momento perdido de la primera infancia, cuando el yo se sentía perfectamente protegido por la presencia maternal. Sin embargo, a medida que los personajes penetran en la zona de peligro, es decir, cuando empiezan a toparse con barreras psicológicas equivalentes a la señal de prohibición de paso de Numa, el miedo empieza a apoderarse de ellos. Se encuentran rodeados por una sensación de inseguridad y sienten que la relación carnal con otra persona sólo les traerá dolor. Y llegados a este punto, dan un paso fatal. Recurren a la razón para ofrecerse a sí mismos una explicación de por qué este dolor es inevitable. Pero, tal como insiste constantemente el narrador, la razón está en desacuerdo con el cuerpo. Está subordinada al miedo, y su función es mitigar el dolor de la pasión erigiendo normas sociales contra él. Específicamente, la norma central de la razón es una prohibición del incesto por oposición al deseo de la persona de encontrar un estado de placer similar al de la dependencia respecto de la madre. Esta norma es la que en última instancia evita una entrega total del individuo a la pasión. Temeroso de atravesar esta última barrera llamada razón, temeroso de entrar de lleno en la zona de sombras, donde el yo y la pasión podrían quedar finalmente liberados con el otro, los personajes aceptan una imposibilidad básica en toda transgresión y se retiran a la soledad, a los confines al menos seguros de la sociedad. El precio que deben pagar por esta claudicación es alto. Los personajes —o el narrador en su lugar— tienen la sensación de que han sacrificado ritualmente su yo más íntimo a la estabilidad de una «no vida» a este lado de la barrera. En este contexto, la totalidad de la novela puede verse como la representación de un *sacrificio* sumamente estilizado y mítico, en el cual cada persona es inmolada en el altar de la sociedad[14].

Bastará con mencionar sólo algunos de los ejemplos más importantes de esta configuración tal como aparecen en la obra. Allí están «mi prima Mary» y Carlos Bonaval, que escapan juntos en un arranque pasional durante los primeros días de la Guerra Civil. Después de pasar unas semanas juntos, Carlos se da cuenta

[14] El *leitmotiv* del sacrificio, que se repite en toda la novela, esá minuciosamente explicado por Tío Ricardo, para cuya discusión se valió del emblema Abraham-Isaac, evocando por este medio las meditaciones de Kierkegaard sobre el mismo tópico en *Temor y temblor*. Sería interesante comparar ambos para detectar una posible ironía en la manipulación de las ideas del escritor danés.

de que no está en contra de los principios recibidos y decide poner fin a la aventura. Según nos dicen, había tenido un primer atisbo de perversión y, ante el temor de entregarse a ella, prefirió una vida dentro de los límites de la sociedad[15]. Por su parte, Mary parece desilusionada para siempre por este fracaso inicial. No tarda en casarse con otro (Julián), parte hacia el exilio, se divorcia, se vuelve a casar y regresa a España muchos años más tarde, irremediablemente enferma. Al final de su vida, vuelve la mirada hacia el pasado y llega a la conclusión de que la prohibición no tiene límites y de que su lucha contra ella ha sido inútil (pp. 117-119).

Tenemos también el caso de Emilio Ruiz, el más firme defensor de los códigos sociales de la obra y que, sin embargo, es incapaz de vivir ateniéndose a ellos más de unas cuantas semanas seguidas sin sentirse impulsado a quebrantarlos (pp. 187-188). Se ve enredado entre lo que se denominan impulsos «fálicos» y «cefálicos» hacia Leo (es decir, Laura): por un lado quiere explorar la «gruta paramaterna» de su cuerpo, pero por otro siente la presión de las normas contra el incesto (p. 197). Su respuesta consiste en buscar una «solución de compromiso entre el respeto y la violación» (p. 134), volviéndose hacia la propietaria del hotel y sucumbiendo al orgasmo, mientras tiembla de miedo, ante la puerta de su habitación. En ningún momento consigue resolver su deseo de pasión, y tampoco su temor a hacerlo.

Se podrían acumular muchos ejemplos más de esta configuración. Al final, las siguientes palabras de Tío Ricardo, caracterizado como un oráculo con una conciencia especial de la realidad (p. 42), parece sintetizar el texto:

> Volvemos siempre a lo mismo; es y será el miedo lo que nos enseña lo que somos y lo que nos impide ver lo que podemos ser. Frente a nosotros —y no necesariamente definida por esa cadena de montañas— existe una zona ciega que nadie se atreve a cruzar.... [Te hablo] en nombre de todos los que nos hemos mantenido aquí, respetando la limitación, sin otro consuelo que el de la supervivencia.... Todo lo que les hemos podido ofrecer es esto: una tierra de la que escapar. Ciertamente sólo lo logrará quien esté dispuesto a atravesar esa zona ciega, sin cuidarse de saber qué clase de sorpresa le va a deparar. Porque los que

[15] Juan BENET, *Una meditación*, Barcelona, Seix Barral, 1970 pp. 211-214. Las referencias que hagamos de aquí en más a la novela corresponderán a esta edición y se indicarán entre paréntesis en el texto.

seguimos aquí, aceptando tales limitaciones, en realidad no vivimos; nos conformamos con saber que estamos vivos. (p. 259)

En *Una meditación*, dos personajes, Enrique Ruan y Cayetano Corral, penetran realmente en la zona de sombras, pero nunca se vuelve a oír de ellos. La pasión es incompatible con la sociedad, y los demás deben aprender a conformarse con saber que, aunque no vivan, al menos están vivos.

Al comienzo señalamos que Benet desea poner cierta «luz dubitativa» en sus textos, como una especie de principio organizador que permitiría entender, al menos parcialmente, los acontecimientos en apariencia misteriosos de sus novelas. Sin pretender en modo alguno reducir sus obras a una simple exposición de ese tema, parece posible dar a entender que la oposición aquí subrayada entre prohibición y transgresión cumple esta función y permite al lector naturalizar o convencionalizar estas novelas, que se cuentan entre las más difíciles que ha producido la literatura española en muchos años[16]. Esto no quiere decir que por ese medio quede eliminado el misterio del mundo ficticio de Región, sino que se brinda un marco de referencia dentro del cual captar muchas de las manifestaciones que aparecen en sus textos.

No cabe duda de que se podría ir más lejos y afirmar que la idea como un todo representa la interpretación que hace Benet de la sociedad española e incluso de toda la historia de España[17]. Una lectura *realista* como ésta no presenta obstáculos importantes, siempre que se tenga en mente que el rasgo distintivo de la obra de Benet es tomar una postura resueltamente antirrealista recordando en todo momento al lector que las ideas presentadas en sus novelas tal vez no sean más que puro lenguaje, cuyo valor, en cuanto ideas, podría incluso ser nulo[18]. En otras palabras, lo que realmente parece contar en esta obra es la construcción real del

[16] Para una excelente exposición sobre naturalización o convencionalización, véase Jonathan CULLER, *Structuralist Poetics: Structuralism, Linguistics and the Study of Literature*, Londres, Routledge and Kegan Paul, 1975, pp. 131-160.

[17] Esto corresponde, por supuesto, a la lectura que la mayoría de los críticos han hecho de las dos novelas y, a decir verdad, hay en ambas muchos pasajes que permiten suponer que Región es un microcosmos que representa a España.

[18] Véase la exposición que hace Benet sobre el estilo en *La inspiración y el estilo*, Madrid, Revista de Occidente, 1965, especialmente pp. 137-160. En este contexto resulta curioso que Benet considere que el lenguaje de la literatura española se ha formado por un temor histórico de los escritores a *transgredir* los cánones de la literatura clásica española. Esto indica que incluso en el terreno del estilo la dialéctica entre prohibición y transgresión impregna su pensamiento.

propio texto, la elaboración estilística de una zona intermedia, en la cual el texto puede percibirse como una construcción de significado, sin parecer en ningún momento, sin embargo, ni una estructura formal radicalmente vacía, ni un símbolo de la realidad totalmente coherente y, por lo tanto, verosímil[19]. Así pues, si encontramos una oposición entre prohibición y transgresión en sus novelas, no se debe necesariamente a que Benet esté convencido de que la realidad social e histórica *es* de esa manera, sino quizá a una única razón, que este conflicto más bien «clásico» existe ya en un contexto cultural ampliamente conocido y puede servir como recurso formal conveniente, en torno al cual organizar sus textos. Al mismo tiempo, haciendo hincapié en la misma formalidad de sus ideas, como por ejemplo en la compleja discusión desarrollada de una manera tan ritualista por los personajes, o en la incierta ironía del narrador en *Una meditación*, recuerda al lector la artificialidad de los mismos y se vale de ello para llamar la atención sobre la construcción de la novela. En este sentido, Benet parece encarnar con toda deliberación ese estado peculiar de significado «suspenso» o «pospuesto» (*sens suspendu*), que Roland Barthes ha identificado como la esencia de la literatura: abre un significado nuevo en torno al mundo, y en el acto mismo de ofrecerlo, lo detiene e impide su finalización al hacernos cobrar conciencia de la sutileza de todo ello.[20] Esta puede ser la «luz dubitativa» final a la cual señalan en última instancia sus novelas: el dejarnos suspendidos en una incertidumbre perpetua sobre la posibilidad de que los misterios que hallamos hayan sido esclarecidos o, por el contrario, hayan quedado más oscuros que nunca.

---

[19] La distinción entre forma pura y significado puro es reconocidamente abstracta ya que los textos reales son siempre formas significativas sin serlo jamás completamente, tal como acertadamente lo señala CULLER, *Structuralist Poetics*, p. 194. Lo notable en Benet es que esto parece resultar de una actitud deliberada.

[20] «[L'oeuvre littéraire] est, si l'on veut, du sens *suspendu*: elle s'offre en effet au lecteur comme un système signifiant déclaré mais se dérobe à lui comme objet signifié. Cette sorte de *de-céption*, de dé-prise du sens explique d'une part que l'oeuvre littéraire ait tant de force pour poser des questions au monde (en ébranlant les sens assurés que les croyances, idéologies et le sens commun semblent détenir), sans cependant jamais y répondre.» «Qu'est-ce que la critique?», *Essais critiques*, París, Ed. de Seuil, 1964, p. 256.

[*Critical Approaches to the Writings of Juan Benet*, ed. Roberto C. Manteiga, David K. Herzberger y Malcom A. Compitello, The University Press of New England, 1984, Copyright, The Regents, University of Rhode Island. Traducción de Ema Rosa FONDEVILA.]

LAURA RIVKIN GOLDIN

LA BUSQUEDA LITERARIA EN *UNA MEDITACION*

Uno de los momentos más decisivos en *Una meditación* ocurre cuando el narrador vuelve a su lugar de origen, a la misteriosa Región, ostensiblemente para asistir al homenaje en honor del fallecido gran poeta puro de la zona, pero en realidad para honrar al hermano del poeta. El hombre de acción, no el literato, fue el mentor del narrador, el que le facilitó el primer código para comunicar con el mundo de los adultos, y el que podría haberle guiado en la madurez, si no hubiera desaparecido durante la Guerra Civil. Volver a Región significa que el narrador, como los otros personajes principales de la novela, se enfrenta con el pasado para reconstruir una identidad. Y porque dicho momento de participación dramática y de compromiso existencial coincide con el homenaje a un poeta, Benet implica que la busca de la identidad debe interpretarse como el deseo de cumplir con obligaciones estéticas[1]. Para desafiar al poeta egoísta y pagar tributo al

[1] Aunque la naturaleza no literaria de la voz del mentor podría explicar parte de la dificultad que tiene el narrador para articular su obra, el Yo tiene una deuda profunda con Enrique Ruan. De niño, el narrador recuerda que Ruan «nos resolvía todos los enigmas de las costumbres, los nombres y los porqué», así como defendía «nuestra ignorante e improcedente conducta ante el alto tribunal de nuestros padres y mayores» (p. 70). Ya adulto y desde el estado de orfandad intelectual, el narrador (y su generación de postguerra) «mira ahora hacia atrás, en busca de ellos [los guías de Enrique Ruan], para interpretar como tantas veces en vida un silencio más formativo que las palabras» (p. 73). Para recuperar una voz en el silencio opresor, el Yo tiene que honrar al último de los guías que fue capaz de ofrecerle esperanza: «En ocasiones me preguntaba si lo que me movía a volver no sería otra cosa que la resistencia... a dar por cancelada una promesa —o un proyecto, da lo mismo— que no ha sido cumplida» (p. 64). Todas las citas son de Juan BENET, *Una meditación*, Barcelona, Seix Barral, 1970.

hombre que aleccionó al narrador, debe elaborar su propia obra, la historia o la tragedia de su evolución personal. La verdad es que la conexión entre la vuelta del alter ego autoral y su proyecto literario podría parecer oblicua, pero es precisamente la indirección la que resulta más sugestiva de la postura del propio Benet, creador de una obra titulada como si fuera un estudio filosófico en vez de una obra de ficción. Efectivamente, creo que *Una meditación* gira alrededor de una busca paralela de identidad y de elaboración novelística, procesos simultáneos que se introducen oblicuamente y sólo llegan a realizarse fundiéndose en el manuscrito de Benet.

Mientras que el narrador atiende a las inciertas respuestas de la memoria para orientar una creación marginal, sigue muy de cerca la práctica y la crítica literarias del propio Benet. El autor de *Una meditación* adquirió notoriedad escribiendo su novela en un rollo de papel continuo, un medio de forzarse a componer de acuerdo con los procesos fluidos de la memoria en vez de hacerlo según el ojo que aclara al releer[2]. Aunque eventualmente sometió el rollo a revisiones, el libro carece de párrafos, apenas tiene

---

[2] La reacción de la crítica ante *Una meditación* estuvo tan profundamente dividida que Guillermo Cabrera Infante comentó no hace mucho que la traducción que Gregory Rabassa publicó en 1982 permitiría a los lectores angloparlantes hacer lo que los españoles: jurar por Benet o contra él. En el primer grupo se hallan lectores como Pere Gimferrer, José Domingo, Eduardo Chamorro y Allen Josephs, quienes consideran que *Una meditación* es una de las cumbres de la narrativa española del siglo XX. En cambio Joaquín Marco, Antonio Iglesias Laguna y Kathryn Kilgore condenan la obra como un bloque de tipografía que se opone al lector como una muralla. Benet parece anticiparse a la controversia pues confiesa que *Una meditación* es «más ambiciosa que la anterior [*Volverás a Región*] y, por lo tanto, más frágil. Puede ser un buen libro y puede ser un buen bodrio. Esto no seré yo quien tenga que decirlo». En la misma entrevista, Benet explica el uso de un rollo continuo de papel: «Planteé la cosa así para no dejar de escribir la novela, simplemente eso, además de que resulta más cómodo tener el original en una larga tira que en folios que tienes que numerar, o que puedes extraviar» (Antonio NÚÑEZ, «Encuentro con Juan Benet», *Ínsula,* 24, nº 269, abril de 1969, 4). Los estudios siguientes atestiguan la controversia producida entre los lectores de este invento: Pere GIMFERRER, «Sobre Juan Benet», *Cuaderno de Norte. Norte: Revista Hispánica de Amsterdam* (1976), p. 102; José DOMINGO, «*Una meditación* de Juan Benet», *Ínsula,* 25, nº 282, mayo de 1970, 7; Eduardo CHAMORRO, «Intento de aproximación a los textos de Juan Benet», *Cuaderno de Norte. Norte: Revista Hispánica de Amsterdam* (1976), p. 111; Allen JOSEPHS, «Onward Goes the Paragraph», *The New York Times Book Review*, 23 de mayo, 1982, p. 42; Joaquín Marco, a cuya opinión se alude en Darío VILLANUEVA, «La novela de Juan Benet», *Camp de l'Arpa*, 1973, 12; Antonio IGLESIAS LAGUNA, «*Una meditación*», *Literatura de España día a día: 1970-1971*, Madrid, Editora Nacional, 1972, p. 226; Kathryn KILGORE, «Modernism as a Second Language», *The Village Voice Literary Supplement*, nº 7, mayo de 1982, p. 9; Guillermo CABRERA INFANTE (Nota en la sobrecubierta), *Juan Benet, A Meditation*, trad. de Gregory Rabassa, Nueva York: Persea, 1982.

diálogo y se titula como para cuestionar su género de novela. El papel de la incertidumbre en la creación —y, hay que puntualizar, en la lectura— de *Una meditación*, podría preverse recordando las ideas que Benet defiende en su crítica literaria. En obras como *La inspiración y el estilo* y *En ciernes*, aconseja al escritor y al lector que se esfuercen por ir más allá de los límites de lo expresado y comprendido; al mismo tiempo insiste en que luchen y no se rindan ante el miedo paralizador de lo desconocido[3]. Sería mejor adoptar una postura intermedia, que se adhiera al claroscuro de la incertidumbre, o bien porque sugiere la existencia de lo desconocido o bien porque proyecta una «luz dubitativa» en el mundo del texto[4].

Entre los lectores que han iluminado algo de la oscura construcción verbal benetiana, algunas de las estructuras mediante las cuales el texto se organiza, se halla Ricardo Gullón, que observa que la geografía imaginaria de Región, tan obsesiva para nuestro autor, muy bien puede ser un microcosmos de España[5]. En tal caso, la historia de las familias y de la sociedad del territorio, que tal vez instintivamente han de destruir, llega a ser una parábola del idealismo republicano y de la devastadora Guerra Civil. En otro nivel, *Una meditación* presenta una busca particular y colectiva de la identidad. Comenzando por un narrador nostálgico que evoca la edad de la inocencia (la infancia, la época anterior a la Guerra) y terminando con la expiación de uno de los personajes, rendido ante la amenaza de un trágico fin, la novela cuenta el intento de recuperar los hilos rotos del pasado para tejer una personalidad y una cultura. Benet infunde a esta parábola y a esta investigación un esquema recurrente, a la vez psicológico y estructural, que Stephen Summerhill describe como el conflicto entre la razón y la pasión, entre las prohibiciones sociales y la necesidad que experimenta el individuo de transgredir el orden opresor[6]. Los personajes de *Una meditación* pueden pemanecer dentro de la sociedad, en la zona de la razón, o cruzar sus fronteras

---

[3] Juan BENET, *La inspiración y el estilo*, Madrid, Revista de Occidente, 1966, págs. 143-144, 148-60; Juan BENET, *En ciernes*, Madrid, Taurus, 1976, págs. 50-53.

[4] José RODRÍGUEZ PADRÓN, «Volviendo a Región», *Camp de l'Arpa*, 7 (1973), 38.

[5] Ricardo GULLÓN, «Una región laberíntica que bien pudiera llamarse España», *Insula*, 29, nº 319 (junio de 1973), 2.

[6] Stephen J. SUMMERHILL, «Prohibition and Transgression in Two Novels of Juan Benet», *The American Hispanist*, 4, nº 36, 20-24.

para explorar una misteriosa «zona de sombra», el fondo tenebroso de la conciencia[7].

Una meditación cuenta sus múltiples historias reflexionando sobre sus propias materias; Gullón señala que el narrador compone «para hacer la descomposición como sustancia»[8] y Summerhill describe la obra como «la elaboración estilística de una zona intermedia», una construcción textual ni radicalmente vacía de significado ni plenamente coherente y verosímil[9]. Dichas características, añade M. E. Bravo, nacen de la tendencia metaficticia de la narrativa benetiana, en la cual el novelista «busca y logra dar cuerpo a una obra artística cuyo objetivo es la investigación de su propia esencia»[10]. Esta investigación de personajes investigándose es un experimento más radical que la novela clasificada por Robert Alter de «ampliamente artificiosa», pero, por otra parte, el modo oblicuo de poner en duda el estado ontológico de la ficción, sugiriendo la posibilidad del arte componiéndose a sí mismo, no hace de *Una meditación* un ejemplo explícito de la novela reflexiva de Alter ni del subgénero, la novela autógena, que define Stephen Kellman[11]. Para descifrar el carácter de la reflexividad en

---

[7] Juan BENET, *Una meditación* (Barcelona: Seix Barral, 1970), p. 265. En adelante, todas las citas aparecerán en el texto seguidas del número de página de que fueron tomadas.

[8] Ricardo GULLÓN, «Introducción», *Una tumba y otros relatos*, de Juan Benet. Madrid, Taurus, 1981, p. 19.

[9] SUMMERHILL, p. 23.

[10] M. E. BRAVO, «Región, una crónica del discurso literario», *Modern Language Notes*, 98 (1983), 250.

[11] Robert Alter, en su definición de una novela reflexiva, dice que es una novela que «sistemáticamente se jacta de su propia condición de arte y que al hacer eso indaga en la relación problemática entre artificio verosímil y realidad». De acuerdo con este principio de reflexividad está el subgénero identificado por Stephen Kellman, que abarca obras que (a) proyectan la ilusión del arte creador de sí mismo, (b) son relatos, generalmente en primera persona, del desarrollo de un personaje, a tal punto que este individuo resulta capaz de componer la novela que acabamos de leer, (c) comienzan de nuevo donde concluyen, (d) funden forma y contenido en el sentido de que son simultáneamente proceso y producto, búsqueda y meta, padre e hijo, (e) tienen una forma circular que invita a releer. Estas novelas reflexivas o autógenas pueden llamarse también «metaficciones»; obras, como dice William Gass, «en las cuales las formas de la ficción sirven de materia sobre la cual otras formas pueden imponerse». Robert Scholes se aprovecha del término «metaficción» para identificar la literatura que «asimila todas las perspectivas de la crítica en el mismo proceso de inventar» y, más específicamente (revelando como influencia el concepto formalista del extrañamiento) «anti-narraciones postmodernas», cuya lectura exige que nos distanciemos de la «construcción de una diégesis [el icono de una serie de sucesos] según nuestros procesos interpretativos habituales». Véase: Robert ALTER, *Partial Magic*, Berkeley, University of California Press, 1975, p. x; Stephen KELLMAN, *The Self-Begetting Novel*, Nueva York, Columbia University Press, 1980, p. 3;

esta obra resistente a ser clasificada, lo mejor es empezar con el comentario que hace Benet sobre su ingenioso narrador: «Este señor se equivoca, confunde y, sobre todo, como todo narrador de muchas cosas, no dice la verdad y produce en su propio discurso sus insidias y, por lo tanto, se contradice. No creo que haya acertado en retratar indirectamente, porque a confesión propia no lo ha de decir, que es un bellaco y autor o instigador de algunos de los dramas de que consta el argumento»[12]. Lo más curioso es que este señor mistifica sobre todo al personaje más creador de la novela, al poeta Jorge Ruan. Antes de comprobar lo que Harold Bloom llamaría «la ansiedad de la influencia», sufrida por quien se enfrenta con la figura literaria objeto de un culto,[13] quiero explorar la primera de las etapas presentadas en *Una meditación*: la infancia y la creación mediante el recuerdo.

I. La infancia: creación recordada

Una meditación comienza con un Yo narrador que retorna, mediante la memoria, a su infancia en Región. Aunque el tono del recuerdo es elegíaco —señal de la tendencia conservadora a la seguridad de lo conocido—, surge la posibilidad de que un resumen del pasado facilite renovaciones, tanto psíquicas como literarias. De hecho, Benet se sirve de las reflexiones sobre la memoria para comentar los principios estéticos que gobiernan la forma de su obra. El Yo anónimo, recordando su infancia, aprende que la memoria da sentido a la vida aislando experiencias claves —«piezas de identificación»— y conservando impresiones cuyo significado puede evaporarse con el paso del tiempo (p. 28). Tras una inmersión no voluntaria en la memoria, Benet escribe que

---

William H. Cass, *Fiction and the Figures of Life*, Nueva York, Vintage, 1972, p. 25; Robert Scholes, *Fabulation and Metafiction*, Urbana, University of Illinois Press, 1979, p. 114; Scholes, «Language, Narrative and Anti-Narrative», *On Narrative*, ed. W. J. Thomas Mitchell, Chicago, University of Chicago Press, 1981, p. 207.

[12] Antonio Núñez, «Encuentro con Juan Benet», p. 4. [Aquí, pp. 17-23].

[13] Harold Bloom, *The Anxiety of Influence: A Theory of Poetry*, Nueva York, Oxford University Press, 1973, p. 30. «La influencia poética —cuando se trata de dos poetas fuertes y verdaderos— siempre procede de la mala lectura del poeta anterior, un acto de corrección creadora que es real y necesariamente una interpretación errónea. La historia de la influencia poética fructífera, es decir, la tradición principal de la poesía occidental desde el Renacimiento, es una historia de la ansiedad y de la caricatura defensiva, de la distorsión, del revisionismo perverso y voluntarioso sin el cual la poesía moderna como tal no podría existir».

«toda una zona de penumbra... empieza a ser iluminada tibiamente» (p. 31). Guiada por esta luz titubeante, la conciencia penetra en los ricos depósitos de las experiencias infantiles, y una vez que la memoria se fija en una imagen clave del pasado —la caída de un niño que se hiere en la rodilla— «van reproduciéndose ciertas imágenes recurrentes que se enlazan y refieren mediante una ley de continuidad que la memoria ignora pero que el sentido de lo vivido advierte» (p. 32). Mientras que la memoria, partiendo de imágenes claves, puede generar «un relato fragmentario y desordenado que salta en el tiempo y en el espacio» (p. 32), el sentido de lo vivido confiere continuidad auténtica a lo que parece ser confuso. Ahora bien, para que esta historia del Yo no degenere en «espejismo», la memoria produce un relato aún más tenue: «Si el significado de tales estampas resulta con todo bastante evidente en cuanto se refieren al argumento propio, en cambio, en cuanto se trata de la vida de los demás pronto surgen las sorpresas, contradicciones y desajustes porque, en definitiva, el argumento del prójimo —por muy íntimo que sea— al carecer de esa patente continuidad suministrada por el sentido de lo vivido sólo puede ser conocido fragmentariamente» (p. 34). El narrador, sirviéndose del medio incierto de la memoria, libera significados nuevos de experiencias viejas, y la historia del Yo que proyecta en la luz vacilante de la conciencia es una auto-dramatización que, por borrosa, es también suficientemente inclusiva para funcionar como andamio en la construcción de todo un mundo novelado.

II. La ansiedad de la influencia

El modo «elegía en prosa» cambia a un estilo más directo cuando el narrador vuelve a Región a raíz del homenaje al poeta fallecido. Esta ocasión dramatiza el papel del Yo no sólo situándolo entre sus contemporáneos adultos, sino también enfrentándolo con el culto al artista por el cual confiesa sentir resentimiento y lo impulsa a adoptar una expresión más voluntaria que recordada. En efecto, Benet sugiere la rivalidad al incrementar la representación del Yo y el drama de la novela a expensas de Jorge Ruan. La escena del homenaje le retrata triplemente alejado del mundo: una vez a causa de su ausencia física; otra porque la lectura de su obra maestra, las elegías, certifica la muerte de su autor y, finalmente, porque *Una meditación* elimina del texto estos versos, única prueba segura de su talento. En cambio, la prosa elegíaca y lírica del narrador ocupa cierta cantidad de páginas antes del homenaje, y entre los reunidos en torno al Ruan ausente florece el drama de *Una meditación*. La causa de este distanciamiento habrá que verla en la amenaza que supone para el escritor aprendiz o dubitativo, ya que Ruan, poeta maldito, crea para destruir y finalmente vuelve hacia sí este afán destructor.

Ruan aparece como «el poeta más puro que había dado el país en muchos años» (p. 229), el «héroe de tantas tragedias» en que los habitantes participan (p. 252) y, como declara Tío Ricardo, voz oracular, el símbolo del sentido trágico de la vida en Región, lugar donde el miedo roba a la gente su potencial: «es y será el miedo lo que nos enseña lo que somos y lo que nos impide ver lo que podemos ser» (p. 259). Un indicio claro del problema que plantea este artista al narrador es la mistificación, o, como lo describe José Domingo, el «hálito de misterio y como de ocultación de algo trascendental» en torno al poeta[14]. Tan marcada es la ambigüedad respecto al autor de las famosas elegías, que un lector, Pere Gimferrer, toma el motivo de Edipo de compensar la rivalidad sexual del padre sustituyéndole en el mundo de las letras, junto con la hostilidad del joven Ruan hacia sus lectores, como prueba definitiva de que Jorge realmente se apropió de la creación de su padre[15]. Mas como Benet prefiere la insinuación a la certidumbre, no aclara el mito de la creación poética, sino que lo pone en cuestión.

Así, la rivalidad con el padre impulsa a Jorge a escribir, y el producto aplaudido de este encono reduce al joven y al viejo a un estado de parálisis aniquilador. Esto afirma el narrador:

> Ambos caracteres —insisto— tenían mucho en común y sin duda su parentesco de sangre y de espíritu constituía la primera fuente de su enemistad; hermetismo y misantropía, desprecio al medio y desdén hacia su propio trabajo, informaban en común, aunque con caracteres propios, dos ejecutorias diferentes, pero recíprocamente dependientes por una mal simulada rivalidad... (p. 237).

De hecho, después de conquistar Jorge el éxito inicial, su arte degenera hasta tal punto que el narrador duda de que sea el autor de las elegías y reduce la vida del poeta al estereotipo del escritor hermético: egoísta, preciosista, paralizado y «premuerto» —antes

---

[14] José DOMINGO, «*Una meditación* de Juan Benet», p. 7.
[15] Pere GIMFERRER, «Sobre Juan Benet», p. 103.

de su presunto suicidio[16]. Víctima de «la sutil hipóstasis de su cuerpo y sus aspectos mediante marfileños, criselefantinos y nacarados detalles», Ruan emite sólo un «eco sigiloso» y es tan frágil como «viciosa porcelana» (p. 277). Más aún, Jorge toma lo que queda de su pasión y lo dirige contra su propio arte:

No existía hombre que, durante años, hubiera hablado con mayor sarcasmo que Jorge del poder de la palabra: en obediencia a una de las más malignas y mortificantes componentes de su personalidad, el hombre que con tan pocas palabras había sabido encender el entusiasmo de tan buen número de contemporáneos, se recreaba con frecuencia en poner en evidencia todos los aspectos grotescos de un culto fariseo al verbo. Y su propia poesía, a la que nunca se refería a menos que algún imprudente la sacara a colación, era el primer objeto de su furor crítico. No he conocido nunca, ni creo que conoceré, un escritor (si es que llegó a serlo) más negativo, más destructor de sí mismo y más enconado con la estampa que su breve obra había impuesto alrededor de él. (pp. 267-268).

Si Jorge dramatiza el lado trágico del culto al verbo, Andarax, lector devoto de Ruan y un ejemplo de «las irregularidades, caprichos y veleidades de la naturaleza» (p. 256), hace del hermetismo un espectáculo cómico. No hay más que fijarse en el contexto del episodio Andarax *(¿on the rocks?)* para anticipar la función parásita que desempeñará, pues Benet le introduce en la novela cuando el tema principal es el incesto: en la familia Ruan, en otra familia regionista, los Abrantes, y en las relaciones que tiene este «capricho de la naturaleza» con su hermana adolescente (p. 253). Como para exacerbar esta incestuosidad, el lector devoto se presenta en Región para no salir nunca «como una reproducción a pequeña escala del héroe de tantas tragedias» (p. 252). Efectivamente, Andarax hereda a la amante de Jorge (Rosa de Llanes), el odio del Sr. Ruan y hasta llega a imitar el preciosismo de su héroe. Retratado al principio como crudo, locuaz, nada crítico y sin embargo seguro de poder descifrar la clave de la poesía esotérica (las elegías), Andarax se transforma en el doble grotesco del artista decadente: «su piel se fue etiolando, sus maneras se hicieron más finas, sus manos más delicadas y expresivas y su dicción poética

---

[16] La muerte de Jorge es a la vez un suicidio y un asesinato. Ya «premuerto», Ruan viaja a la frontera de Región, a las montañas del Hurd, y al tratar con el Indio, esta víctima propiciatoria simbólica de Región, se responsabiliza del fin sangriento del poeta, cuya cabeza resulta rota por el violento golpe de garrote (p. 276).

—carente de la locuacidad y verborrea de antes— mucho mejor acorada de tono y acento» (p. 253). Por fin, adquiere la «piel nacarada» de un muerto vivo, pero por un motivo cómico: se murmura que el castigo de haber tragado una perla de su amante es estar restringido a un orinal para soltar esta joya mientras lee llorando a Leopardi (p. 254). Ruan, al principio, entre halagado y disgustado por el culto que le tiene su lector, se alarma al ver degenerar a su intérprete en ostra. El poeta teme a Andarax «como si... dependiera de él tanto como había dependido en su día —antes de adquirir una cierta notoriedad— de su padre» (p. 256). Benet muestra con el vínculo entre poeta y lector, la interdependencia de la creación y la recepción. Sin embargo, al girar ambos procesos en torno al culto del arte hermético, representan una versión más de la parálisis recíproca que condena al padre y al hijo.

Lo que esta dependencia enfermiza exige del narrador, creador e intérprete, es una estrategia adecuada para superar la ansiedad de la influencia. Ruan sufre por este motivo: se encuentra prisionero en una lucha edípica con su precursor, en la cual cada uno intenta afirmar su prioridad o su originalidad, hasta que el hijo, por fin, triunfa con las elegías. El éxito del poeta amenaza eclipsar fácilmente el trabajo del tímido y por eso ansioso narrador. Para erigir un monumento literario capaz de competir con él en Región, el Yo necesita insistir en la prioridad de su propia conciencia como la perspectiva desde la cual debe observarse el mundo; también puede alterar el modelo elegíaco de Ruan traduciéndolo al medio de la prosa, como en el largo recordar al comienzo de *Una meditación*; y por último, el escritor aprendiz puede defenderse reduciendo a creador y receptor a figuras grotescas: Ruan de porcelana y Andarax de perla. Lo que resulta preocupante en las estrategias adoptadas por el narrador es que reiteran los principios de la creación antitética, los mismos que traen consecuencias funestas al poeta.

III. El narrador como testigo heroico

Otra manera de desafiar la autoridad de Jorge Ruan es usurpar su papel de héroe, y esto es precisamente lo que el narrador hace en varios momentos críticos para el desarrollo del relato en *Una meditación*. Como se ha dicho, Benet comienza su novela con una evocación de las familias que se establecen en Región. La imagen clave que el narrador posee del pasado, una imagen que llama «pieza de identificación», es la visión de su prima Mary cuando ésta actúa como embajadora para trabar conocimiento con la familia Ruan (p. 28). Esta seña de identidad coincide así con el puente entre familias, vínculo que desencadena el drama entre los personajes de la novela. El motivo por el cual esta imagen queda tan firmemente grabada en la memoria del narrador es que, para ser testigo del encuentro, decidió pasar por alto una rodilla herida en un acto de heroísmo adolescente. Este heroísmo dramatiza el papel privilegiado del narrador como puente entre dos de las familias y de los personajes más importantes de la novela. Para recalcar que este privilegio es único, comenta más adelante que sólo él, por su doble condición de pariente de Mary y de «persona enterada de los entresijos de la familia Ruan» (p. 240), es capaz de reconciliar las perspectivas contradictorias y de descubrir el significado de los acontecimientos.

Un segundo momento clave en *Una meditación* es el momento del homenaje póstumo a Jorge Ruan, cuando todo un mundo brota de las observaciones del narrador marginal en el drama y, sin embargo, privilegiado. Es allí donde el heroico testigo se ve obligado aun en contra de su voluntad a construir un texto. Al mismo tiempo, lo atormenta la inseguridad. Sus temores impiden al narrador seguir adelante con la labor de construcción: «Y quién sabe si por esa razón cuando trataba de constituirme en heredero de los desaparecidos, con pasos muy tímidos, y cuando por mis propios medios procuraba adentrarme en el terreno en que ellos me habrían llevado de la mano, de repente me di vuelta, renuncié al empeño, abandoné el lugar y no quise —hasta que ella volvió de América, sola— saber nada de lo que había dejado atrás» (p. 69). La mujer a la que se refiere es Mary, una seña de identidad del narrador —al consolar ella al niño de la rodilla herida, él descubre «el atractivo femenino» (p. 100)— y en cuanto tal, su musa y también su vínculo con el drama de la novela. El poder que Mary ejerce sobre el narrador, demostrado en el homenaje póstumo al poeta y en sus propios funerales, confirma la fragilidad de su autonomía dentro de la novela. Efectivamente, en el homenaje a Ruan, justo cuando la identidad del Yo llega a su dramatización más completa —define sus relaciones con personajes principales como Carlos Bonaval (el hijo de un industrial) y Cayetano Corral (un idealista obsesionado por un reloj)—, Mary pronuncia una misteriosa palabra de crítica (que no se reproduce en el texto de la novela) que exilia al Yo de Región hasta el propio funeral de ella:

«todo el otoño había pasado a mi interior y mi propia persona parecía nada más que un dibujo borrado, los restos de una pintura lavada con un solvente; y cuando me detuve de nuevo y me volví hacia ellos [Mary, Bonaval y Corral]... me tuve que enfrentar con la mirada inculpatoria de los tres sostenida con tal firmeza que me obligaron a volverme y a reanudar mis pasos hacia... una suerte de exilio sin posible remisión» (pp. 235-236). Puesto que Mary, al censurar al narrador (¿por su pasividad?) lo destierra de la escena, éste, para reclamar representación en el texto, se ve obligado a excluirla de su campo visual: «el niño que en efecto se había quedado atrás con la pierna manchada por la sangre que fluía de su rodilla, ante ella ya no será nunca un hombre libre y a expensas de otra cosa... sólo podrá reconstruir su libertad cuando desaparezca de su campo; y estando ella presente ni siquiera tendrá el poder para intentar su aniquilación» (p. 239). Para reivindicar la independencia de un adulto, el narrador debe corroborar la ausencia de Mary, cosa que hace volviendo a Región para asistir a su funeral algún tiempo después de haber asistido al homenaje póstumo al poeta.

Sin embargo, una vez que Mary —embajadora hasta en la muerte pues la entierran con los poemas póstumos de Ruan— desaparece, el narrador pierde su perspectiva privilegiada y su papel dramático de testigo heroico. Por eso, y de acuerdo con los principios antitéticos que gobiernan *Una meditación*, él también desaparece. Su desaparición de la escena puede explicarse en parte por la relación que tiene su personaje con otros personajes de la novela. Una vez contadas las historias de Jorge y Mary, y una vez que sus pasiones quedan soterradas en Región (p. 251), el siguiente personaje que vuelve del exilio —Leo (llamada también Laura)— inicia sus amores con un personaje, Carlos Bonaval, que pertenece a una familia enemiga de la del narrador. De hecho, las tres personas que monopolizan la acción en la última parte de la novela dejan fuera al narrador. La acción principal tiene que ver con Leo, Bonaval y Corral y se refiere al amor incipiente de los dos hombres por la mujer, la prueba a que se somete este amor en el viaje que Leo y Bonaval hacen a las montañas y la respuesta destructiva del abandonado Corral, que arregla un reloj simbólico cuya marcha fatal anuncia el fin de toda búsqueda en la novela. Este drama excluye a la persona del Yo porque es incapaz de olvidar la enemistad heredada simbolizada en el apellido «Bonaval», porque se siente ignorado por Corral y desaprueba las relaciones de éste con Rosa de Llanes (aparentemente, antes de su extraña vinculación con Andarax) y porque encuentra la animosidad de Leo, provocada sin duda por un pariente lejano de ella que guarda rencor a la familia del narrador.

IV. La expansión de la perspectiva

Antes de delegar autoridad narrativa en el personaje que nos conduce al final de *Una meditación*, Benet ensancha los horizontes de búsqueda en la novela. Agotado ahora el potencial dramático del Yo, Benet adopta la perspectiva de una tercera persona omnisciente, a fin de conseguir niveles de desarrollo, humano y narrativo, que sobrepasen su experiencia personal. No obstante, del mismo modo que el auge de la autoridad del Yo en el texto iba acompañado de timidez, la desaparición de esta voz despierta inseguridad sobre el punto de vista. El Yo, en un intento de difundir los acontecimientos de las vidas de Leo, Bonaval y Corral, se vuelve tímido, indirecto, mistificador. Preguntándose «¿Cómo voy a saber de qué manera se inició aquella conversación?» (p. 199), que lleva a la aventura Leo-Bonaval, el narrador llena su informe de señales de incertidumbre —«creo, supongo, acaso, quiero creer» (pp. 199-200). Simultáneamente, todo el problema de la perspectiva narrativa se convierte en tema de meditación, que opone al observador ordinario a un espectador como Cayetano Corral, que puede penetrar los fenómenos superficiales y averiguar los aconteceres de la vida interior. En un momento anterior de la novela, el Yo reclamaba ese privilegio, pues aludía al hecho de poseer un conocimiento profundo del viaje de los dos amantes: «Y el mismo viaje a la sierra que desde una perspectiva no pasaba de ser la aventura de placer de una pareja de recientes amantes... era susceptible para una hermenéutica más esotérica de una interpretación más general, que involucrara el sentido de destinación de todos los que, de una u otra manera, se habían de sentir afectados por él» (p. 157). Aun cuando el Yo anunciaba que no carecería de inventiva ni de habilidad interpretativa para narrar el viaje, su persona prácticamente desaparece de las últimas cincuenta páginas de *Una meditación*, cuando se cuenta lo más sustancial del episodio Leo-Bonaval.

Benet, al adoptar la perspectiva de tercera persona omnisciente, cambia el enfoque y pasa de la narración del Yo en actitud de búsqueda a la narración del Otro. A partir de este momento, la novela habla de seres adultos que tratan de realizarse en el amor, un relato que a su vez forma parte del discurso colectivo de

Región, evolucionando según el «continuo consciente del hombre» (p. 206). David Herzberger, refiriéndose a la expansión de la perspectiva en *Una meditación*, observa que Benet intenta recuperar el pasado mediante la memoria de un individuo, pero que también la voz narrativa va más allá de ese marco de referencia limitado, de modo que el narrador se convierte en centro omnisciente de la conciencia de otros personajes, incluso de aquéllos que apenas conoce[17]. Ricardo Gullón añade: «El Yo hablante en la narración se diversifica en un curioso ejercicio de desdoblamiento: un yo-personaje, un yo-testigo (falible, limitado), un yo-función (omnisciente) y un yo-creador (del discurso, del texto y de la novela). Diferencia en el rol, coincidencia en la sustancia»[18]. El propio Benet, interrogado acerca de la desapación del Yo, sugirió el motivo oculto tras esta expansión de la perspectiva. Sin duda tomando narrador por autor, Benet contestó que «toda novela, como una serpiente, debe eventualmente mudarse de piel»[19]. Podemos suponer que quiere decir que *Una meditación* —dejando de lado la duplicidad notoria de la serpiente— es a la vez una novela auto-transformadora y una metamorfosis, aunque oblicua y literaria, del yo. Porque, del mismo modo que la piel perfila y esconde la forma de un organismo, las distintas voces del drama de la identidad en maduración —algunas narradores y otras actores— encierran la conciencia fluida de Región mientras disfrazan los orígenes reflexivos de la creación benetiana.

La respuesta de Benet apunta, una vez más, hacia la estructura evolutiva de *Una meditación*. El Yo nos ha revelado lo suficiente de sí como para que asociemos los rasgos psicológicos (creación consciente de sí misma, el temor a transgredir las normas de la sociedad) repetidos a lo largo de la novela como si pertenecieran a su personalidad o la abarcaran. Puesto que el papel del Yo como personaje y testigo está limitado y resulta más bien difuso que delineado con precisión, el autor puede esparcir el yo infundiéndolo en otros personajes. Dicha dispersión podría ser fuente de libertad si todos los personajes de *Una meditación* no fueran oprimidos por el lenguaje monolítico uniforme y si Benet no se interesara en seguir una metamorfosis que degenera en la

---

[17] David HERZBERGER: *The Novelistic World of Juan Benet*, Clear Creek, Indiana, *The American Hispanist*, 1977, p. 78.

[18] GULLÓN: «Introducción», p. 20.

[19] Respuesta a una pregunta de Laura Rivkin, durante una visita de Juan Benet a la Universidad de Virginia, el 23 de marzo de 1982.

realización de una estructura trágica y cíclica. Pero aun cuando el fin de *Una meditación* no logra una exhibición polifónica de voces que se jactan de la libertad inter-subjetiva, Benet insiste en esbozar la posibilidad del progreso. En efecto, pese a las frecuentes digresiones y a las interrupciones del orden cronológico de sucesos, cuyo resultado es la densidad de presentación de la novela (yuxtaposiciones del pasado y del presente, duración desproporcionada de los acontecimientos, repeticiones), la materia dramática de *Una meditación* se consolida lo suficiente como para delinear una progresión. Desde la recreación existencial y textual del Yo a través de la evocación nostálgica, seguida de la compulsión del Yo a continuar el desarrollo truncado en la adolescencia como reto a un precursor literario, la novela pasa a la finalización de este período de aprendizaje, por el yo como queda demostrado en las afirmaciones vacilantes de su papel como testigo heroico. Una vez alcanzados los límites de esta persona, Benet adopta conscientemente una postura omnisciente que permitiría a los personajes adultos, libres de testigos, llevar a cabo la búsqueda metamorfoseadora de la identidad a través de una búsqueda de la realización en el amor. Realizando esta unión, expresada como la compenetración del yo y del otro y como una reconciliación de dos tipos de amor —«el fálico y el cefálico» (p. 197)—, les permitiría proyectar un futuro y así librarse de la soledad y la alienación condicionadas por una represiva Región de postguerra.

Sin embargo, Benet detiene esta evolución, a un tiempo psicológica y narrativa, con la excursión que hacen Leo y Bonaval a la Sierra. En un momento anterior de la novela y al comienzo de la Guerra Civil, Bonaval y Mary habían hecho un viaje similar para transgredir la frontera de Región, y acabaron negando sus pasiones explosivas al volver a la zona de la razón (ella se casa con Julián; Bonaval cree percibir un atisbo de perversión en el amor que los une y decide sacrificarlo volviendo a los confines de los principios recibidos (pp. 211-224). El nuevo intento en lugar de compensar por la cobardía de antaño, resulta un cataclismo tanto para Región como para el discurso que se despliega en la novela. El viaje empuja a Cayetano Corral, el personaje que controla el pulso trágico de Región, simbolizado en un reloj, a preparar el fin del crecimiento psicológico y de la progresión narrativa. Detengámonos primero para ver lo que pasa con la búsqueda metamorfoseante de la identidad. La excursión supone un sacrificio tanto del amor como de la amistad. Leo abandona a Corral, hombre sensible, por el superficial Bonaval, que propone una visita «Ad Putea» (p. 204) y cuya indiferencia para con su amigo relojero se nota en que apenas lee su carta de advertencias. Dicha carta trata del problema de reconciliar el sexo y el amor, precisamente la dificultad lleva a los amantes a su destino inexorable. Quieren superar el recelo mutuo, logrando una fusión de identidad tan absoluta que detiene el tiempo (p. 291), pero su unión no sólo trae «la metamorfosis fraudulenta de la carne» (p. 294), sino también, una forma de muerte postcoital, «el blanco y nacarado hipostático matrimonio de la carne con sus propios apetitos» (p. 294).

Este conflicto lleva a Bonaval a una encrucijada simbólica donde delibera entre la no-vida de la sociedad —«todo lo vio suspenso en la nada»— y la entrega a su amor (p. 326). Pero cuando se decide por Leo (el amor), descubre, trágicamente, que ella ha involucionado convirtiéndose en una estatua de muerte en vida: callada, su cara petrificada con una expresión de beatífica idiotez, su cuerpo tendido en la cama «como para ser clavada y martirizada sobre la cruz de San Andrés» (p. 327). Esta cruz, según José Ortega, simboliza las dos partes del alma, razón y pasión, unidas en un orden nuevo de contrarios[20]. El martirio de Leo, además, puede leerse como la culminación, según Stephen Summerhill, del «*sacrificio* altamente estilizado y mítico en que cada persona [en la novela] es inmolada en el altar de la sociedad»[21]. En el caso de Leo y Bonaval, el ensimismamiento mutuo implica «la preterición del futuro», y esta incapacidad para seguir adelante —comprobada por la falta de comunicación entre los amantes al regresar de la sierra a la sociedad en Región— anuncia el colapso de la búsqueda de identidad que había sido el motor de la novela (p. 326). Efectivamente, si Benet inyectaba drama en la maduración del Yo, haciendo florecer una novela en torno al homenaje póstumo al arte hermético, el cese del crecimiento se simboliza en otro acto funerario: Bonaval se lava la cara en las cenizas del cobertizo que había albergado el amor de los tres amigos.

V. El destino de la narrativa

La excursión a las montañas, además de interrumpir el drama de la maduración, determina el fin del discurso generado por la

---

[20] José Ortega: «Estudios sobre la obra de Juan Benet», *Cuadernos Hispanoamericanos*, nº 284 (1974), 249.

[21] Summerhill, p. 23.

conciencia colectiva de Región. Este fin está señalado por un reloj que Cayetano Corral, tal como hace el novelista con su composición, constantemente establece, desmonta y reconstruye. De hecho, los paralelos que Benet establece entre el relojero y el novelista o entre el reloj y el texto, subrayan las condiciones necesarias para la narrativa en *Una meditación*. El reloj, como la novela, es «paradigma y espejo de su propio mecánico» (p. 79); en tanto que permanece roto es un «modelo hipotético de reloj» que mide una noción abstracta del tiempo (p. 78), una abstracción que, por su parte, Benet compara dos veces con una ficción (pp. 78, 81). La ilusión depende de un pacto entre el artesano y el artefacto, un acuerdo temporal que mantiene «el compás de espera entre la vida y la existencia» (p. 74), que regula el orden frágil del quietismo de postguerra que alberga una latente hostilidad. Para el escritor, este tiempo entre comienzos y conclusiones es la zona intermedia en la cual inscribe su historia. Más aún, Corral controla un modelo literario tan significativo como el de Jorge Ruan, pues mientras que la ausencia y la muerte del poeta-héroe de Región permiten las acumulaciones narrativas que habrán de concretarse en su homenaje, la presencia y las pasiones amortiguadas del relojero hacen caer el telón sobre el drama: «tenía en sus manos... el manubrio con que bajar el telón al final de la tragedia» (p. 77). En efecto, Corral, trabajando de espaldas a los personajes cuyo destino controla, llega a ser autor de su suerte.

Benet, al seleccionar al relojero como el último de los alter egos autores de *Una meditación*, pone de relieve que su obra es una reflexión sobre la narrativa, pues comienza y termina con los temas temporales. Al comienzo, la memoria ofrecía posibilidades de conservar y recuperar las experiencias perdidas; el reloj, en cambio, mide y completa, deteniendo «la continuidad consciente» del discurso de Región con la «fatídica continuidad que violenta el arbitrario y azaroso devenir de una pequeña comunidad semirrural para en años de quietud enlazar hechos aislados con los hilos de la tragedia» (p. 242). Corral manipula estos hilos cuando la pasión que irrumpe en su vida, el abandono de la mujer que ama, le sacude de sus observaciones desinteresadas y le impulsa a romper el pacto con la construcción ficticia para entonces poder regular la ausencia de Leo. Irónicamente, este deseo de certificar lo real completando el reloj acaba no con la omnipotencia del relojero sino, por el contrario, con una alteración del ritmo temporal «más real, más absoluto, más independiente de las manos y del celo del amo» (p. 81). Lo absoluto en el mundo sombrío de Región es el trágico esquema de violencia y represión. La «línea trágica» o el horizonte trágico de los sucesos se había augurado con la muerte de Jorge Ruan (p. 284), pero ahora la destrucción es total y afecta al individuo, a la sociedad y al discurso narrativo. El pulso del reloj late dentro —el corazón temeroso de Leo— y fuera —la tumba de Jorge se derrumba (p. 328)—, «minando todo el suelo patrio» finalmente (p. 288), destruyendo la materia de la meditación.

Benet logra el colapso de su narrativa en varios niveles: la energía de la razón vence el quietismo de lo irracional, el tiempo vence a la atemporalidad (el tiempo real reemplaza al tiempo narrativo), la vigilia vence al mundo del sueño, los ciclos naturales inexorables sustituyen a los movimientos erráticos de la historia. Hay alguna resistencia débil cuando la memoria, que preside «en esas zonas transitorias del sueño», en un estado de «duermevela» (p. 320), intenta absorber el cambio, respondiendo que «no se trata de nada nuevo sino —precisamente— de algo de sobra conocido por ella, revivido de forma desordenada e inconsciente» (p. 328). Pero la memoria, albergue de búsquedas a tientas de la identidad, se rinde ante «la ley del ciclo», ley mítica que encierra las experiencias de Leo y Bonaval, la última pareja de buscadores, en una estructura arquetípica: «En verdad casi toda historia de amor es un viaje a los infiernos, en el corazón del invierno, al término del cual el mundo curado de su parálisis recobra su animación» (p. 320). Este ciclo de las estaciones también delimita el espacio en el cual se inscribe la novela toda, ya que la narrativa que comenzó con las reminiscencias de los veranos infantiles, termina con la llegada de la primavera. Además, en las últimas páginas de *Una meditación*, Benet sugiere la posibilidad de un ciclo nuevo. Habrá personajes nuevos (Camilia Abrantes espera al hijo del incesto) o revelaciones sobre personajes ya mencionados, pues, por ejemplo, una alusión súbita a Cristina Hocher, introducida mucho antes en la novela, insinúa que su historia queda por contar. Más aún, la publicación en 1972 de *Un viaje de invierno* confirma el interés por parte del novelista de dar una interpretación mítica a la historia de amor, y concretamente con los materiales tomados del mito de Koré y Demetria. Estos nuevos brotes narrativos nos llevan a esperar que cuando el reloj de Cayetano Corral sobrevive al incendio que destruye el cobertizo, el «reloj» de la narrativa seguirá adelante con su tic-tac. Pero si ese «reloj» literario sobrevive, será sin la materia de *Una meditación*. Ésta queda condenada porque el último alter-ego autoral abandona Región y, por lo tanto, desaparece de la zona de la representación, mientras que el teatro de sus labores, consumido por el fuego, llega a ser el altar a lo irremediablemente perdido.

En este estudio hemos trazado una búsqueda de la identidad, desde la infancia a la madurez, que resulta inseparable de las etapas evolutivas de una novela reflexiva. Aunque *Una meditación* se ha leído como una alegoría política, como una invención existencial de sí misma[22], como una estructura que se pone en duda a sí misma, nadie hasta ahora ha recalcado que lo fundamental en la crítica literaria benetiana lo sea también su propio quehacer novelístico: es decir, el problema de la creación literaria. Efectivamente, si *Una meditación* es una narrativa del Yo, también es un comentario continuo de su propia condición de textualidad. Y, sin embargo, la manera oblicua en que Benet presenta esta reflexividad puede disuadirnos en un primer momento de que veamos su obra como la historia de su propia creación, una novela que Kellman llamaría autógena. *Una meditación* comienza con la memoria involuntaria que recupera las piezas de una historia. Sólo de una manera indirecta en el homenaje póstumo al poeta empezamos a intuir el motivo reconstructivo detrás de la evocación aparentemente espontánea, así como el reto de articular la promesa y la tragedia de Región. La incertidumbre con que está expresado este proyecto literario constituye una parte explícita del programa narrativo de Benet, que compone una novela del recuerdo en un manuscrito continuo. Sin embargo, por todo el valor que Benet consagra a la duda y pese a la sugestividad surgida de las desviaciones y lagunas del argumento de *Una meditación*, los temas temporales que abren y cierran la historia hacen destacar la recurrencia de la convención narrativa en sus prácticas literarias. Esta obra revela un comienzo, un desarrollo y una conclusión: desde el recuerdo elegíaco de un Yo anónimo, la novela pasa a la confrontación de ese individuo con el mundo, expresada como la lucha por la prioridad literaria frente al modelo trágico del poeta

---

[22] Mary S. VÁSQUEZ: «The Creative Task: Existential Self-Invention in Benet's *Una meditación*», *Selecta*, 1 (1980), 118-20. Vásquez acierta al reconocer en la búsqueda de identidad la postura intencional del narrador, así como su papel de dispensador de significados («meaning-giver»), pero un problema surge cuando esta lectora afirma que las interrupciones del argumento llegan hasta el punto de negar la continuidad narrativa, pues es precisamente dicha convención la que hemos recuperado en nuestro estudio de *Una meditación*.

puro. El período de aprendizaje literario produce un individuo capaz da hacer frente al heroismo trágico del poeta, porque afirma su propia heroicidad como intérprete inventivo del drama de Región. Una vez fijados los límites del narrador como personaje (es tímido, dubitativo), Benet conscientemente hace de la desaparición del Yo el tema de su meditación. Al mismo tiempo amplía el alcance de la búsqueda para que seres adultos que forman parte del discurso colectivo de Región puedan realizarse. Pero no es así. Al contrario, lo que se realiza es la maldición de Región cuando el último alter ego arregla el reloj simbólico que completa la composición del novelista. El tanteo que había caracterizado las búsquedas humanas y literarias en *Una meditación* se sustituye por los ciclos naturales que, al delimitar los contornos de la obra, sugieren el carácter inevitable de la pérdida trágica, sacrificio que sería total si no fuera por las sugerencias de nuevas historias que quedan por contar.

Una meditación es, en resumen, un intento subjetivo de recuperar el tiempo perdido mediante el recuerdo creador, que termina con un sacrificio presentado de modo objetivo y sufrido por los últimos buscadores junto con todos los de Región. Esta tragedia puede interpretarse también como la falta de desarrollo del personaje. Benet esboza el crecimiento de un intérprete heroico y sugiere un parecido entre la realización de sus personajes y la libertad de un estilo que hace referencia a sí mismo; sin embargo, la provisionalidad y la indecisión de sus voces descarna a estos seres alternos, subordinándolos al mismo tiempo a un lenguaje uniformemente monolítico. Parece como si Benet, al igual que su narrador, tuviera que competir con la vida y obra trágicas del poeta puro, construyendo un monumento literario en prosa poética a la tragedia de toda Región. Por otra parte, por monumental que parezca la novela, *Una meditación* permanece maravillosamente permeable, proyectando sobre sus propios procesos literarios la misma «luz dubitativa» que Benet querría que proyectásemos sobre el mundo. En este sentido, indudablemente, el rollo continuo de Benet nos invita a participar con él en una meditación literaria.

[*Anales de la Literatura Española Contemporánea*, vol. 9, 1984. Traducción de Laura RIVKIN y Ema Rosa FONDEVILA.]

RICARDO GULLÓN

ESPERANDO A CORÉ

MITOLOGÍAS

La lectura de *Un viaje de invierno*, de Juan Benet, presenta dificultades, pero no oscuridades[1]. Si las dificultades son reales, en la obra funciona un sistema de señales que ayuda a dilucidarlas. A condición de que se lea con atención y todo lo escrito, pues la novela postula un lector atento (no necesariamente un lector cómplice, como el que *Rayuela* exige), un lector que se interese en el descifrado del texto y registre los signos estratégicamente distribuidos en él.

Tres figuran en las primeras páginas: en las hojas de guarda se juntan tres citas coincidentes en la caracterización del espacio novelesco; en las líneas de presentación de autor y novela hay dos claves interesantes, una, incluida como por azar, señala la coincidencia entre el título de la obra y el de un ciclo de canciones (*Winterreise*) compuesto por Schubert al final de su vida; otra sugiere que acaso en la indicación de la primera página (*diá róon*) está el enigma. Las dos palabras griegas aparecen a modo de exergo, en forma tan destacada que parece imposible (aunque haya sucedido) que puedan pasar inadvertidas.

Nada de esto es gratuito; las indicaciones iniciales tienen, a mi juicio, significación clara: sugerir la importancia de lo espacial en un mundo donde el tiempo quedó en suspenso, paralizado (es el

[1] Juan BENET, *Un viaje de invierno*, La Gaya Ciencia, Barcelona, 1972. Las cifras entre paréntesis se refieren a las páginas de la novela citada en el texto.

tiempo de la espera y de la nostalgia, sin sucesión, consumido en la inmovilidad), y caracterizar ese espacio mediante descripciones muy objetivas, que incluyen transparentes indicios verbales de lo que significa.

En la advertencia preliminar se habla de *Un viaje de invierno* como «novela misteriosa y fúnebre cuya acción transcurre en un mundo particular donde personajes, montes, recuerdos y premoniciones viven absortos por pasiones contenidas y determinados por acontecimientos que sólo existieron en la conciencia nostálgica» (4). Indicaciones preciosas: el adjetivo «fúnebre» indica relación con la muerte, relación oscura, mal definida, presentada en formas enigmáticas, conectadas con alusiones a un rito o ritual que «utiliza la repetición para reducir la violencia del misterio» (114). El viaje y la fiesta, motivos de la novela que temáticamente la definen, aparecen en su reiteración como modos de cumplirse un rito, de satisfacer, siquiera imaginariamente, cierta exigencia espiritual cuyo sentido apenas se declara.

Que el texto sugiere una lectura en diversos niveles (literal, simbólico, metafísico, histórico) es cosa fácil de probar: la narración es, en su literalidad, crónica de una soledad rememorante, de una invención en que puede hallar consuelo cierta mujer desamparada; admite en otro plano una lectura referida al mito: la soledad de la mujer se debe a que su hija fue llevada lejos, en el «carro mortuorio», dejándola en una desolación de que acaso la consuela la posibilidad del retorno en marzo, cada año, de la muchacha perdida. En este nivel, el viaje simboliza un cambio, una vuelta a la fertilidad y la esperanza, y la hija es símbolo de la primavera misma. Los nombres de los personajes imponen esta lectura mítico-simbólica. No parece aventurado pensar que en el plano filosófico se expone aquí la pugna, explícitamente mencionada, entre razón e imaginación, y hasta es posible leer, en el último nivel de significación, un conflicto histórico-político, viendo a la protagonista como símbolo de España.

La relación entre *Un viaje de invierno* y *Winterreise* es visible. Este ciclo de canciones lo compuso Schubert sobre una serie de veinticuatro poemas de Wilhelm Muller (1794-1827), de quien ya había utilizado veinte en *La hermosa molinera*. Los veintitrés fragmentos, el prólogo y el epílogo de esta obra llevan la siguiente indicación: «Para ser leídos en invierno»; es, pues, la desolada estación del año la que conviene a los sentimientos expresados. La coincidencia entre el segundo de los ciclos de Muller musicalizados por Schubert y la novela de Benet va más allá del título (sus diferencias son igualmente obvias). *Un viaje de invierno* empieza por ser la historia de una mujer que, separada del marido, aguarda que a fines e marzo regrese una hija que el padre parece haberse llevado. Es mucho más que esto, y tal vez no es esto, pero de momento basta tan apretadísima síntesis para resumir la situación inicial.

Quien en *Winterreise* llora el abandono, el olvido de la muchacha que le habló de amor, no es una madre sino un amante. Solo ya, busca su camino «a través de la oscuridad». Soledad, nostalgia del pasado y pérdida de algo muy querido son factores de la coincidencia. Hay otro, de diferente orden; el poema 11 de Muller (10 en el ciclo schubertiano) se titula «El grajo», y trata del pájaro que simboliza la muerte, ave de los presagios (el viejo conocido, encontrado por el Cid «a la exida de Bibar» y a la entrada en Burgos) que sigue al amante, volando sobre su cabeza, sin dejarle, haciéndole ver que lo considera presa suya. En la novela, los grajos sirven una función importante, ligada a la desolación y el abandono del espacio en que acontece. El amante desdeñado, como la mujer abandonada, evitan el contacto con otras gentes y aceptan el yermo (la gándara) y el silencio como lugar de su melancolía.

Al final del volumen se reproduce en facsímil el «Vals K», atribuido a Schubert. Sobre la música se lee: «Vals por Frantz Schubert, compueto en ocasión del matrimonio de su amigo Leopold Kupelwieser con Johanna von Lutz, el 17 de septiembre 1826; conservado en la familia Kupelwieser por tradición. Transcrito por Richard Strauss.» Un distinguido musicólogo, el profesor John W. Grubbs, me informa que Kupelwieser era pintor, especializado en retratos. En su boda, Schubert tocó el piano para que los presentes bailaran, siendo el «Vals K», así llamado por la inicial del pintor, una improvisación. La novia lo aprendió y lo tocó muchas veces en años posteriores, transmitiéndolo a sus descendientes. Un siglo más tarde, una de ellas se lo hizo oír a Strauss, que lo copió, aunque en clave diferente. Lo que importa al lector de *Un viaje de invierno* es la utilización emblemática del vals y el hecho de que sus notas suenen en el extraño silencio de la última página.

Clave decisiva es la declarada en las dos palabras griegas sobre las cuales se llama la atención en el prologuillo (que pudiera atribuirse al editor o algún intermediario del autor), y en el resplandor de los caracteres insólitos que reclaman para sí toda una página: *diá róon* es, literalmente, «a través de la inundación», o «por la inundación»; en poesía *róon* puede traducirse por río o lago, y su femenino *roá* es equivalente a granada, lo que da más sentido a la fábula de Benet.

Otras señales refuerzan la orientación esbozada por estos signos. En el seminario dedicado a los problemas de la novela, en la Universidad de Tejas, Miss Rilda Baker observó que los nombres de los personajes dan una pista segura: la protagonista se llama, alternativamente, Demetria o Nemesia, nombres que corresponden, un tanto irónicamente, a los de dos diosas griegas: Deméter (a quien cantó Antonio Machado) y Némesis. La hija de Demetria se llama Coré, como la de Deméter, y, como ella, ha desaparecido, llevada a otro mundo, el de los muertos. Coré (que en griego significa muchacha) es el nombre terrenal de quien en los reinos de Hades es llamada Perséfona.

El mito se corresponde con la novela y funciona como pauta estrutural, como principio organizador y esclarecedor. Resumiremos brevemente su sustancia para precisar algunos puntos que corroboran lo apuntado por los paralelismos onomásticos y situacionales. En los himnos homéricos se halla una versión según la cual Coré fue raptada por el Señor de las tinieblas; doliente y desesperada, Deméter busca la soledad y abandona la tierra, que deja de producir flores y frutos. Para poner fin a esta situación, Zeus hace volver a Coré, pero la muchacha ha probado ya el alimento de los muertos (la granada aludida en la cita griega) y debe permanecer entre ellos parte del año.

Invención del inconsciente colectivo, el mito explica y sublima miedos y anhelos oscuros. ¿Por qué el invierno y la pobreza y la muerte? Coré es la primavera y es la juventud cuyo retorno se aguarda. Con su regreso se cierra el ciclo de las estaciones, disipándose las sombras del largo invierno, sombras pensadas como un castigo por quienes las padecen. Ello explica por qué la protagonista de la novela tiene dos nombres: «En algunos lugares o épocas del año se le conocía por Demetria, en otros en cambio lo era por Nemesia» (102). Némesis vela por el cumplimiento de la ley, es la diosa de la venganza sagrada y sus emblemas son el flagelo y la rueda (símbolo del año solar). Como castigo por un acontecimiento de que nada saben, verán los humanos, en ciertas circunstancias, la esterilidad de la tierra, y la figura mítica hará pensar en Némesis más que en Deméter. Cambio de persona (entendiendo esta palabra en su acepción etimológica de máscara), no de función; cambio revelador de actitudes diferentes en la interpretación y valoración de los hechos.

Las correspondencias del caso novelesco con la figuración mítica son ciertamente notables. Demetria espera que su hija vuelva (resucite) al llegar la primavera, de que es encarnación simbólica. («Día de los fastos» será el de su retorno.) Esperanza irrealizable, sueño mítico, y, aún en él oscuro, pues en los abismos sufre Coré una transformación acaso irreversible. La esposa de Hades pasa a ser Perséfona, nombre que etimológicamente significa la destructora (Hesíodo la llama «atroz» Perséfona). Némesis mata a su amante después de cohabitar con él, aunque luego éste resucite y venza a quien le sustituyera. ¿No hay alguna semejanza entre esto y lo que de Amat se dice en la novela, misteriosamente desaparecido después de engendrar a Coré y reapareciente (quizá, no es seguro) de vez en cuando, en circunstancias que le relacionan con la fiesta y el rito de que será parte cuando Demetria sea Nemesia?

Hay otras dos claras homologías entre mito y novela. Los negros ropajes con que se cubre Deméter en su duelo tienen su equivalencia en el chal oscuro en que se envuelve Demetria. Los pájaros agoreros (los grajos, como en Muller-Schubert) están en el himno homérico y sirven allí, como en el espacio novelesco, una función testimonial simbólica de la desolación y la muerte.

Espacios

El espacio de esta novela es el de la conciencia nostálgica. Espacio que se proyecta en la casa y en el campo, en un afuera que sigue formando parte del adentro. Pensemos el espacio mental más allá de la extensión en superficie y lo veremos prolongándose en profundidad, hacia la subconsciencia. El mito expresa deseos o temores, pero ocultos. Tal es la situación de Demetria: una irrealidad que en el mito encuentra salida. El texto se refiere a una ficción y desafía las realidades tangibles, claro indicio de su sentido; propone de modo oblicuo una proyección de lo insinuado en lo declarado, para así aclarar lo legible con las sombrías luces del mito.

Vive el personaje central un caso de fijación[2], concentrado en ocurrencias que ni sucedieron ni habrán de suceder, pero que en el

---

[2] En *Light of August*, de William Faulkner, un personaje, el reverendo Hightower, presenta las mismas características de fijación; inmóvil en su cuarto, se siente sin cesar viviendo la acción bélica en que participara su abuelo. La coincidencia con la novela de Benet es sólo en cuanto al caso psicológico.

espacio mental son legitimadas por un sustrato que le permite identificarse con la figura tradicional de la diosa cuya hija fue arrebatada por los poderes de la sombra. Quien revive esa experiencia se identifica con la figura, y, en el caso presente, imagina una fábula que en forma desviada y patética duplica las incidencias míticas.

Texto laberíntico, necesariamente, con el hilo conductor de los nombres, que son una primera descripción del personaje. Laberinto verbal en consonancia con la complicación mental. Al hablar de las señales indicadoras mencioné las citas de las páginas de guarda: dos corresponden a otras novelas de Benet, la tercera es ésta. Coinciden en ser descripciones de la naturaleza en torno a Región, país en que el autor ha situado un mundo estilísticamente inconfundible[3], y destacan referencias espaciales a ese mundo: la sierra de Región «se presenta como un testigo enigmático»; el monte negro «no es en sustancia más que la masa de silencio precipitado en miedo con que el país aceptó y disfrazó su renuncia a la violencia...»; la cordillera descabala en la noche las esperanzas «engendradas por sus torvos brillos diurnos». Enigmas, miedos, desesperanza..., signos verbales que apuntan a una caracterización precisa.

Uno de los motivos centrales de la novela, el viaje, implica un desplazamiento en el espacio. (También en el tiempo, pero a éste se le redujo a términos metafóricos, inciertos.) ¿Por cuál espacio? Por el espacio mítico en que se perdió Coré, por el que llamamos invierno o infierno (de la ausencia), abierto finalmente al eterno retorno de lo esperable y siempre inesperado («La primavera ha venido —nadie sabe cómo ha sido.») En «la irreversible concreción espacial del tiempo» (225) situó la protagonista a su hija; por eso el retorno es incesante y no se produce en la duración sino en la mente.

Para la protagonista vivir es estar, no pasar. Inmóvil en los espacios mentales y sin sentirse confiada, por sentirlos prolongados en el del mito, donde su figuración tiene sentido, proyecta sobre cuanto le rodea su indiferencia al acontecer que es la vida. Como Deméter, Demetria es indiferente a la desolación del mundo; sin Coré, la belleza no tiene sentido y todo puede secarse y perecer. «Unas cuantas habitaciones de la planta baja» (32) le

---

[3] Región es una ciudad, pero también una zona, una comarca, una geografía alzada a la condición de mundo novelesco, en el que nada supera en intensidad de presencia al espacio, entre alucinante y mítico, de la invención.

bastan: son su prolongación y subrayan con su abandono la indiferencia por lo exterior. Entre personaje, casa y campo las correspondencias reafirman la valoración del espacio novelesco como reflejo de una conciencia perdida en la nostalgia.

Pensar como limitados los espacios mentales es un error: si el confinamiento físico en un cuarto sugiere una limitación, la sugerencia es equívoca. El círculo del movimiento se ensancha en la mente, o al menos puede ensancharse, porque la memoria de Demetria se contenta con girar lenta e incesante en torno a tres o cuatro imágenes recurrentes: imágenes de su obsesión. Si la estancia clausura, es porque antes la imaginación se negó a lo exterior.

El «acerbo aroma» de la casa es el de la indiferencia, el desdén y la amargura propios de la mujer que vive en otra cosa, dentro de sí. Nada expresa mejor su actitud que el abandono de sus campos: «Incluso todos los alrededores de la casa —que en su día combinara los atributos de la hacienda con las amenidades de la quinta de recreo— habían pasado a formar, desde la marcha de su marido, una pequeña comarca yerma y desolada» (63). Ejemplo de las correspondencias a que me referí hace un momento. La situación personal explica el deterioro y a su vez es iluminada y como subrayada (en su visibilidad) por la desolación de lo que alguna vez fue atractivo.

Situación irreversible, que no podrá ser alterada por el empeño del único que podría hacer algo por remediarla: el criado, cuya presencia responde a la necesidad de alcanzar el punto extremo de un viaje, y que después de prestar servicio durante un tiempo no concretado, irá más allá, hacia Mantua, o regresará a los orígenes. Entre tanto se ejercita en actividades encaminadas a dos objetivos relacionados con el espacio: traer luz a las sombras (lo que, dado su nombre, piensa Miss Baker, lo conecta con Arturo, estrella muy potente de la constelación del Boyero) e intentar, un poco a ciegas, poner orden en el caos. Empeños inútiles; sólo Demetria puede alterar la situación. Quizá cuando el sirviente se afana por devolver la luz (eléctrica) a la casa se cree investido de un mandato, pero pronto entenderá que su función no consiste en disipar las tinieblas sino en ser testigo de ellas, y de su irrealidad.

La plenitud de su función testimonial se manifiesta cuando al entrar de improviso en la habitación de la protagonista, la sorprende con el bausán en el regazo: emblema de la maternidad frustrada, de la soledad aceptada porque impuesta, complemento instintivo a las sombras del mito, a las inseguridades del rito que sólo en forma simbólica aseguran el retorno de la hija que nunca existió. Pues la Coré por quien se enluta Demetria sólo vivió en su imaginación; lo que la protagonista vio partir en el carro de los muertos es su propia juventud.

Tiene el sirviente su refugio, otra alcoba, y en ella escucha palabras nunca pronunciadas. Espacio de la receptividad, estimulada por lo extraño del ambiente, por las sombras que no debe disipar, según una noche le previenen «las mismas palabras inconfundibles», «audibles, pero no sonoras» (98) que le hablan desde el sueño. ¿Oye voces o cree oírlas? En el texto las oye, y eso es lo que importa. La verosimilitud es cuestión sin pertinencia: las voces tienen sentido y explicitan lo ya intuido por el lector.

Entre Demetria y Arturo apunta un paralelismo: «había una repetición de sus destinos tan identificables que a veces se preguntaba si él mismo no llegaría un día a ser el causante y objeto de la fiesta, si el trabajo y el alojamiento que le había dado no obedecía al secreto propósito de obligarle a revivir sus propias experiencias» (92). El nombre del sirviente y su apellido, Bremond, ¿apuntarán al ciclo de las leyendas bretonas? No veo cómo, pero el apellido debe de tener una significación que de momento se me escapa. Ingresado en el ámbito del divagar espectral, asimilado por la atmósfera que le rodea, todavía puede, como testigo, descubrir el significado último de la figura central. Al levantar la mirada ve a la mujer «despojada de tiempo y coloreada por la nada, simple yuxtaposición de su figura al instante incoloro tan sólo representado en el miedo» (92). «Despojada de tiempo», ya la sabíamos; «coloreada por la nada», *oxymoron* reductor del mito al vacío, de Deméter o Némesis a una sombra tras los cristales.

Dos referencias ligan el espacio de la ficción al del mito; ambas ocurren en la segunda parte de la novela. Un dato más, alusivo a lo mismo, se encuentra en la primera parte. La primera es una transparente equiparación de los valles cercanos a Región y los campos de Eleusis (donde se refugió Deméter después de la desaparición de Coré); la segunda, más oscura, compara un viaje por la geografía real con un viaje a Citerea (con la natural implicación de lo duro —Antártica— y no lo placentero de tal periplo). El último dato supone un curioso reenvío del mito a la creación artística, en este caso a la de Eurípides. Menciona el sirviente «aquellas ifigénicas decisiones» (84) que son de todos los tiempos. Y en Aulida será sacrificada Ifigenia, otra muchacha cuya muerte, como la de Coré, excitará el dolor —y el deseo de venganza de una madre.

Ligados al trasfondo mítico y al espacio en que se integran, hemos visto a los grajos. Testigos de la desolación y símbolos de la muerte, desempeñan una función emblemática del espacio mismo. Casi veinte referencias a ellos (diecisiete, si un recuento rápido no falla) encuentro en la novela, siempre asociados a la casa y sus alrededores, y con frecuencia a imágenes de ruina y abandono. Están a la espera, «en coro» (204), anunciando una marcha que no llega a ocurrir o reunidos «desde tiempo inmemorial» en asamblea que se interrumpirá para acompañar las «exequias del viajero» (70). (Como acompañarían al carro fúnebre en que Coré fue llevada al dominio de aquel cuyo nombre no puede decirse.)

Motivos y episodios van y vuelven en este espacio. Imágenes de la repetición y de la obsesión. Estructura circular, pero con circularidad laberíntica. El retorno a lo ya dicho, el desandar para volver a lo ya transitado son maneras de cerrar el texto, y el espacio, deteniendo al lector cuando se cree cerca de la salida, y obligándole a recomenzar. Cada cual crea sus laberintos, porque cada cual vive su propio universo. La protagonista, sometida a la clausura de su ficción, espera el cumplimiento del mito que el texto anuncia. Y que no pase nada, aunque la fiesta ocurra el día señalado, es natural: sin tiempo, sin devenir, no hay más que una figura estática, envuelta en su chal, replegada sobre sí, y tal vez sugiriendo en ese repliegue (como lo sugieren los giros del texto) el eterno recomenzar de la imaginación que, tantas veces, es precario sustituto de la vida.

Tensiones

En *Un viaje de invierno* las tensiones se desplazan del personaje al texto. No es posible entender la novela sin hallar la perspectiva desde la cual la página es visible y el incidente inteligible. El lector buscará intuitivamente el ajuste a un texto cuyas leyes pueden escapársele si no se sitúa a una distancia que le permita atender al detalle y a la vez seguir la fluctuante línea general de la narración.

La respuesta del lector es esencial; a él le corresponde encontrar una significación oscurecida por la ambigüedad y el montaje. El autor no ha explicado muchas cosas que en la novela de corte tradicional son aceptadas sin hacerse cuestión de ellas. Para incorporar el lector a la novela, nada mejor que la rigurosa codificación aquí establecida: impone una lectura atenta de lo que, debe recordarse, en definitiva es una ficción.

Ficción: irrealidad. Pero con esta diferencia: irreal si referida a lo que no está en ella, sino en el mundo cotidiano; real si referida al texto que la constituye. Para el lector y en el descifrado la historia es real: una incitación a entrar en la trama verbal. La presión del texto, sus dificultades, obligan a leer con cuidado, y a escuchar en los silencios, o, si se prefiere, a descodificar lo sugerido.

Discurso y relato son inmunes a la psicología; los personajes carecen de carácter, y no en los sentidos que generalmente se atribuyen a esta expresión (pensarlos indecisos, dependientes de las circunstancias, contradictorios), sino en el absoluto de que siendo su existencia espectral y verbal, en ninguno de estos dos planos halla cabida la «psicología». Funciones del texto que lo adelantan sin que se produzca el entramado de peripecias, grandes o menudas, que, en otras novelas constituyen la acción. A ésta le sustituye la alusión, y al diálogo una sucesión de monólogos yuxtapuestos, aceptables como exigencia dialéctica más que como dilucidación de sentimientos o de acontecimientos. La fluidez narrativa oculta el cuidadoso montaje que da unidad al conjunto.

¿Ocurren o han ocurrido alguna vez los sucesos contados en *Un viaje de invierno*? Nada es más improbable. Lo que ocupa su lugar en el relato son figuraciones de la imaginación. La Región laberíntica de otras novelas de Benet ha quedado reducida al espacio mental, y en él acontece lo que al lector se le cuenta, entre desviaciones, reiteraciones y obsesiones de la memoria. De una memoria para quien el olvido es sustancia y estímulo, y las figuras sombras que aparecen y desaparecen según una exigencia más textual que argumental. Por eso, hablar de personajes sólo es lícito en un contexto donde cada cual existe en su función, y cada acto es válido por su representación.

Una mujer divaga en soledad. Agonista entre emblemas e indecisiones, revive el mito, recuerda lo que no ha sucedido e imagina lo que no sucederá. Es parte de un relato incorporado a un discurso en que el autor o algún delegado suyo (no hay modo de saberlo) dialoga con el texto; formula observaciones y críticas, condensa en una línea lo diluido en varias, apostilla un suceso con pertinencia o sin ella. En el relato van surgiendo las figuras, tres o cuatro nombres, y, sobre todo, referencias al acontecimiento central, la fiesta que se celebrará de año en año para conmemorar el regreso de Coré. Que Coré y la fiesta sean espectrales en nada afecta a la consistencia de la novela. Lo propio del espectro es aparecerse; por eso la muchacha y la fiesta retornan a la página, constantemente.

¿Hace falta que el personaje viva para que exista? Pregunta redundante, quizá excusable retóricamente. La tradición literaria del espectro es prolongada e ilustre. Que Coré no se caracterice por la truculencia, como los fantasmas de *The Turn of the Screw*, sino por la normalidad, es condición de la estructura narrativa, organizada en torno a una fiesta posible y a una ocasión plausible; no por ser «hija de la fantasía» (189), difiere en su consistencia de cualquier otro ente novelesco, es decir, ficticio. En la existencia «imaginaria», tanta realidad alcanza Coré como las heroínas de la novela decimonónica. Las advertencias del narrador: «no vive», «inexistente» (182, 188), referidas a la muchacha, no debieran sorprender a quien haya oído declarar a Máximo Manso (de Galdós): «Yo no existo».

Puede explicarse racionalmente la existencia de los personajes, y en el caso de Coré y de Amat (su supuesto padre), el texto no deja lugar a dudas: «ambos eran personificaciones de un deseo extinguido en la memoria, complementarios uno de otro en cuanto a su transposición al terreno de los hechos registrados y recordados» (191). «Personificaciones» y «complementarios», lo uno apunta a lo imaginario de la figura; lo otro sugiere que dada la invención de la hija (sustituida por un muñeco de paja, el bausán, cuya función analizaremos en seguida) era inevitable la del marido (padre)[4].

La fiesta a que son convocados no se sabe quiénes ni cuántos es un motivo desarrollado como en una composición musical (como en un vals, por ejemplo): notas sueltas van agrupándose hasta ser una melodía que recorre la novela como hilo conductor. La fiesta es un proyecto y el salón en que pudiera celebrarse está saturado «del polvillo dorado y vocinglero de generaciones anónimas extintas readmitidas en el censo de los presentes» (105). Metonimia expresiva del ambiente de caducidad de un suceso que, como dice el narrador a otro propósito, ha de ser «verosímil, dentro de lo imposible» (188). Estas cinco palabras explican la calidad de la sustancia novelesca: la latencia del mito y el realismo en el pormenor hacen aceptables las irrealidades de la invención.

---

[4] «Fuera de sí misma (de Demetria), no existía posiblemente la menor traza de Amat» (*Un viaje*, p. 191).

Si la coherencia del texto no fuera, como es, absoluta, podrían filtrarse en él vaguedades, supercherías. No ocurre así: la fantasía se cumple con arreglo a leyes rigurosas y precisas. Sin ellas no sentiríamos su ambivalencia: la posibilidad de lo imposible.

Anulada la tensión derivada del interés novelesco, queda la del texto, la que en él se produce cuando una situación o un estado de ánimo empiezan a configurarse como momentos de cierta autonomía y de eventual significación. Tales momentos pronto volverán a integrarse en la corriente general; la narración cesa de referirse a ellos y sin transición trata de algo diferente. Por yuxtaposición de voces y referencias cambia el sujeto de quien se habla, recurso estilístico apropiado para marcar los vaivenes del pensamiento; tipo *sui generis* de estilo indirecto libre. La voz del narrador hablando por sí y como vicario del personaje apenas registra cambios de tono, inflexiones que manifiesten variación en la personalidad del hablante. Cambia de tema o pasa de un sujeto a otro sin más que unos puntos suspensivos a modo de corte o de enlace entre dos oraciones del mismo párrafo, como en el primero del capítulo sexto, y aun sin ellos, en varias ocasiones[5].

Tales transiciones implican bruscos desplazamientos, como el que lleva de un cruce ferroviario en Europa Central a las cercanías de la casa en que vive la protagonista. El propósito desfamiliarizador de que habló Víctor Shklovsky como medio de agudizar la percepción del lector, se logra por los saltos y rupturas que obligan a reconstuir el proceso novelesco, empezando por situarlo donde corresponde. La fragmentación de las unidades narrativas y su distribución en el relato no siguen una secuencia temporal; lo que dejamos en el punto «c» de la cronología podremos encontrarlo luego en el «d», pero también en el «b», que le precede, y, además, visto desde otra perspectiva. Fenómenos de alteración muy curiosos de observar, pues ocurren en la concentración ensimismada que inventa la fiesta y cuanto a ella se refiere. La relación narrador-lector se establece en la ambigüedad narrativa, que multiplica los ecos de una voz única y hace que sus resonancias parezcan corresponder a voces diferentes. Ecos, resonancias, son substantivos; como sombras que declaran lo indeciso de unas figuras cuyo carácter fantasmal ya indicamos, y sugieren el sentido que su confrontación puede tener.

Estas frases inconclusas, las transiciones de la narración y mutaciones del discurso, semejantes a las de la lengua hablada, en

[5] Véanse, entre otras, las páginas 145, 201 y 229 de *Un viaje*.

que con frecuencia dejamos las frases sin terminar, sugieren una resistencia al logos, una defensa de la idiosincrasia y de lo personal que no cede a las pretensiones de la razón. Bajo las sinuosidades de la prosa, y en ella misma, va dibujándose (en el nivel que llamé metafísico) la figura de una pugna que tiene en el lenguaje su campo natural de revelación.

Narración y comentario, relación del narrador y apostillas del autor, están separados, señalando por su distribución en la página una diferencia que tanto lo es de carácter como de estilo. Se integra la narración en un discurso muy elaborado, con frecuentes incisos, cambios de tema, suspensiones, inconclusiones y retornos. Avanza el relato hasta cierto punto, y de pronto, en lugar de seguir avanzando, retrocede y vuelve sobre lo mismo, a lo mismo, no por amor a la reiteración, sino porque el recuento, hecho desde otro punto de vista, añadirá a la crónica algo sustancial, aun si a primera vista pareció detalle sin importancia.

Marginalmente, glosas, conclusiones o síntesis, los comentarios del autor sirven, por de pronto, para indicar, aunque no con total precisión, el sentido de lo narrado. Aclaraciones de la corriente general, pero formuladas en forma generalmente abstracta, como si más sirvieran a quien las pone (ayudándole a entender lo contado) que a iluminar al lector. Su relación con lo que se cuenta es ambigua, como se advierte en los juicios que aventura, siempre cautelosos e irónicos. En un capítulo, el quinto, el autor nada quiere, o nada necesita comentar.

En el discurso mismo, mezclándose y a veces hasta fundiéndose con la narración impersonal, se insinúan, constantes, otros comentarios, hipótesis (algunas importantes, como las referentes al ritual como medio de reducir el misterio [114]) y sugerencias, no del autor, pero del narrador, sin las cuales faltarían materiales necesarios para el descifrado. Y junto a la narración directa o indirecta, el estilo indirecto libre y el fluir de la conciencia dan al discurso una variedad, detectable en los cambios súbitos, en las digresiones, aunque disimulada en el encadenamiento de las diversidades, que se ajustan en la sucesión narrativa como si lo que se omite fuera suplido, y bien suplido, por una discontinuidad que en el texto no parece anomalía sino exigencia de lo contado, y esto solamente en la circunvolución llegará a tener sentido. Los meandros de la prosa, lo incompleto, lo interrumpido, expresan lo nebuloso de la acción y la vaguedad de la conciencia en que se centra. Un estudio estilístico de esta prosa (imposible de intentar aquí) mostraría que su complicación no es arbitraria, sino exigencia de su funcionalidad: la manera de presentar los enigmas algo ha de tener de enigmática.

TIEMPOS

¿Puede sorprender que en novelas tan centradas en lo espacial el tiempo quede anulado? Por de pronto lo identificamos, con el narrador, como no-tiempo, masa de impresiones que lejos de ofrecerse «en el orden en que se sucedieron (sino que resurgían siempre dentro de un tumulto acrónico) introducían aquella —sea permitido decirlo así— curvatura de todo el discontinuo tiempo abarcado en su sucesión...» (22). Tiempo en suspenso (como en el mito); los emblemas (vals, grajos, caballo, bausán, pañuelo), por su misma recurrencia previsible e imprecisa, reiteran las impresiones de suspensión: no pertenecen ni están inscritos en el pasado, menos aún al futuro, y en cuanto al presente, su tenuidad, su inconsistencia los recibe como figuras creadas en el texto para negarle (al presente), empujándole hacia allá, hacia acá, moviéndole en el espacio más que en el tiempo.

Pensamos que el pasado está en los emblemas, y que vuelve, y ni propiamente está, ni se va del todo: ficciones en la ficción, flotan en el aire como flotan los motivos que la configuran: el viaje y la fiesta. Todo concurrente a la realización de un tiempo infiel a la lógica, rebelde a la disciplina de la cronología, pero en su negatividad tan responsable a las exigencias del texto que no podría ser activado sin que éste fuera sustancialmente alterado.

¿Quién podrá sorprenderse, entonces, de que el tiempo novelesco se comprima o se dilate según las necesidades de la ficción? Veinte años caben en tres líneas[6], mientras conseguir un café con leche en cierta cantina puede exigir diez páginas (199-208) de sinuosas digresiones y de transiciones y evasiones del discurso que, con su connatural libertad, desplaza al lector a puntos y momentos alejados de la estación en que el viajero espera pacientemente que le sea servido un café, que no es tanto para ser bebido como para enmarcar los pensamientos del tercer personaje, el músico cuyo vals (el «Vals K», de Schubert) sólo oiremos en y con la imaginación de quien o lo inventa o lo recuerda.

---

[6] «Luego, del joven flaco, no amanerado y sobrio, salió del portal el estudioso que con una maleta ligada con unas correas entre las que había encajado un paraguas, emprendió el viaje hacia la Europa Central de donde volvió —para dar un concierto en un cine— un profesor entrado en edad...» (*Ibid.*, p. 155.).

Hay un tiempo para los instantes, otro para unidades más vastas: días, años, estaciones. El primero es intenso, aunque vacío; no pasa nada, pero ese no pasar se refleja vigorosamente en la concentración de quien desde la memoria lo siente inmóvil, estéril, hueco; el segundo, se advierte en sus efectos, no en su monotonía, que lo hace imperceptible (44), sino en su confusión con los periodos del rito —y del mito. Ha de haber un cambio en las estaciones para que el invierno concluya (aunque no haya pasado) y la fiesta se aproxime y se celebre, ficticia, como ficticio es el acontecer de la novela.

Encima del escritorio (mueble cuya utilidad se circunscribe al hecho de que una vez al año han de escribirse en él las invitaciones a la fiesta), la protagonista tiene colgado un calendario. Como podía esperarse, la fecha «no (es) necesariamente correcta pues no se cuidaba de arrancar la hoja cada día, sino que lo hacía por mazos de varias» (71). Se nos comunica este dato, no sólo para reiterar la acronía, sino para revelar en el gesto la indiferencia de Demetria por una cronología que no le afecta, pues como sabemos vive en un estado de la memoria que puede llamarse ayer, a condición de pensarlo «sin movimientos ni enigmas, sin evolución ni crecimiento ni estaciones ni sonidos, en el epiceno limbo del ser-fue, situado más allá de la anespacial fisura señalada en el curso de la existencia por el divorcio entre voluntad de vivir y continuidad» (103). Ese vivir en el «epiceno limbo» de un ser caracterizado por no haber sido (sino en la identificación con el mito) explica la discontinuidad de una existencia que la forma novelesca configura en sus oscilaciones, rupturas y retornos, como si el texto fuera a la vez el diagrama de un modo de conducirse, de una vacilación que a la altura de la novela se ha convertido en una constitución (la del personaje).

No se permite la entrada en la casa al tiempo, y ello es comprensible: su presencia destruiría el equilibrio inestable de la invención confinada, de la memoria que elabora su propio proceso mental. Por eso se niega su recurrencia: no puede volver, como tal tiempo, porque el personaje vive de negarlo. Y la fiesta y el viaje de los invitados sólo son figuras de la ceremonia con que juega y en que vive Demetria. Será el narrador quien explique cómo el «apetito de dicontinuidad» se convierte en deseo, en exigencias de una individualidad que para ser o para creer ser lucha con «el disciplinado curso de una sociedad (...) que apunta a su aniquilación» (182). La fiesta se ha instituido como operación defensiva contra el tiempo y contra la sociedad; las razones las sintetiza el narrador en dos preguntas, que son una respuesta: «¿no existe el deseo de anular en un día todo el tiempo transcurrido en el ámbito social de las costumbres?, ¿de hacer equivalentes, en un mismo plano del alma, toda la historia de su tierra y una sola velada imaginaria?» (182).

Como otras veces, el texto de Benet apremia al lector, le fuerza a pensar y a la vez le sitúa, por la cuestión que en esas preguntas se plantea, frente a una toma de partido. Pues por cautelosa que sea la máscara y cauteloso su andar, reconocemos en ella a una vieja amiga: la «cuestión social», ni más ni menos. La respuesta es libre, pero inducida, y según la ficción, más bien ambigua, pues en la protagonista se daría algo así como un oscuro deseo de diferenciarse, viviendo fuera de la corriente del tiempo, liberándose, siquiera por una noche, «del destino común».

Al margen de la narración, en un comentario del autor, o de su delegado, el doble irónico de aquél, vuelto sobre la obra y reflejado en ella, hay una observación encaminada a condicionar la reacción del lector: «La razón que apunta a la fusión del hombre con su conocimiento, exigirá la destrucción del individuo. Pero sólo cuando sucumba la conciencia nostálgica, será posible la participación con el todo, el triunfo del logos» (182). Aquí es donde, en mi opinión, se sugiere la posibilidad de una lectura político-filosófica de la novela, que contribuye al descifrado total, porque revela lo que en última instancia representa la oscura protagonista. La apuntación marginal la restituye su nombre más revelador, dejando reducidos a su funcionalidad mítica los de Demetria y Nemesia. Su otro nombre es «Conciencia Nostálgica», con apellido tan caracterizador como el nombre propio, o, dicho en diferentes términos, con un adjetivo que no solamente califica al sustantivo, sino que lo completa.

Esa razón de que se habla es, ¡ay!, la razón de la sociedad para imponerse al individuo y, como explícitamente se dice, hasta para destruirle. Vivir en el tiempo, en nuestro tiempo y no en el de la nostalgia rememorante, es exigencia social; quien la desacata corre riesgos de distinta índole: uno, sugerido en la ficción, el de convertirse en sombra de sí, viviente entre las que uno mismo proyecta; otro, declarado en el comentario marginal, el de ser aniquilado para que «el triunfo del logos» sea absoluto y no velado por la inquietante presencia de quien, con sólo existir, pone en duda su validez.

Anulado el tiempo, queda la memoria, pero ésta, o «se ausenta», o el tiempo, «como el matasellos» (169), la deja marcada, inutilizando al recuerdo, sólo operante cuando cambiado en olvido. El personaje tendrá vívidamente esta sensación y la de una futilidad trascendental (si el *oxymoron* es disculpable) derivada del vacío, o, según apostilla el comentarista marginal, de tener «el alma en paro» (170). Los esfuerzos de la imaginación nada pueden contra la inercia de un ser que apenas es (un «ser-fue», recordémoslo), y que, sin embargo, es la determinante de un texto que le explica en lo más genuino de su condición y obliga al lector a enfrentarse con un dilema acaso sin salida reconociéndose en la ironía del autor, o de su vicario, tanto como en la vaguedad rememorante de la mujer solitaria.

La función del emblema es representativa y, más específicamente, simbólica. Está en la novela para aludir a otra cosa, o para sugerir su presencia. En *Un viaje de invierno* los objetos de funcionamiento emblemático son relativamente numerosos y la frecuencia de su aparición colorea el tejido narrativo, destacando en él como signos de lectura que, aun en su ambigüedad, deben ser vistos como signos de orientación. La ambigüedad es inherente al emblema en cuanto representación, y no porque en la generalidad de los casos no se advierta lo que representan, sino porque los límites y el sentido de su representación quedan un tanto indefinidos. Suponer que la ambigüedad disminuye la eficacia del emblema es olvidar que sus efectos se producen por sugestión y alusión; no directamente, sino estimulando asociaciones mentales en cuyo contexto se justifican equivalencias que fuera de él no tendrían sentido.

Sirven los emblemas funciones de encadenamiento y trabado textual, enlazan lo disperso, dan unidad al conjunto y sintetizan en una figura múltiples asociaciones que no han de ser reiteradas porque son espontáneamente evocadas. Abren pistas a la lectura y condensan situaciones y estados de ánimo que ni siquiera han de ser explicitados: la imagen los incluye en esbozo, su potencia sugestiva, su capacidad de insinuación no son por eso menores.

Tres de ellos representan a los personajes: el bausán, a la protagonista; el caballo, al sirviente; el vals, al tercer hombre. El espacio y su atmósfera son aludidos por los grajos, en quienes se resumen ciertos elementos y características de aquél. En cuanto al pañuelo, su función emblemática es indudable, suponiendo que exista, pero habría que decir lo que D. H. Lawrence afirmó de *Moby Dick*: no cabe duda de que es símbolo de algo, pero ¿de qué? Y aun con referencia a los otros, una distinción se impone: el carácter emblemático del bausán, el vals y los grajos es inequívoco; el del caballo, deliberadamente equívoco. Diferencia aceptada, probablemente intentada para evitar la impresión de excesivo automatismo en las equivalencias.

Complicar el código emblemático puede ser, y en este caso es, consecuencia de la libertad del signo cuando no responde a las convenciones aceptadas, cuando sólo es responsable ante el autor mismo, obliga a un descifrado cauteloso que se realizará siguiendo a la inversa (desde la página al acto creador, desde el acto a la idea, desde la idea a las asociaciones mentales) el proceso de la creación. Entender el bausán como signo visible de las represiones de la protagonista, no es difícil: el muñequito de paja, acunado en el regazo de la mujer que inventa una novela sobre la hija perdida, es emblema de la maternidad frustrada, y aún, más allá del caso particular, de lo ficticio con que el ser se consuela, o se distrae, de la soledad[7].

Tampoco cuesta trabajo asociar hombre y vals: músico es el desvaído tipo que diluye sus sueños en la sombra de un cinematógrafo, y es natural que una melodía le anuncie, o le acompañe o le sustituya. Como un aura sonora, desvaída más bien, el vals está donde el hombre se encuentra, o donde pudiera encontrarse (como en la página final de la novela) si las fantasías fueran a cumplirse. Las dificultades empiezan cuando el lector intuye la relación emblemática caballo-sirviente: el índice de presencias hace ver que las apariciones del caballo no son menos frecuentes que las del bausán y los grajos, y son más que las del vals.

Inicialmente es una intuición basada en la proximidad: la mención del caballo ocurre en contextos que lo sitúan junto al hombre, sugiriendo la posibilidad de una conexión metonímica, análoga en esto a la que se da entre el tercer hombre y el vals, claramente sinecdóquica. Pero, en aquel caso la conexión es más problemática, y obliga a contemplarla con detenimiento. La primera mención del caballo ocurre cuando, también por vez primera, el narrador presenta al sirviente y expone las razones de su llegada a la casa. No es seguro, en ese momento, que el caballo paste al otro lado del río. «sólo es posible» (41); la posibilidad se convierte en certidumbre hacia el final del capítulo: allí ocurre su aparición, deslizándose hacia la finca.

---

[7] La primera mención del bausán ocurre (13) cuando el narrador advierte que en la fiesta anual (imaginaria) terminaba encerrándose Demetria en su cuarto y mirándolo fijamente. Que sea un bausán y no un muñeco de trapo o de pasta se explica por ser lo vegetal susceptible de reviviscencia primaveral.

Tiene trabadas las patas delanteras, lo que dificulta su marcha, y su llegada, observada por la protagonista, sorprende por lo insólita. En los comentarios marginales del autor (no Juan Benet, sino el Autor en cuanto partícipe) se sugerirá luego (y no hace falta decir que la sugerencia es irónica) la posibilidad de que el caballo sea el primero de los invitados en llegar a la fiesta. Con lo dicho hasta ahora podemos ya establecer dos conexiones entre emblema y personaje: uno y otro entran en escena casualmente, sin ser llamados, siguiendo la dirección de un destino que ha fijado como una de sus etapas esta coincidencia en la casa; su llegada se relaciona con la fiesta: la del caballo, del modo que acabamos de ver; la del sirviente, porque se creerá invitado a ella, aun conociendo, como conoce, su irrealidad.

En otro pasaje observa el narrador que el descenso del caballo (acontecido, recuérdese, resbalando, desde lo alto hacia la vaguada, y por eso irreversible) tiene el secreto sentido de negar la repetición, la vuelta atrás. Tal es la situación del sirviente: llegado a lo que piensa etapa, queda como sujeto al espacio en que ha ingresado: la provisionalidad se le convierte en duración, sin que sepa por qué. Tiene sus movimientos limitados, como el caballo. Y es otra vez el comentador marginal quien, con su sorna habitual, le llamará «el auriga de la razón» (207), denominación adecuada en cuanto emblema del hombre que se esfuerza en arreglarlo por naturaleza hostil a tales exigencias. La maniota limitadora del movimiento es un instrumento del logos que se esfuerza en limitar, para imponer, con la limitación, el orden.

Dicho esto, el emblema aún queda irreductible a la traducción total; es, además, «materialización», no del horizonte, sino «del deseo del horizonte de convertirse en emblema» (215). Polivalente y oscuro, indescifrable hasta cierto punto, no sólo representa al sirviente, sino a sus sombras, una de las cuales quizá sea él mismo, «portador de un secreto que no le había sido comunicado, envuelto en un misterio celosamente guardado que empero no se reducía solamente a su abandono en el monte con las manos trabadas por la maniota» (217). «Secreto» y «misterio» son aquí las claves, y apuntan a un descifrado que exige mantener el emblema como figura esotérica, como símbolo de las fuerzas que le atraen a la finca, y al texto. Emblema del sirviente y símbolo de lo oscuro en que la narración se envuelve: de lo llegado sin saber de dónde, ni por qué, ni para qué, salvo para reforzar su penumbra, su indecible secreto. Si el ironista al margen puede llamarle «el nuevo Midas», es porque en el texto consta que «todo lo que toca (menos él mismo) cobra un sentido y una razón de ser» (221). Y con la entrada del caballo en la casa se clausura la novela: él es, en definitiva, el único asistente a la fiesta a que tantos fueran convidados.

Ya expuse la función emblemática de los grajos, y no es preciso añadir gran cosa a lo dicho. Asociados al espacio novelesco y factor en su atmósfera, vuelo, graznido, negrura, son otros tantos indicios de la desolación. Espectadores enigmáticos de un acontecer invisible, dan testimonio en su indiferencia de lo que «el coro», la mayoría ausente, experimenta. Pudiera Demetria agotarse en su anacrónico divagar sin que por eso se inmutaran en su inmovilidad estérilmente alada. Los grajos subrayan la poco visible presencia de la mujer solitaria y presagian un final de caducidad sin gloria: quizá así se destaca mejor su relativa insignificancia.

Nada tan singular, en punto a emblemas, como el pañuelo: su dueño es Amat, el marido inexistente y acatarrado, que mientras vivió en la casa no lo separaba de su nariz. El lector se sorprende un momento de que lo tangible, manifiesto en objeto tan prosaico como un moquero, aparezca como emblema de lo intangible. ¿Por qué, realmente, la sorpresa? El pañuelo es signo revelador de una invención; que sea directamente trazada por el narrador o indirectamente, a través de una de sus criaturas, en la realidad novelesca es cosa indiferente. Tenemos un curioso, aunque no idéntico precedente en *Misericordia*, de Galdós, donde la protagonista, por exigencias o conveniencias de su función, se ve obligada a inventar un personaje que luego será parte de la trama y desempeñará en la fábula un papel interesante, aunque secundario. Amat y su historia son parte de la imaginación de Demetria. En el texto pueden acatarrarse, procrear, perderse en el ancho mundo y hasta olvidar un pañuelo, para que algún afanoso criado lo encuentre y pueda creer por un momento en la existencia del dueño. Si la mujer es quien lo deja para que sea encontrado y reconocido, es porque todavía quiere hacer creer en sus fantasías (o autoengañarse), y un objeto material dará indirecto y convincente testimonio de ellas.

[*Revista de Occidente*, 2ª época, tomo XLIX, abril de 1975, 16-36.]

FÉLIX DE AZÚA

EL TEXTO INVISIBLE. JUAN BENET: *UN VIAJE DE INVIERNO*

El motivo de esta reflexión sobre la última novela de Juan Benet es una incertidumbre sobre la justicia de los dos textos paralelos de dicha narración.

¿Por qué una parte del relato transcurre en un texto muy sangrado de caja, mientras la otra lo hace en forma de ladillo?

Si algo dirige la obra de arte es la necesidad; el capricho sólo puede entenderse como motivo oculto que se presenta como antojo. La extravagancia tipográfica de Benet, para no ser una puerilidad, debe sustentarse a favor del sentido de la novela y no contra el mismo.

Para empezar, esta novela es la tercera parte de un ciclo de insólito interés en la narrativa española contemporánea, aquél que comenzó con *Volverás a Región* y cuya segunda parte fue *Una meditación*. Quizá me equivoque, pero todo me hace presentir que *Un viaje de invierno* cierra la serie o, por lo menos, uno de los sentidos de la serie.

En *Volverás a Región*, Benet hacía un uso muy inteligente de la localización geográfica y de lo que tradicionalmente se suele llamar «carácter». De un lado presentaba una teoría de personajes centrados en un lugar concreto, al que quedan adscritos (un sillón, una fiesta social, una batalla), lo cual no impide que se deslicen a terrenos ajenos (el del sillón comparece de pronto en la batalla, usurpando un papel ajeno; el de la batalla, en la fiesta, etc.); de otro lado, los lugares concretos eran transitados por personajes no coincidentes, cuyos actos no «pertenecían» a ese decorado (en la batalla tenía lugar lo que debió suceder en la fiesta, desde el sillón se narra —y así aparece— la batalla...). Esta ambigüedad destruía el orden espacio temporal y la constitución de los caracteres, los cuales se trasladaban de uno en otro a lugares que no les correspondían, dando como resultado un continuo aparecer de personas y ámbitos intercambiados, que finalmente deshacían la función clásica del carácter y del desarrollo (sosteniendo en cambio una sola voz, la de un narrador multiforme).

Este primer paso, enteramente nuevo en la novela española, aunque frecuente en otras latitudes (Robbe Grillet, Faulkner, Joyce), se continuaba en *Una meditación*. Destruidos los pilares físicos de la novela clásica (un tiempo duradero y continuo, un espacio concreto, exterior, newtoniano, un héroe coherente o «entero»), Benet se encontraba en la interioridad absoluta. El título de la novela es transparente, pero la meditación, en este caso, no se dirige a un escucha trascendente, sino a un lector de carne y hueso, de manera que no pueda considerarse un documento clínico o un informe psiquiátrico. Lo que distingue *Una meditación* del parloteo incoherente y del delirio inútil (por ejemplo el de *Eden Eden*, de Guyotat), es su esencial pretensión narrativa, por decantada que aparezca. Queda en pie tan sólo el aspecto más arcaico de la narración, el mero «érase una vez», el «en aquel tiempo», la nostalgia pura, como un Proust de pésima memoria, o una memoria que reuniera varios pésimos Prousts.

Por último, *Un viaje de invierno* cierra el ciclo mediante una reflexión y un juicio sobre esa actividad nostálgica, esa forma de pasado que es la novela y, naturalmente, toda forma de arte.

Una vez explicitado (y no de un modo dicursivo, sino desde el interior, desde la práctica misma de la narración) que escribir novelas es una actividad esencialmente nostálgica que no precisa de otra apoyatura que la memoria (sea ésta de la calidad que sea), cumplía determinar la significación general de ese modo de memoria, de ese especial tipo de meditación.

Por eso creo que *Un viaje de invierno* cumple una función pedagógica, en el sentido de dar cuenta de aquello que Benet piensa que constituye la inteligencia del narrar, dentro del abanico de las restantes actividades artísticas. Y de ser así, la novela que nos ocupa es una conclusión, un cierre.

Un viaje de invierno se organiza en torno a un solo acontecimiento que, a pesar de ser instantáneo es, él mismo, memoria perdurable: una fiesta. En las fiestas o celebraciones concurre el dato temporal como recuerdo del tiempo pasado, junto al rito como acontecer dramático. Están fuera del tiempo y del espacio históricos, pues su función primera es suspenderlos. En la particular fiesta de Benet se nos informa de que va a tener lugar con unos participantes indeterminados, los cuales es posible que ni siquiera existan, pues para que haya fiesta basta con los celebrantes (en este caso, la señora y su criado). Por otra parte, esta fiesta no «dura», no tiene alargamiento en el continuo, es la negación del transcurso, un puro presente que cierra toda posibilidad de progresión y que domina toda la novela. Se trata pues de un ámbito sagrado, un territorio no sujeto a ley física o histórica. Con lo que el título adquiere una significación relevante; el viaje, como un peregrinaje hacia el centro religioso, hacia la capilla donde un velo oculta la revelación; el transcurrir de un texto hacia el centro de su explicitación, hacia su *sentido*.

Pero la voluntad de sacralización no se detiene en esto: todo el ornamento se presenta con los atributos del símbolo. La fiesta se da en marzo, la dama que la organiza se llama Demetria (Deméter), su hija Coré (la Coré Perséfone). También los comparsas pertenecen al dominio de la alegoría: un sirviente, un músico, un intruso. Personajes que jugarán su papel al modo de los arquetipos del teatro medieval, desprovistos de toda significación personal, encarnando la pura idea de servicio, creación y destrucción (creación, mantenimiento y aniquilación, según la tríada clásica hindú). Toda la puesta en escena está acribillada de simbolismo: una asamblea de grajos comenta la acción, un caballo con las manos atadas aparece y desaparece sin explicaciones, un pañuelo es recogido del suelo en repetidas ocasiones sin por eso dejar de estar presente.

Esta fachada simbólica cumple una función malévola; la *apariencia* del texto es simbólica, sin embargo la lectura tendrá que saltar por encima de este primer aspecto si quiere llegar a alguna conclusión. Benet ha tendido su primera trampa: muchos lectores, una vez en contacto con el libro, quedarán detenidos en la simbología y fracasarán en su intento de explicitación. Pero este paso es necesario; si la fiesta es genitiva como un acto de creación artística, la transposición simbólica es el primer ingrediente de la narración.

De este primer acercamiento engañoso, debe el lector escapar gracias a la consideración de los ladillos, cuya función obliga a abandonar la lectura simbólica. Si el lector se toma en serio la presencia de esos dos textos especulares, es de suponer que intentará leer de un modo, digamos, estereofónico, ya que ambos discursos discurren con un paralelismo evidente. Y también en esa consideración deberá superar un problema.

Así como el texto de caja presenta el discurso con el material lingüístico y sintáctico del mito, el ladillo utiliza la retórica de la ciencia o del saber, de tal manera que ofrece una explicación, una interpretación «positiva» del rompecabezas mítico del texto de caja. Parece como si los ladillos actuaran en forma de eco a la pregunta, al enigma del texto principal. Su apariencia tiene el tono grave, académico, la seguridad en sí mismo y la figura de «verdad» del discurso científico. Tiene la *estulta y augusta gravedad de la razón*, como escribe el propio Benet en el texto principal. De tal manera que parece como si el discurso mítico despreciara al discuso científico, pero, al mismo tiempo, al enigma del uno responde la solución del otro.

Este juego de enigmas y respuestas toma todas las modalidades, desde el neutro consuelo filosófico, hasta el erudito invento pedantesco; en ocasiones advierte la fuente de una cita, en otras da el tamaño exacto de la hoja de un calendario. Siempre, y esto es lo importante, se contrapone *reflexivamente* a la narración principal, como respondiendo[1].

Por ejemplo, en el texto principal de la página 45 se dice:

«...te has embarcado en la aventura de tu salvación o sea la aniquilación de tu condición, y no tanto por amplitud de un saber previsor como por la cortedad de tu vida. Quien añade ciencia... ya sabes a lo que me refiero.»

y en el ladillo:

«Eclesiastés I.»

El ladillo ofrece el dato exacto, erudito, con la satisfacción un poco ridícula del Wagner fáustico.

---

[1] Evito (o dejo para más adelante) el problema evidente de que la situación cronológicamente secundaria del discurso positivo determine ya para siempre su supeditación. En términos lógicos, la respuesta es posterior a la pregunta y Benet está autorizado a plantearlo así. Pero qué duda cabe de que también la pregunta responde a una pregunta anterior, por lo que pregunta y respuesta se organizan simultáneamente, y no es *legal* la preterición del discurso «sabio» frente al discurso «bello»; ambos surgen, como hermanos siameses, de una cópula anterior, de la que sólo puede decirse que debió ser digna de verse.

En la página 71 dice el texto principal:

«...en efecto, encima del escritorio la señora tenía colgado un calendario, de una hoja para cada día, de números y letras negras bien ostensibles...»

Y comenta el ladillo:

«Tamaño DIN A 2»

Con lo que parece añadir o resolver, según la pretensión, un saber o una perplejidad, como aquellos sabios ingleses que determinaron la acción soporífera del opio por su *virtus dormitiva*.

Los ejemplos pueden ser tantos como se quiera; siempre el ladillo comenta, afirma la seguridad de su conocer, ofrece datos para captar la confianza del lector que confía en ese saber positivo, frente al no saber del relato mítico. Así, de un modo dramático se enfrentan los decires de la razón y de la sinrazón.

Esto sería irrelevante de no ser que la totalidad del ladillo es, precisamente, un breve resumen de los mitos del Estado (por contraponerlos a los mitos de la Tribu), como podrá comprobarse si se leen seguidos, sin atender al texto principal. Y naturalmente, si a un lado se está tratando el material mítico y al otro se está dando su instrumentalización por parte del Estado, eso quiere decir que la oposición de ambos discursos tiene un sentido, una dirección[2].

En este punto nos encontramos con lo siguiente: de una parte, un texto enigmático, tratado con todo el aparato de la simbología clásica (en ocasiones recuerda algún texto hermético, como *El sueño de Polifilo*, expresamente oscuro para llegar tan sólo a los adeptos); de otra parte, una explicación racional y científica de esos mismos mitos, expuesta en forma de pequeñas glosas (típicas de la ciencia, uno de cuyos rasgos convencionales es el de poder resumirse en un puñado de conclusiones). A un lado el Mito haciéndose a sí mismo, al otro el Sustituto destruyendo ese mito al cambiarlo por otro más tranquilizador.

Lo malo es que la interpretación positiva viene dada por el mismo autor, de manera que el lector tiene ante sí un nuevo dilema: resolver el texto como una construcción del tipo discurso-

[2] Si esta oposición fuera *exterior*, no habría dirección, como dos trenes que se cruzan en medio del desierto; pero siendo *interior*, o bien hay choque —y no parece haberlo, pues se llevan bastante bien— o bien hay movimiento en forma de un tercer vector.

antidiscurso, con lo cual el funcionamiento y el análisis mismo deben detenerse; o bien seguir el juego de los dos textos sin considerarlos como tesis y negación sino como tesis y antítesis, con lo cual se verá obligado a buscar un poco más. Porque ambos discursos, a mi modo de ver, no constituyen un par del tipo «tema e *inter*pretación», sino del tipo «*contra*punto». No se interpenetran, sino que se contraponen. Lo que defiende el ladillo es la no interpretabilidad del mito, ese acto creador que marca el camino del pasado y al que el hombre retorna en busca de perpetuidad. El ladillo no niega el mito, sino *ese* mito, arrogándose el poder de sustituirlo por otro y afirmando sin lugar a dudas que la ciencia o el saber no consiste en la aclaración del mito, sino en su perpetua sustitución. Ambos discursos son como dos temas musicales que resbalan el uno sobre el otro sin jamás mezclarse, pero armonizando de tal manera que finalmente el uno es producto del otro y viceversa. La armonía de la escritura funciona por la imposición necesaria de que un lado reclame lo que en el otro se ofrece, que un relato requiera a la ciencia para ser explicado. Sin embargo, el enigma del relato (que parece exigir...) es un texto cerrado, y la explicación del ladillo (que parece interpretar...) niega toda posibilidad de explicación[3].

El punto central de la construcción del texto, el punto que convierte al libro en un prodigio en lugar de relegarlo a la escombrera del capricho, es ese sistema de petición-negación, cuya resultante niega y da, pide y rechaza, hasta sumir al lector en la más absoluta perplejidad. Bajo tal mandato, el lector huye de la interpretación cuando el relato parece exigirla; el periplo cognoscitivo queda roto: la ficción pide ser explicada por la ciencia, el autor mismo ofrece una explicación científica, pero la tal explicación niega la posibilidad de que la ciencia explique nada del mito, sino tan sólo cómo sustituirlo.

Si la novela se constituyera con el par tesis-negación, aquí acabaría, nuevamente, todo. Nos encontraríamos, una vez más, con la vulgar exposición del binomio razón-locura, abrumadoramente tratado desde el romanticismo. Para encontrar un tercer paso, creo yo, hay que preguntarse por qué el relato exige una explicación que le está negando sincrónicamente el ladillo. Mientras ambos discursos tengan relación entre sí, no puede pasarse a

[3] El Héroe, cuyo destino es incomprensible para él mismo, dirige sus preguntas al brujo o al dios, pero éste sólo le contesta con un nuevo nombre propio: «Nacerá un hombre...»

un tercer texto; pero si se toman como dos relatos simultáneos, entonces sí. Mientras creamos que se trata de una estructura del tipo.

A— ¿Me quieres?

B— No.

El texto se termina ahí. Pero si consideramos que se trata de dos monólogos *referidos a una tercera presencia*, entonces la escena se anima, entonces podría ser, por ejemplo:

A— ¿Me quieres?

B— Debe de querer a otro.

Sólo de este modo es posible leer *Un viaje de invierno*, como explicación general de una búsqueda de significado de la actividad narrativa. Sólo así puede tener sentido esta tercera parte imbricada en el contexto de los dos libros anteriores.

Si el relato, por su oscuridad, por el aspecto simbólico del ornamento exige una explicación, aun a sabiendas de que el discurso sincrónico la va a negar, es que tal explicación *está ahí*[4]. El lector tiene ante sí un conjunto de datos que le obligan a una composición, al montaje de una historia cuyos fragmentos, como los trozos de magnetita, quieren unirse. Pero para que puedan unirse hace falta un tercer elemento, un factor sintético, un discurso que, aparentemente, no existe (y del que lo único que llega a nosotros es la armonía del libro, como resultado). El rasgo unitivo no parece estar en los espacios vacíos del matrimonio de Demetria, en sus frustraciones sexuales, en la hija que la visita anualmente, en todo lo que podría constituir un transcurso. Menos aún en la reflexión, en la meditación, que aparece como algo exterior y negativo. Hay que pensar que, desde el punto de vista de la lectura, hay un tercer texto paralelo fuera del texto impreso, subproducto o fundamentado de los dos discursos anteriores en el tiempo de la lectura y guías de la lectura final. El lector debe comprobar que ha hecho una tercera lectura invisible (pues su base no es la tipografía), cuyos efectos nacen especularmente de la acción entre caja y ladillos. O bien, diciéndolo con el registro del ladillo, el tercer texto, aun cuando funcione a nivel semántico, no funciona a nivel de escritura: la palabra, en su aspecto sensible, es incapaz de ofrecer ese sentido, el cual sólo aparece por elipsis. No será una elipsis del tipo más corriente, pero fundamentalmente

---

[4] Es hora de pensar que el autor tiene en la cabeza ambas «voces» y que si resuelve exponerlas es porque no se ha quedado mudo.

actuará como una elipsis de la preceptiva clásica. Su diferencia es que, en este caso, la elipsis compone el núcleo fundamental de la obra.

Pero, para agotar las posibilidades, no está de más plantear si no es posible que «las cosas sean más sencillas». Si no es posible que la explicación exigida aparezca en el texto impreso y no en el acto invisible de leer. Para ello habrá que recurrir a las interpretaciones clásicas y ver que todas ellas se muestran incompletas: conducen a determinadas esquinas de la obra, iluminan rincones oscuros, llegan al límite componiendo un modelo (exterior al texto; rigurosamente: ideal), pero no dan un sentido del libro, sólo describen su sinsentido.

De todas las interpretaciones clásicas la más obvia es la más decepcionante. La interpretación simbólica, remitida al mito griego de Deméter y Coré no aclara en absoluto el sentido general. En efecto, el personaje central (si así puede llamarse a Demetria) es una mujer que recibe anualmente la visita de su hija Coré. Del mismo modo las celebraciones de Deméter significaban la visita de Coré (Perséfone), coincidente con las actividades agrícolas de la temporada. El resto del año, la Coré de Benet vive en un misterioso lugar infame, como la Coré clásica habita el Tártaro. Igual que en la fábula, Demetria jamás tuvo esposo (excepto la noche de la concepción) y sin embargo es una divinidad matrimonial. La Coré griega, arrebatada por Hades y llevada a su reino, coincide con la Coré de Benet raptada por el Intruso, con el que vive, según se desprende de una escena ambigua y bella del capítulo VII. Las fiestas, tanto la clásica como la de Benet, se celebran por primavera[5].

Hay un claro paralelismo, pero el punto de encuentro en el infinito no cubre la discreta extensión de la obra. Porque si creyéramos encontrarnos ante una reelaboración de los viejos mitos agrícolas (en el sentido de que *Ulysses*, de Joyce, sería una reescritura de Homero), estaríamos disparatando. Ni siquiera desde un punto de vista metodológico la explicación sería útil; nos estaríamos quedando en el rellano de la lectura en el que ni siquiera habría una explicación para los ladillos. La multiplicidad

---

[5] Así también, la indeterminada presencia de invitados corresponde a un *here comes everybody*, ya que los invitados son los que son, sin que pueda adivinarse jamás quién lo será y por cuánto tiempo. No de otro modo Juliano el Apóstata comprobó que Nadie acudía a sus inauguraciones, a pesar de que él había invitado al Mundo.

de puntos oscuros harían de la explicación algo tan arbitrario como inútil. Esto es grave, ya que una explicación por modelo mitológico debe tender a agotar todas las zonas simbólicas y no unas cuantas. Sería contradictorio, tras darle un modelo concreto y *fijo*, que la fábula apareciera con tal profusión de excepciones que el mito arquetípico quedara reducido a un par de fragmentos, como uno de esos frescos clásicos en donde todo está por adivinar, repintados por góticos y dieciochescos. Pues entonces, ¿qué pensar de la asamblea de grajos? ¿Qué pensar del pañuelo, del caballo maniatado, del bausán, del espíritu de la porcelana...? Siempre habría quien, apurando las relaciones, se viera obligado a llegar a conclusiones gratuitas, a elegir unos datos y no otros, a ordenar el mito a su gusto, conectando, por ejemplo, el bausán con los ritos menstruales de la Arcadia o la imagen de Perséfone modelada en harina. El que tal hiciera entraría en el terreno de la recreación, que es precisamente del que estamos saliendo. Si la transcripción mitológica no es completa es que no es válida. Compárese a este respecto con los modelos establecidos para el *Ulysses*, en donde el método, aunque aburrido, se muestra fructífero, para comprobar hasta qué punto es necesaria una coherencia con el arquetipo en la reescritura.

Lo mismo sucede si pretendemos montar una explicación psicoanalítica. Evidentemente hay elementos ordenables en ese terreno: el fetiche del bausán, el pañuelo, las uñas que se clavan en la madera, la vida sexual de Demetria... Pero en el mejor de los casos no servirán más que para dar una vaga explicación del prototipo elegido por Benet para representar la incapacidad erótica, lo cual, en el texto completo, es perfectamente accesorio.

Desde el punto de vista iconológico también es posible extraer conclusiones de ese caballo maniatado y traer a colación a los inevitables Ficino y Pico de la Mirandola; o de esa asamblea de grajos tan característica. Pero nos encontraríamos de nuevo con la iluminación parcial que no puede dar idea de la necesidad general.

Cualquier selección será parcial e incompleta porque el texto principal se plantea como un mosaico de *tentaciones* para la interpretación. Benet introduce en su escrito un catálogo casi completo de motivos de interpretación, justamente para hacer más explícita y evidente la función del ladillo, el cual niega la posibilidad de esos análisis parciales, afirmando, en cambio, la utilidad estatal de sustituir el mito por su correspondiente: por ejemplo, en el caso de Demetria, la utilidad de sustituir el mito sexual por el mito psicoanalítico, es decir, la mitología «científica»[6].

Siendo así que ambos textos tienen la misma legalidad y participan en igual medida de una hipotética «verdad», todo intento interpretativo está condenado de antemano.

Si lo dicho hasta ahora se acepta con todas sus consecuencias, no queda más remedio que abarcar ambos textos y su contradicción (que no su negación), viendo en ellos el par motor que construye la existencia de la obra. Porque finalmente de su mutua influencia surge una novela que es, por definición, una actividad nostálgica con pretensión de detener el tiempo, obediente a las no-leyes de la no-razón, según se dice una y otra vez en el discurso de los ladillos. De manera que aparece de nuevo (y ahora ya por última vez) la afirmación del texto, tras asumir y suspender la contradicción del ladillo. En un movimiento (que es instantáneo, pues es el de la lectura) de vaivén, el texto va de la afirmación del enigma a la negación de la interpretación, y de ahí a la constitución de una obra estrictamente «artística», es decir, enigmática[7]. Si tan sólo se diera la afirmación mítica, si tan sólo se diera la explicación científica, ambas serían idénticas y no habría posibilidad de distinguir la una de la otra. Es por esta duplicidad del arte por lo que es posible (todavía) crear enigmas.

Si hubiera que transcribir ese tercer texto invisible, podría tener el siguiente aspecto: la creación artística tiende a constituirse como creación pura, como cosmogonía; pero su movimiento mismo la encamina a una necesaria explicación, pues su inestabilidad no le permite permanecer en estado de enigma puro[8]; se construye entonces un discurso paralelo conceptual, encaminado a ordenar y dar sentido al enigma; pero ese nuevo discurso no ha hecho sino sustituir los mitos originales y privados, en mitos estatales dominados, por lo que su función principal (negación del

---

[6] De modo que el intérprete *parcial* no hace otra cosa que ponerse temerosamente de parte del ladillo y en contra del texto de caja. En el ladillo le espera una carcajada que viene de fuera.

[7] Con lo que queda aclarado —en parte— el problema de la preeminencia, pero sólo para volverse a plantear con el conocido y enigmático «otra vez lo mismo». El lector, ahora, entiende que da igual leer en la dirección caja-ladillo, que en la dirección ladillo-caja, ya que, al final, lo que resulta es caja, caja y nada más que caja.

[8] Y cuando *puede* permanecer, no es enigma puro, sino enigma que explica, de manera que cumple ambas funciones.

mito *aquel*) nunca es eficaz; de la lucha entre acto de creación enigmático y conceptualización del acto creativo, viven el mito (y arte) la razón (y la ciencia), siendo ambos subsumidos siempre por el próximo acto artístico que los abarque. Porque el movimiento creador (el texto invisible surgido de la lectura de los dos textos paralelos, es decir, el texto futuro) debe asumir ambos actos, el genitivo y el sustitutorio, el tribal y el estatal. La futura obra de arte, como producto de la nostalgia pura (o lo que es lo mismo, como producto del pasado *y del futuro*), es la única capacitada para ello, ya que el saber, la ciencia, la razón se plantean a sí mismas como sustitución y traducción, como presente[9].

Creo yo que esto ilumina otra cuestión oscura, que es la de la elección del mito de Deméter. El temario de fecundación y sexualidad, en su vertiente ritual, está connotado con la irracionalidad, deseo de preservación original, génesis —e incluso cosmogonía, como aparece en los trabajos de Ferenczi— y retorno en el acontecimiento del fasto. De un modo caótico, sexo y arte repiten una fiesta que preserva lo originario y, al mismo tiempo, entrega materiales al Estado para edificar su orden y su razón.

El viaje de invierno acaba en la primavera; el camino de Perséfone, desde el Tártaro hasta la fiesta de la fecundación maternal, es un viaje impuesto, por haber comido el fruto de la muerte. Del mismo modo que la preservación de la vida, en el coito, es una fiesta impuesta por la mortalidad. Así, la creación artística es una fiesta impuesta por las sustituciones de la razón.

Pero queda una duda: ¿tendrá capacidad, el texto de caja, tendrá energía suficiente, tanto deseo de festividades como para sacudirse al esclavo sustentador de todo el trabajo de la casa; o, por el contrario, el esclavo abstracto irá devorando poco a poco el cuerpo y la semilla de su dueño?

Seguramente el tercer texto tiene una respuesta, el tercer texto sabe. Y el que averigüe por qué es invisible, averiguará simultáneamente el nombre del vencedor.

[*Cuadernos de la Gaya Ciencia*, nº 1, mayo de 1975, 9-21.]

---

[9] La estética hegeliana *actualiza* y reduce a conceptos los actos de la nostalgia, pero es asumida por la nueva producción que la incluye (por ejemplo, la música de Wagner). Y esta nueva producción será actualizada más tarde o más temprano. Este asumirse mutuo crea, sin embargo, un continuo vacío o silencio, el tercer texto, que sólo puede llenarlo el nuevo acto nostálgico que reclama nuevas explicaciones.

GONZALO SOBEJANO

SAÚL ANTE SAMUEL, HISTORIA DE UN FRATRICIDIO

Deliberadamente, ya escriba un relato corto, ya componga una vasta novela, Juan Benet elude la aclaración, suscitando en el lector una curiosidad constante que no se satisface al término de la obra, pues el final impondrá nuevas lecturas. Quizá *Saúl ante Samuel* sea la novela en que tal efecto de seducción alcance más apremiante forma.

La oscuridad envuelve el curso de la historia y procede obviamente del discurso narrativo, cuyos «laberintos verbales» deben ser rigurosa y puntualmente descifrados, como aconseja Ricardo Gullón[1]. ¿Pero será insensato, en un primer ensayo de aproximación, expuesto desde luego a toda suerte de errores y futuras correcciones, tratar de entender, lo más completamente que sea posible, la historia misma, su sentido?

Como en cualquier narración de Benet pero en grado extremo, en *Saúl ante Samuel* la frase prende, el párrafo deslumbra, el capítulo imanta, el conjunto fascina. Partes y totalidad poseen, se diría, la virtud de la música mejor: admirable siempre, inteligible apenas porque su destino no es primariamente el intelecto. Y sin embargo, presupuesta la densidad estética del «cómo», en una obra de arte de lenguaje —edificada con palabas— importa mucho el «qué»: la historia, lo narrado, su trascendencia significativa. (Voy contra la corriente al afirmarlo —no lo ignoro—, pero como lector «curioso» tengo derecho a este planteamiento: el arte

[1] Juan BENET, *Una tumba y otros relatos*, introducción de Ricardo Gullón, Madrid, Taurus, 1981, p. 50.

narrativo de Juan Benet aspira, entre otras cosas, a despertar el interés y estimular la curiosidad.)

¿Quién es Saúl y quién Samuel en la historia titulada *Saúl ante Samuel*? La única mención de Saúl (a Samuel no se le nombra) aparece en unas palabras de la abuela dirigidas al menor de los dos hermanos que protagonizan el conflicto (el mayor, nacionalista, muerto a los treinta años, y el menor, republicano, desaparecido a los veintiséis, en el mismo año último de la Guerra Civil; ambos, innominados). Augura la abuela al hermano más joven que éste se convertirá en sal: «por haber hecho tuya la carne de tu hermana, en las mismas narices del piadoso Abel, el Saúl resignado, el incrédulo inflado de su propia pompa para alucinar a una generación de viudas o de solteras mecanógrafas en la era gótica de la máquina de escribir» (132)[2]. Es el hermano menor quien adultera con su hermana política (a quien llamaré «ella», «la mujer» o «la cuñada», porque tampoco lleva nombre), y es el primo Simón (uno de los pocos personajes nombrados)[3] quien evoca al hermano mayor en términos de «arrogancia y fatuidad» (178) y como objeto de un culto femenino al «héroe» que se afanaba por dejar su refugio y tomar «las armas de la fe y la victoria» (327). El Saúl aludido por la abuela sería, pues, el hermano de más edad, a la vez que «piadoso Abel» porque encarnaba la causa de la fe y murió víctima del fratricidio urdido por su mujer y su hermano. Ese Saúl, sin embargo, nunca aparece «ante» ningún Samuel, el profeta que ve, juzga, ora y trasmite la palabra de Dios. Quien mira, reflexiona y adivina, sin combatir nunca, es el primo Simón, el monologador de la parte segunda (central) de las tres que componen el texto. Y «ante» ese Simón-Samuel el personaje activo sometido a contemplación no es otro que el hermano menor, al cual lleva esperando Simón veinte, treinta, cuarenta años.

Cabe deducir por tanto que el menor, encargado al principio de salvar a su hermano, arrastrado después por su cuñada a acabar con él y, en todo caso, comprometido cada vez más en la lucha dentro del bando que resultaría vencido, personifica a Saúl (el rey-mílite imprudente, valeroso, desobediente, acometedor y te-

---

[2] Juan BENET, *Saúl ante Samuel*, Barcelona, La Gaya Ciencia, 1980. Las cifras entre paréntesis, en adelante, refieren a las páginas de esta edición.

[3] Otros personajes nombrados son el alcalde, Manuel; el padre, Martín; la tía Sunta; el falangista Donato, y el amigo juvenil del hermano menor, apellidado Pie de Rey.

merario [*1 Sam* 14, 18]) y que quien representa a Samuel es el primo Simón, perpetuo contemplador.

Pero la alusión de la abuela no parece inexplicable. También el hermano mayor es un impulsivo, aunque su situación de detenido, escondido y perseguido durante la guerra le impida combatir. Por otra parte, la abuela que delante de sus naipes, en su retiro, prevé el orden de los sucesos y la trama de los destinos, presidiendo la familia desde la segunda planta de la casa, participa de la naturaleza sacerdotal: es la «sibila»; y sus funciones cesan al concluir la guerra aunque su extinción se sienta como una especie de transvivencia invisible. Si la planta baja de la casa es el espacio de las conversaciones entre el padre y el alcalde, de los encuentros, llegadas, idas y retornos, la segunda planta (donde la abuela-sibila lee su «solitario») late como recóndito corazón del edificio, y la tercera (donde Simón enclaustrado acecha el regreso jamás cumplido) vendría a ser el cerebro insomne, la conciencia ahíta de las aprensiones de la espera[4].

Saúl: actividad arriesgada, toma de partido, asumida culpa, manos sucias. Samuel: contemplación resguardada, pasividad física, atención mirona o vidente, envejecimiento incorrupto. Aunque la novela es un hormiguero de alusiones, y en las palabras citadas se alude a Abel, no se trataría en ella de «Caín contra Abel», sino (como anuncia el título) de *Saúl ante Samuel*. ¿Dos Caínes ante dos visionarios? Y con todo, para la sibila, para Simón y para el lector (otro contemplativo: el mirón más distante) la historia diseminada a través del laberíntico discurso es la historia de un fratricidio.

Nada más inmediato que poner el fratricidio general de la guerra española (interpretada por Juan Benet en *Qué fue la guerra civil*, Barcelona, La Gaya Ciencia, 1976) en íntima conexión con el particular: el hermano menor, en adulterio con la mujer, llamado por su padre a salvar al mayor, simula ponerse al lado de los enemigos de éste, para terminar causando la muerte de su hermano, inducido por la mujer y tras haberse identificado con la lucha republicana por un complejo de impulsos y circunstancias más que por convicción ideológica.

---

[4] Esa casa de tres plantas, recuerda aquella otra con el mismo número de pisos, con su jardín, su tapia y sus alojados que «parecían sumidos en un sueño interminable, en las habitaciones de la segunda planta», evocada en el relato «Después» (Juan Benet, *Nunca llegarás a nada* [1961], Madrid, Alianza, 1969).

En la novela se yuxtaponen y se coordinan efectivamente, provistos de análogo relieve, la discordia entre ambos hermanos (el legítimo y el «bastardo») y el conflicto entre ambas causas (del pasado ¿y del futuro?). Pero no hay simplificación maniquea: no se maldice a Caín ni se glorifica a Abel. La impresión última es que el fratricidio familiar y el general, como acciones filtradas por la conciencia del personaje que ocupa el centro del libro y enfoca los comienzos de sus cinco capítulos y sus respectivos finales (salvo el del capítulo IV), afirman el compromiso contra la interminable angustia de la abstención. Simón, el abstinente, secuestrado por sí mismo en la espera del hermano desaparecido que le prometió volver y nunca volvió (o que está siempre, imaginariamente, al volver), padece desde su instante inmenso —irradiado hacia todo el pretérito y alerta a ese único futuro que sería el regreso del exiliado— la congoja de lo inconcluso:

No sé si volverás pero lo cierto es que aquí estoy y aquí seguiré y no abriré esa puerta más que a ti, tanto si vuelves como si no. No me preguntes por qué lo hago. No lo sé. Lo hago y basta y buscar la razón de ello no es más que un entretenimiento que para serlo cabalmente ha de tener, como todo juego, un final: por eso la causa dice siempre: yo soy el fin. Y posiblemente, dirá otro, estoy aquí para subrogar todas sus funciones y prolongar tu existencia, para restaurarte, sucederte y substituirte, en suma, como hice o traté de hacerlo siempre, ocupando el hueco que dejaste en tu casa o en la cama de tu cuñada o en una guerra que no habrá terminado en tanto los vencedores no ocupen este bastión que de tan imprudente manera dejaste indefenso. (243).

¿Será, según esto, el verdadero fratricidio la inacción con que un tercer hermano contempla a los dos en lucha? El examen, aun esquemático, del texto ayudará a responder[5].

---

[5] Podría, en el sumario que sigue, llamar Emilio al hermano menor, pues en *Herrumbrosas lanzas* (Madrid, Alfaguara, 1983, p. 144, nota 1) se alude a él con plenitud nominal: Emilio Beltrán de Rodas (otras menciones en pp. 215 y 230 de la misma novela). No lo hago, sin embargo, porque tal nombre es exterior y posterior al texto de *Saúl ante Samuel*. En un ensayo «The Theme of Warring Brothers in *Saúl ante Samuel*», David K. HERZBERGER llama siempre Martín al hermano menor, basándose sin duda en una sola mención («La muerte es cosa recomendable, Martín», p. 81), que, con suma probabilidad, atañe al padre, pues aparece en boca del alcalde, a quien el padre dirá mucho más adelante: «Tienes que escapar, Manuel» (p. 402). El trabajo de Herzberger, que trata mucho y acertadamente de Caín y Abel, pero apenas de Saúl y Samuel (ni tampoco del primo Simón), se encuentra en Roberto C. MANTEIGA ET AL., eds., *Critical Approaches to the Writings of Juan Benet*, Hannover y Londres, University Press of New England, 1984, pp. 100-110.

En la «Primera Parte» de esta novela (breve preludio y los capítulos I y II) el personaje principal es *la abuela-sibila*, envejecida rectora del orden tradicional fundado en la decadencia y que se sabe destinado a la decadencia. El preludio describe el lugar, la casa, e insinúa unos motivos que, sólo reconocibles por su reaparición a distancia, incoan misteriosos efectos de expectativa. Una voz impersonal, menos narradora que visualizante, se precia de indeterminar el enclave («Re...»), el tiempo («sin existir ocurrió una vez, y de una vez para siempre») y las figuras: «la carrera de un niño que grita»[6], «la descarga con que es abatido el alcalde del lugar», «un convoy de camiones», «una mano moteada levanta un siete de espadas», «se dice que hay quien todavía aguarda la llegada de un pariente, desaparecido durante la guerra», «Se podía haber llamado En... Au...».

En el capítulo I el personaje que espera al desaparecido enfoca las primeras secuencias («secuencia» como porción textual de contenido continuo entre dos interrupciones de tiempo o espacio): sospecha la llegada del ausente pero recela asomarse a la ventana; rememora una escena infantil, cuando los hermanos volvían junto a la misma tapia que ahora él contempla, y al fin resuelve prolongar la espera en un soliloquio que alza esta pregunta: «¿Quién disparó sobre su hermano?» (15). A la indecisión del recluso sigue la visión de la abuela ante sus cartas, y unas palabras suyas de otro tiempo al nieto preferido (el menor) apuntan a las idas y venidas de éste entre la casa y el campo de batalla. A lo largo de diez secuencias el narrador hace ver, desde una perspectiva más próxima a la actividad que al pensamiento del hermano menor, la separación entre éste y su padre, que lo llamó para que socorriera a su hermano; el estado ruinoso del lugar al fin de la guerra; la presión de la abuela para que el nieto hiciera lo que tenía que hacer; fragmentos de combates; otra visita del nieto a la abuela y su encuentro con la cuñada y la mutua entrega erótica; la conducta del hermano más joven en sus campañas, urgido por un espíritu de superación; los coloquios entre el alcalde y el padre; el desastre republicano experimentado por el combatiente; su visita a la casa, acariciado por la tía Sunta «como cuando era niño»; el ápice de aquel desastre, fusilamiento del alcalde y consumación de la derrota; y en una secuencia última, reaparece Simón vacilando

[6] El grito del niño, al final de la guerra, cuya nota perdía un semitono en la carrera, está en *Volverás a Región* (Barcelona, Destino, 1967, p. 177), y en *Saúl ante Samuel* se encuentra, en la forma más próxima a aquélla, en p. 171.

entre creer y no creer en la vuelta del desterrado. Se reparte así el capítulo en unas secuencias enmarcadoras (tres iniciales y una final) con la figura del esperante, una secuencia que destaca a la sibila, y todas las otras protagonizadas por el esperado Saúl, que se mueve en distintos tiempos entre la casa y el frente; y una de estas secuencias vuelve a destacar a la abuela. Por agregación de pormenores van afianzándose los motivos, entre los cuales surgen (y así ocurrirá a través de todo el texto) reflexiones trascendentales.

El capítulo II se abre y se cierra con la figura del primo Simón creyendo y no creyendo, respectivamente, en la reaparición del evadido. Se lee al comienzo que el grito del niño simultáneo a la visión del supuesto regresado reproducía tal vez el de «treinta años antes» (final de la guerra), pero en la secuencia última (como al principio del capítulo I) dícese que el chiquillo que en esa ocasión se encaramó a la puerta lo hizo «veinte años después». Todo sucede como si el tiempo estuviese medulado en un instante e irradiase desde él en círculos descéntricos. Convocado, pues, el lector, desde el preludio, a la indeterminación temporal, asiste en este capítulo II a una alternancia apoximada de momentos en torno al hermano menor y momentos en torno a la abuela-sibila, la cual cobra relieve preponderante mientras habla y habla al nieto. Escenas en la casa (el hermano segundo entre sus familiares, y los dos viejos habladores: el padre, el alcalde); sumario retrospectivo del joven en Madrid, estudiante de Ciencias, distanciado de su hermano mayor, en adulterio con la mujer de éste, volviendo a la casa llamado por su padre con urgencia, buscando ayuda para alzar unos obstáculos en las últimas luchas, visitando a la abuela. De manera abrupta, en secuencia breve (103-104), se refiere el asesinato de un durmiente por su relevo, en un aprisco de la montaña: dos disparos en la nuca; y quedará en sombra si fue un crimen más en las postrimerías de una guerra en que terminaron matándose a la desesperada los vencidos o crimen de capital importancia en el argumento «familiar». Por la brusquedad con que se inserta en el tejido del capítulo, tal escena parece, en todo caso, la miniatura o extracto microcósmico de la novela. A partir de ahí se hace regular la alternancia entre la voz de la abuela que expone al nieto la teoría del suicidio del cristianismo (y hundimiento de la ideología por ella presidida) y la relación minuciosa, refinadamente técnica, de las operaciones militares, con el embarrancamiento de unos camiones y la consiguiente búsqueda, por parte del hermano menor, de la herramienta con que levantar las interpuestas toneladas. Pero en medio de esa alternancia surge, no menos ex abrupto que antes, la descripción de la alcoba roja donde los amantes habían ocultado su adulterio y ante cuya puerta aparece el primo, boquiabierto, las gafas en la punta de la nariz, pronunciando un «Por fin se ha ido» (123), frase en la que sólo mucho más adelante parece posible identificar con la cuñada el sujeto gramatical (403). A través del parlamento de la sibila no todo es teoría, sino también acusaciones al nieto por haber elegido el partido de la derrota, revelaciones sobre el origen bastardo, el adulterio y la apostasía del predilecto, referencias al fratricidio y llamadas al cumplimiento del deber, tras lo cual se parafrasea el tránsito de la anciana, el reconocimiento de su error y de la futilidad de su credo, su repatriación al seno de la materia y la transmisión de su último escalofrío al nieto, antes de bajar para siempre los párpados. De toda la historia quedó sólo en la casa desocupada «un nieto [Simón] pegado a la ventana», desde donde vio la entrada de los nacionales, y algo como la efigie volátil de esa vaticinadora que, por no haberlo dicho todo, seguiría hablando desde la muerte.

En el centro del libro, la «Segunda Parte» o capítulo III, doblemente extenso que los otros cuatro, reproduce entrecomillado el *monólogo del primo Simón* (este nombre no se da hasta el final del capítulo IV, página 353). Narra, pues, y protagoniza esta parte el avatar de Samuel, cuyo principal destinatario es el hermano menor, aunque a veces lo sea la cuñada y otras veces el propio hablante: triple «tú» que el lector identificará, en cada caso, auxiliado por el contexto. La situación en esta unidad es la espera, y el asunto la discordia entre los hermanos, el adulterio y el fratricidio: aquella discordia, anterior a la aparición de la mujer; el adulterio, protagonizado por ella, y el fratricidio, por ella instigado. Pero el triángulo se agrava: el hermano mayor convive en su refugio con una muchacha del arrabal; el menor, seguido e imitado por el primo, es sustituido por éste, que en los últimos días de la guerra se ve arrastrado por la mujer, poco antes de que ésta huya para sólo aparecer más tarde y de paso. Lo sucedido al primo Simón es de tanta trascendencia para él y para la composición narrativa que ocupa el centro de la novela, su principio, su fin y la mitad de su título. Pende así el significado de la obra de este doble, de este contemplador que sólo tarde y a remolque participa en la acción.

Ejemplo de pasividad y timidez, Simón murmura su soliloquio esparciendo recuerdos, estados de conciencia y fantasías. Su escenario mental tiene por protagonista al ausente, por quien sobrevive. La soledad le permite los sueños más caprichosos, tal la visión del cuerpo incorrupto de una mujer en el fondo del mar que anega Ávila, la ciudad de sus primeros estudios: a los labios de la yacente aproxima su borde mellado una lata de conservas vacía y la fauna acuática circula alrededor. Simón padece de desdoblamiento y contempla en su memoria a la mujer enigmática y transparente. Va emergiendo, tras esta obertura, en pleno tiempo subjetivo, fuera de toda ilación cronológica, la historia de la mujer y los hermanos. En la durmiente submarina puede reconocerse a esta mujer desprendida de la realidad. Simón evoca la infancia del primo más joven, su temprana orfandad y su aversión al hermano, el salto con que un día voló hasta su pecho buscando elección y desdoblamiento en el primo pobre, cuyo padre despreciaba a la familia política y se veía despreciado por ella. Era el menor hermano a la par tímido y despreocupado. Simón no puede olvidar haber presenciado el acuerdo furtivo entre los adúlteros para entregar al hermano mayor al enemigo, testimonio por el que se creyó implicado en el juego y tácitamente encargado de auxiliar y suceder al primo superviviente. Dirígese su memoria a tiempos de la mocedad, cuando ambos asistieron a imborrables violencias del paisanaje: la loba anegada en el río, el lobo lapidado por los campesinos en un pozo seco, la cucaña que había de escalar una rata azuzada... Testigo, narrador y biógrafo de ese primo, alude Simón a la seducción de que él mismo fue objeto por la cuñada cuando ya aquél se había ido y antes de que ella abandonara la casa. Tratando de explicarse el odio entre los dos hermanos, cifra su motivación en una causa imposible de analizar: la triple sombra sobre el entrecejo de la infiel. A su conciencia retorna entonces el éxtasis vivido con ella, centrado en el recuerdo —morosamente figurado— de sus pechos. Es ahora, tras muchas alusiones sembradas conforme al sistema musical de los motivos insinuados y variantes, cuando el lector conoce la escena que originó —piensa Simón— la discordia fraterna: el hermano mayor y su compañero Donato violaron a una pobre muchacha que iba en una cuadrilla de segadores salmantinos, y el menor, que presenció el sufrimiento y las lágrimas de la víctima, se refugió de nuevo en Simón y jamás perdonó a su hermano la crueldad. Volviendo la mirada a su actual circunstancia, se pregunta el solitario dónde estarán los huesos del hermano asesinado, en qué hogar hallaría acomodo la mujer, en qué laboratorio de arrabal de una ciudad extranjera prolongará el ausente su exilio (y volverá a preguntárselo otras veces). Se impone de nuevo a su imaginación la figura de la mujer, ahora condensada en el izado moño que llevaba cuando se dejaba ver en la casa familiar, durante la guerra, y es vista entonces (aunque el motivo ya había aflorado y resurgirá) con la fisonomía de Uta, la enigmática estatua de la catedral de Naumburg, con su corona y cuello alzado y su mirada grave, «pasada ya de la melancolía» (210)[7]. Uta saludó a su cuñado en la escalera y recibió de él un beso, junto al lóbulo de la oreja, que Simón observó y cuyo recuerdo le acosa. Ya entonces se veía con recelo en la casa al menor de los hermanos, y el pusilánime Simón, en el libre ritmo de su monólogo, va refiriéndose a la destrucción de la familia, al desentendimiento entre el padre y el hijo menor, a la tensión fraterna espoleada por la mujer. Transcurridos los años, ésta volvió para sólo detenerse unos minutos ante la casa arruinada y seguir su camino acompañada de otro hombre. Se hace presente a Simón el sacrificio de los hermanos a opuestos ideales y trae a su memoria la disidencia de la mujer respecto a la familia, observable ya en la fotografía del día de su presentación en la casa. Para Simón la desavenencia política de sus primos se remonta a la escena de los segadores, pero su juicio sobre las distintas generaciones separa netamente el pensamiento de la generación de los padres (única ideología: conservar sus propiedades) de la de los hijos, en quienes alentaba igual oposición a aquéllos y semejante radicalismo, aunque la guerra les llevase en direcciones contrarias. «Ninguna de las dos causas era la tuya...», dice Simón, «pero sí lo era la guerra y cuando comprendiste que su final te dejaría sin terreno donde poner tus plantas, te arrimaste a tu cuñada cuanto ella quiso, con el pensamiento puesto ya en el exilio» (258). Como un perro doméstico, persigue a Simón el recuerdo de la muerte del hermano mayor, cuya versión conjetural implica a los dos tramadores y a un tercero incógnito. En cualquier caso, el origen del crimen lo sitúa él en el triple halo de la mirada femenina, y la figura de la mujer le conduce de nuevo a la recordación de su tardío amor, comparado sugestivamente, por espacio de dos páginas, a la ropa vieja que, guardada en un armario y detenida a media vida, espera regenerarse un día con el uso. Van perfilándose

---

[7] En *Un viaje de invierno*, Barcelona, La Gaya Ciencia, 1972, p. 207, se describía a Demetria por comparación con esa figura: «Durante mucho tiempo no miró de frente sino como Uta, la cabeza apenas girada y el iris en la comisura de los párpados, con el labio inferior un tanto avanzado, exponente de aquella trágica y taciturna belleza desflorada por la pesadumbre».

más y más los motivos y, entre ellos, sobreviene otra vez el del fondo del agua, donde también yacen los dados de César, los dados que hubieran permitido a Simón conocer su deseo. En la secuencia última convergen las postrimerías de la guerra familiar y de la civil. Para Simón, el hermano se resistió a matar al hermano, y la cuñada tomó el crimen a su cuenta, delegándolo en el tercer hombre incógnito, con quien el menor erróneamente identificara al propio Simón. Vuelven la escena del prendimiento del hermano mayor, el lamento del primo por no haberlo salvado ni haber terminado con él, su caída en la tentación de la instigadora (en el mismo cuarto colorado) que le transformó en otra persona, en una persona investida de voluntad. El brazo de la mujer, su hombro (otra vez, en sinécdoque, una parte de ese cuerpo sentido antes como inaccesible) «me apartó de ti», confiesa el enclaustrado. Pero la culpa —confiesa también—, aunque es lo que da sentido, no es de nadie: el verdadero mal debe ser soberano.

Pieza maestra de la novela, el soliloquio del primo Simón gira alrededor del adulterio y del fratricidio. El adulterio es repetido tardía y fugazmente por Simón, y a través de él puede reconocerse que también en esa forma oblicua que es propia del primo (especie de hermano refractado) el fratricidio le concierne. Simón no ha matado al hermano pero tampoco le ha salvado: no colaboró con los asesinos pero tampoco les cortó el paso. Ha dejado cumplirse el fratricidio. Caído en la trampa de la mujer, la vio escapar y no tratará de retenerla cuando pase por delante de la casa; pero sí aguardará con ansiedad interminable a quien, antes de desaparecer, le emplazó a que le esperase. Su fratricidio, por omisión, le tiene en vilo, y su existencia es este «en vilo»: la inminencia de esa visita que nunca llega.

Como la primera, la «Tercera Parte» se compone de dos capítulos: el IV, enfocado en *los dos hermanos,* y el V, en la espera del primo tras la desaparición del menor al final de la guerra; ambos capítulos conducidos por el narrador, aunque en aquél se asista al diálogo entre los hermanos y en éste se perciba, menos como voz que como perspectiva, el monólogo de Simón.

Al principio del capítulo IV se indica que a la tapia se había acercado un hombre, pero que se perdió de vista tras la hiedra. Continúa Simón aguardando, y ahora se habla de «cuarenta años» (297), si antes se habló de «veinte» (15) y de «treinta» (77). Ya el narrador cuida de advertir que era algo más que una espera: «todos los días se venía abajo y todas las noches renacía» (297). Pronto el relato introduce a los hermanos y, salvo la levísima presencia de

Simón al final de una escena, este capítulo es el único que, empezando como todos con la imagen de su espera infinita, termina sin ella. Se evoca ahora la pérdida de los hermanos: uno en la muerte, otro en la ausencia. Se retoma la historia del menor y de su divergencia, y un motivo muy presente aquí (aunque insinuado casi desde el principio de la novela) es el de la primera ocasión en que la cuñada le dio a sentir con sólo un ademán la insatisfacción en que vivía ya al poco tiempo de su matrimonio. Enmarca el capítulo el diálogo de los hermanos cuando el menor fue a visitar al otro para tantear su situación y aconsejarle que abandonara el refugio, habiendo debido recomendarle que permaneciera en ese lugar, el más seguro. A través del diálogo se enfrentan dos actitudes que, coincidentes sólo en el imperativo de elegir y luchar, son en lo demás muy diversas: el hermano mayor, aunque del bando nacional, se manifiesta anarquista pues cree que la finalidad debe ser reducir el Estado, para lo cual el medio más apto le parece extremarlo totalitariamente hasta que venga a arruinarse por su propio exceso (teoría que se asemeja a la sustentada por la abuela acerca del hundimiento del cristianismo a causa de su milenario error); el hermano menor, en cambio, se ha adherido ya al ideal revolucionario, progresista y utópico, que el mayor critica con el cinismo del veterano. Mientras dialogan ambos, entra y sale la chica del arrabal, cuya caída en brazos del refugiado ocupa una breve secuencia. Se alude a los vanos esfuerzos del menor por canjear a su hermano o pasarlo por el monte a la otra zona, y a la facilidad con que obtuvo para él la libertad condicional, y se describen las operaciones militares que fueron curtiendo al más joven y empeñándole en una lucha enérgica y poco obediente al mando. Ello da paso a una escena trazada con apasionado detenimiento: la visita de una camarada al aguerrido oficial, en el jardín de la casa, junto a un magnolio, no para amonestarlo por su conducta en el frente, sino para intimarle la necesidad de proceder con dureza y apresurar la reducción del enemigo caso por caso, incluido el caso del hermano; escena que presencia Simón, nuevamente testigo. Y el capítulo se cierra a la vez que el diálogo: el menor emplaza al hermano mayor para un jueves en que vendrá a recogerle un coche (¿para pasarlo a la otra zona? ¿para hacerlo desparecer?), y éste pregunta si ella («Mi exmujer; tu amante», 354) lo sabe, refrendando el sarcasmo con un grosero insulto a las «dos almas gemelas».

En el capítulo V y último la presencia focalizadora de Simón aventaja a la actuante de los hermanos, pero sigue y acaba la historia del fratricidio. El presunto visitante pasó de largo por delante de la casa, volvió a pasar y no deja de pasar —sin pasar— para siempre. De regresar el héroe, como prometiera, no sería para traer orden ni paz, sino guerra; pero no volvería. Su figura quedó eternizada en la edad que tenía cuando se perdió: veintiséis años. Sobre el que aguarda recaen la incredulidad, el ensueño, la esperanza en un milagro y la desesperanza. Hasta que el lector vuelva a tener delante a Simón, el narrador seguirá alumbrando y oscureciendo la historia entrevista. El cambio de tono que adopta la segunda secuencia es notorio: el humor (ese humor de hilaridad, no de ironía, grotesco ni sarcasmo que distingue la narrativa de Benet) triunfa con soltura vertiginosa en los recuerdos de aquellos jueves, en el Madrid de anteguerra, cuando la tía llevaba al cine al sobrino más joven y éste andaba en aventuras con la taquillera, auxiliado o estorbado por otros compañeros (Pie de Rey, Simón y el chulo); relato en el que cobra insólita vivacidad la juventud alegre y confiada, de la que ya Juan Benet dejó impresión memorable en el cuento titulado «Así era entonces» (*Sub rosa*, Barcelona, La Gaya Ciencia, 1973). Así era entonces: ligereza, buen humor, fácil pasar de los días y las semanas. Pero a esa evocación se yuxtapone otra muy distinta: la de una mujer examinada por un médico en un angosto piso marileño entreabierto a un patio sombrío. Tras su aventura erótica con la cuñada en pleno estallido de la Guerra Civil, el hermano menor vuelve a la casa, solicitado por el telegrama del padre. Por un momento reaparece la sibila instando al nieto a cumplir su cometido, en la visita tantas veces esbozada. Se reanuda el relato de las vicisitudes últimas de la campana, y defínese aquí la condición laberíntica de la existencia. Abatido el alcalde por la descarga de los triunfadores junto al olmo frecuentemente mencionado a lo largo del texto, y fijada como en definitiva instantánea fotográfica la situación de la casa (el primo a la puerta y la cuñada en el rellano de la escalera), el hermano menor «salió corriendo». Hacia la conciencia de Simón trae al lector nuevamente la memoria de su cópula con la extraña mujer, presa de un agónico afán de depravación. La guerra finaliza. Se hallan los republicanos en la sima de la derrota. Por un instante reemerge la visión del durmiente asesinado en el aprisco montañero, ya en estado de descomposición. El hermano menor viene a Región para llevarse un arma y advertir a Simón que le espera hasta que él vuelva para recogerle «porque tenía que acompañarle». «¿A dónde?», preguntó el primo, yendo con él hacia la puerta. Y nada más. El grito del chiquillo. Ha pasado el sobresalto. En espera de una redención que no habría de llegar, el jardín vuelve a la calma. ¿Abrir la ventana? «No abras, retírate. Observa tu mano y dime para qué sirve. Espera. Retírate. Todo ha de seguir». Y así, en ese tiempo que sólo es lo que el sueño le permite ser —¿apariencia móvil de la eternidad?— se agota, sin desenlace, sin epílogo, el texto.

Operan en él dos narradores principales: el narrador absoluto, que deja aparecer lo imaginado y discurrido a través de toda la obra menos en el capítulo III, y el narrador-testigo (Simón) que en ese capítulo tiene la palabra. Aquél mantiene una visión no interventora, nunca marcada, y al ceder el soliloquio (vocal o mental) al primo Simón en casi todos los principios y finales, el monodiálogo a la sibila (capítulo II) y el diálogo a los hermanos (capítulo IV), encubre aún más su posible semblante. El primo Simón, cuya función testificativa es obvia (mirar, observar, cavilar, esperar), tiende sin embargo a constituirse en protagonista, no sólo porque hable o vea en aquellos principios y finales, sino porque, viendo y hablando en la unidad central y más extensa, alcanza con su intensidad contemplativa un nivel superior al de los agentes de la historia. Su contemplación, por hipotética que haya de ser en aquellas partes de la historia por él no presenciadas, gobierna el relato y la reflexión acerca del relato con la insomne profusión de un Argos. Y cabría notar una hermandad, casi una identificación, entre aquel narrador absoluto y este narrador-testigo-protagonista. El título mismo, *Saúl ante Samuel*, induce a admitir que si en el plano de la acción narrada el protagonista es Saúl (el hermano menor), en el del discurso narrativo, el auténtico protagonista, «ante» quien aquél aparece, es Samuel (el primo Simón), y éste y el narrador absoluto coinciden en saber mucho, en saber tanto —a fuerza de mirar y de suponer— que no tienen necesidad de aclarar nada.

Sea quien quiera el que la conduzca, la narración adopta el procedimiento de contar varias veces lo que pasó una vez y está pasando siempre. Es el método del «nouveau roman»[8], pero en la narrativa de Benet parece haber sido siempre ejercitado como una transposición de la música a la poesía: repetición, ocultación y variación de motivos, cambios de ritmo, polifonía. Sirven de puntales intelectivos del edificio musical, en peligro siempre de desvanecerse, las reflexiones originales, elevadas, a menudo

[8] Gérard GENETTE, *Figures III*, París, Seuil, 1972, p. 147.

sentenciosas a pesar de su longitud, vertidas hacia problemas muy diversos: el cristianismo, la dualidad, el deseo, la falta de finalidad, la culpa, el mal...

Si los lugares, por imaginarios que sean, se describen con detallismo penetrante, y si las relaciones entre los personajes, al principio difíciles de precisar, van adquiriendo a través de las repeticiones y variaciones un dibujo más acusado, el tratamiento del tiempo se inspira en la suspensión de su vigencia como sucesión y en el reconocimiento de su única realidad como ámbito de la conciencia total, formado por una trama múltiple e inextricable de aparentes ayeres, hoys y mañanas. Ello introduce al lector en un laberinto selvático que no vendría a ser otra cosa que la explosión potencialmente infinita del instante[9].

Sin creer acaso en el símbolo ni en el mito, Benet simboliza y mitifica. Mitos y símbolos parecen más bien presuntas apoyaturas lanzadas —incrédula o irónicamente— al mar de la existencia ficticia, no para explicar identidades, sino para proponer analogías por medio de metáforas o comparaciones inventivas, paritarias, intensificantes, sintéticas, sinestésicas, breves (o bien, desmesuradas a veces), insertas en forma de paréntesis. Analogías que ilusionan al náufrago pero no le rescatan. Ya Saúl y Samuel plantean dudas. La condición de sibila atribuida a la abuela ¿no es un escarnio de su saber cartomántico? Referencias a Emaús o Varennes a propósito del padre y el alcalde, en su ocioso coloquio senil (78, 402), caricaturizan su situación de comentadores de una transformación que no entienden. El retrato de la cuñada como Uta de Naumburg se diría una forma sutil y mediata de sugerir el

[9] «¿Es que alguna teoría del lenguaje o cualquier otra ciencia ha explicado dónde están el pasado, el presente y el futuro, dónde sus respectivas fronteras, hasta dónde sus dominios, qué les distingue?» (Juan BENET, *El ángel del Señor abandona a Tobías*, Barcelona, La Gaya Ciencia, 1976, p. 127). En el mismo libro habla Benet «del misterio del tiempo absoluto, ese es y no es, que lo es todo y va a ser nada o poco, que lo fue todo y apenas es algo, que lo que queda de aquél fue ya, no es lo que fue sino que es una parte de lo que es, que una parte de lo que es es una parte de lo que fue, y lo que será, etcétera» (p. 146). —La denominación *narrador absoluto* usada más arriba procede de este libro de Benet (p. 160), fundamental para comprender su concepción del mundo y de la novela.— Después de escritas las páginas de este comentario, compruebo con satisfacción que mi sumario de *Saúl ante Samuel*, más atento al «qué» que al «cómo» según declaro desde el principio, no se aparta sin embargo de lo recomendado por Randolph D. Pope: «in Benet's work the story line is not to be found in the anecdote, but at another level in which the protagonists are perception, time, duration, and, above all, an active, imaginative, deceptive, and liberating memory» («Benet, Faulkner, and Bergson's Memory», en MANTEIGA ET AL., *op. cit.*, pp. 111-119; lo citado, en p. 119). [Aquí, pp. 243-253; lo citado, en p. 253].

misterioso efecto de una fisonomía emulando con la palabra el prodigio de tan bella escultura. Algunas veces la mitología se ofrece en puntualizaciones tan extrañas (como en lo relativo a Eros y Ares, Némesis y Belona, páginas 274-275) que la impresión resultante bien puede ser la de una degradación paródica del mito, en disonancia con la míseria realidad. No por ello carecen de eficacia poética tales implicaciones míticas, y mayor eficacia logran otras figuraciones de tono parecido, como aquella especie de romance de lobos revivido en la escena de los segadores salmantinos o la aparición de la sombra del «coloso» en sórdidas o angustiosas experiencias de peligro o terror (65, 378, 388).

Pero probablemente las más altas cumbres de expresión poética las alcanza Juan Benet en esta novela (y en otras) cuando anima y sublima la materia. De la mujer trasuntada en Uta de Naumburg es una parte de su cuerpo, la cadera, lo que arrastra al hermano menor al vértigo pasional, como el lóbulo de la oreja es el punto de un beso en que confluyen saludo, caricia y herida. Y su entrecejo, sus pechos separados, su erguido moño, su hombro deslumbrante[10], son las partes que obsesivamente y con idolatría rememora el primo Simón en las soledades de su encierro. Pero también cobran vida —intensa hasta la transfiguración— las ruinas del jardín y de la casa, la roja habitación con tanto de venal alcoba como de sagrario diabólico, la ropa vieja adormecida en el arca, el magnolio del jardín en la escena atisbada por el primo, o el vaso de leche ofrecido por Simón a la cuñada (vaso de leche que aparecía en otra novela como un regenerativo servido en los burdeles[11] y es aquí el postrer alimento en un lugar devastado). Y la loba rodeada por el agua, o el lobo apedreado en el pozo, son víctimas sentidas como humanas, mientras la abuela y su sillón se compenetran formando una misma materia resistente a la muerte.

La novela gira alrededor de un momento y es, así, en la terminología de Benet, «corpúsculo» y no «onda»: concentrada visión de una parte, no biografía o evolución de una vida[12]. Pero las vidas aparecen en fragmentos, iluminadas por el relámpago del instante. Y a lo largo de las páginas del texto, además de las

---

[10] El brillo de un hombro femenino, «desnudo», «reverberante», «ovalado», es motivo capital en el relato «Después» (*op. cit.* en la nota 4, pp. 184, 192, 197, 198), como lo es el «lóbulo de la oreja» en ciertos pasajes de la novela *Una meditación* (Barcelona, Seix Barral, pp. 143, 148-149, 192, 247, 265).

[11] *Volverás a Región*, ed. cit., p. 173.

[12] «Onda y corpúsculo en el *Quijote*» (Juan Benet, *La moviola de Eurípides*, Madrid, Taurus, 1981, pp. 77-114).

digresiones generales ya aludidas, se encuentran con moderada frecuencia, a manera de glosas, claves sobre la técnica y el estilo de la novela misma, tal, entre otras varias, esta definición del sinfín sintáctico: «¿Quién conoce todos los órdenes de una frase? ¿O qué frase puede alcanzar el estado absoluto? ¿Y quién nos engañó con su empeño en buscar lo cierto?» (213), o esta pregunta alusiva a la diferencia entre los que caminan por el laberinto con cauta previsión y el que avanza guiado por un sistema más rápido, tenebroso e instintivo: «¿y en qué medida el laberinto no está formado por una muchedumbre de contemporáneos, incapaces de seguirle y moverse a su misma velocidad, insensibles a los avisos que él advierte?» (391).

No abundan los alivios humorísticos en *Saúl ante Samuel*, la novela más densa y más tensa de Benet, pero el episodio madrileño de la taquillera, el chulo y Pie de Rey bien vale, en su desenvoltura, en su alacridad y en su desgarro, lo que en *Una meditación* las anécdotas del licor amarillo o las barbas del fraile[13]. Y el lenguaje, suma exacerbada del estilo de todas las obras del autor, encierra una amplísima variedad de registros y lleva la tensión poemática a un grado difícilmente superable, como en este paisaje:

> El fondo del valle se halla cubierto de ese pegajoso, denso y brillante jaramago —de hoja verde cerúlea, pardo en su proximidad, negro mate, con puntos brillantes como un bloque de antracita, en la lejanía— que plagado de insectos durante toda la estación seca parece ponerse en resonancia; una sombría mancha sin límites en la que no se distingue una sola vereda, sin calvas ni accidentes ni otra vegetación que el monte bajo, cuya topografía es denunciada por el brillo de los esquistos o el espectral aislamiento de algún añoso enebro, o un desordenado y mutilado pino, su copa reducida al astillado ramaje invadido de un decadente arañuelo tan salpicado de agujeros como las túnicas y velos de las momias. Y en el ecudo calizo, cortado por el cañón, unas tablas de roca huesuda, triturada por la intemperie, entre cuyas cárcavas asoman las silbantes antenas del tomillo. (48-49).

O como en este sondeo incidental en el enigma de la identidad:

---

[13] Pie de Rey aparece mencionado en la más humorística novela de BENET, *En el estado*, Madrid, Alfaguara, 1977, p. 94, cuyo trío protagónico —el Sr. Hervás, la Sra. Somer y Ricardo, yerno de ésta— preludia el episodio madrileño de *Saúl ante Samuel* en varios aspectos.

Ya va siendo hora de que me retire; el recuerdo es un perro doméstico que goza del derecho adquirido a un paseo diario de dos manzanas; y al tiempo que celebro el fin del día del mismo modo que maldije su nacimiento (porque son costumbres de las horas, diferenciadas sólo por la luz) (porque al maldecirlo esperaba de él lo que no me traería y al congratularme de su fin me ratifico en la desconfianza, y así prosigo) tendré que repetir una vez más todas las oraciones de la memoria, dejando para el último momento la esperanza de hallar en la mente ese único elemento diferencial merced al cual hoy no es ayer ni mañana hoy y que en verdad no debo encontrarlo si no quiero verme obligado a confesar que sólo la imaginaria anticipación del cambio nos permite seguir siendo los mismos y que sólo el engaño de una naturaleza inescrutable —necesitada de una minúscula mutabilidad para su supervivencia— nos ha hecho creer a todos que vivimos una historia a fin de mantenernos bajo su férula. (261).

Saúl ante Samuel es, para quien esto escribe, uno de los más altos poemas novelescos de nuestro tiempo, y como verdadera poesía (y no «literatura») encierra necesariamente un profundo valor de testimonio.

Sobre la condición humana, sobre la psicología del hombre concreto, esta novela ofrece un testimonio que pudiera compendiarse en el rechazo de las motivaciones racionales y en el reconocimiento del instinto como primer motor. Un solo ejemplo: para comprender la conducta fratricida del hermano menor, Simón descarta las fórmulas analíticas («era introvertido y rencoroso», «odiaba a su hermano», «mira cómo ahí se destaca la carencia de madre», etc) para comprobar, refiriéndose al rostro de la mujer: «¿existía una causa más provocativa e inquietante que la triple sombra sobre su entrecejo?» (196). No extraer motivaciones: entrar en la verdad de los sentimientos sin nombre. La verdad era que la mujer deseaba ver muerto a su esposo, que incitó al fratricidio a su cuñado (con quien sin embargo no podía «querer»), que atrajo al primo en un acceso de degradante frenesí, que huyó de la casa y buscó su destino en otra parte, y su conducta, como la del hermano menor, hallaría sus causas, de existir tales causas, «más lejos del último horizonte que aparecerá cuando alcancemos el último horizonte del conocimiento» (196). Y tampoco los hermanos ni el primo Simón se comportan con la consecuencia de un carácter explicable: son como son, de una vez para siempre, y el uno se entrega a una causa victoriosa en la que últimamente no cree, y el otro se adhiere a la vencida, en la que no creía, y el tercero aguarda y acecha, sabiendo que nadie volverá pero que sólo la espera puede mantener despierta su conciencia y cubrir el vacío con figuraciones de más sustancia y esplendor que las experiencias ordinarias (nuevo San Antonio —a la luz de Flaubert— en inacabable tentación de memoria y expectativa). En estas últimas lindes de la razón (como el Martín-Santos de los fragmentos finales de *Tiempo de destrucción*, y más allá) sitúa Juan Benet su apetito de conocimiento. Y precisamente cuando las motivaciones del obrar son fatales se hace posible la tragedia.

Tragedia humana *Saúl ante Samuel* y, por lo mismo, ética y política. El fratricidio entre los luchadores y el fratricidio infligido a los luchadores por los inactivos. Con ser el más imperdonable el crimen del que se abstiene (Samuel) y el mensaje menos ambiguo del texto la condena de quien no elige, la figura revelada con mayor densidad de conciencia, el personaje que vive ante el lector de manera más compleja y más rica, y cuyos deseos, sufrimientos y pensamientos logran magnitud incomparable, es el solitario Simón. Y es significativo que ocurra esto mismo en otras novelas de Juan Benet, como si la tragedia más honda del mundo que vivimos consistiese en la pérdida, o en el olvido, de la finalidad que justifique el obrar.

Compañeros de Simón-Samuel son: el doctor Sebastián (aunque caritativo) de *Volverás a Región*, arrinconado en su polvorienta clínica; el innombrado narrador-testigo de *Una meditación*, primo también, reflexivo y convencido de que es él el llamado a pagar los vidrios rotos por quienes siguieron sus impulsos[14]; la Demetria de *Un viaje de invierno*, encerrada en la casa vacía años y años y «embargada por la sorpresa y algo del enojo de Samuel ante la llegada de un Saúl que se acomodaba a todas las predicciones»[15]; el adúltero, fratricida y sádico Cristino que en *La otra casa de Mazón* increpa a ruinas y a fantasmas[16]; o el protagonista único de la leyenda *Numa*, ese pastor que en la espesura del bosque, alerta a los pasos de quien un día habrá de llegar a matarle (a sucederle), iba olvidando el sentido de la espera cuando, más allá de las dos tendencias de su alma (la pura meditación, la pura acción), derivaba hacia una mezcla de pensa-

---

[14] *Una meditación*, ed. cit., p. 272.
[15] *Un viaje de invierno*, ed. cit., p. 171.
[16] Juan BENET, *La otra casa de Mazón*, Barcelona, Seix Barral, 1973, p. 226. Cristino Mazón terminaría su vida «enclaustrado en una cocina y una habitación aneja, con todas las puertas y ventanas del entorno toscamente tabicadas, entablonadas o claveteadas a mano» (Juan BENET, *El aire de un crimen*, Barcelona, Planeta, 1980, p. 130).

miento sin inquietud y vigilancia rutinaria[17]. Estos personajes, y algunos otros de las narraciones menores de Juan Benet, podrían aunarse en la memoria de su lector completo hasta formar un solo héroe cuya tragedia última no sería otra que la soledad contemplativa, la inacción, la imparticipación: el verdadero fratricidio.

[Artículo entregado en 1983 a la revista *Voces*, Barcelona, para su publicación en un número monográfico sobre Juan Benet. Revisado por el autor.]

---

[17] Juan BENET, *Del pozo y del Numa*, Barcelona, La Gaya Ciencia, 1978, p. 164. El ensayo que ocupa la primera mitad del volumen se ocupa de Thomas Mann y *José y sus hermanos*.

MARÍA ELENA BRAVO

REGIÓN, UNA CRÓNICA DEL DISCURSO LITERARIO

Según el cronista del Reino de Aragón Jerónimo de Zurita, las crónicas son necesarias porque «la memoria de los omes es flaca.» Juan Benet, cronista del mundo de Región, es el artífice de una anti-crónica, cuyo objetivo no es archivar los hechos para su rememoración o, más exactamente, los hechos de sus personajes ficticios para su existencia literaria, sino investigar por un lado la naturaleza del conocimiento que podemos llegar a tener de esos hechos, y por otro la naturaleza del lenguaje con el que los examinamos. Alejándose del concepto narrativo que basando su representación en la tradición oral aspira a recrear los hechos para su rememoración, Benet busca y logra dar cuerpo a una obra artística cuyo objetivo es la investigación de la potencia creadora del discurso; la novela pasa así a ser un medio de investigación de su propia esencia[1].

Los polos que, según esta hipótesis, generan la empresa son el mundo exterior y su representación o logos. El mundo exterior, en último término, acaba siendo el mundo literario que debe surgir de la respuesta estética del lector, si éste se aviene a realizar la experiencia de diálogo que sugiere el arte de Benet. El mismo ha señalado con claridad hacia la orientación eminentemente dialéctica de su arte, la mediación entre lo leído y lo experimentado; «para

[1] Ignacio SOLDEVILLA DURANTE, en *La novela desde 1936*, Madrid, Editorial Alhambra, 1980, pp. 327-332, menciona la demolición del lenguaje y la desrealización como métodos propios de la obra de Benet. Esta opinión no tiene en cuenta la tarea de reelaboración y reconstrucción que también impone la obra de Benet y a la que intentamos acercarnos por medio de las presentes reflexiones.

un escritor de fuste las referencias a lo leído no lograrán nunca imponerse a las de la experiencia.» Se requiere por un lado, la total cooperación por medio de una respuesta, y se rechaza, por otro, toda representación literaria tradicional en busca de nuevas vías, «la revisión de los valores léxicos, sintácticos y estilísticos supone la no aceptación de un patrimonio común»[2]. Al centrar su escrutinio en torno al lenguaje, Benet crea un tipo de obra nueva. La naturaleza alusiva, no descriptiva, del lenguaje artístico, que prolonga con lo que Gadamer ha llamado *excess meaning*, la elástica capacidad del lenguaje, es el utensilio del escritor. La mirada atenta a la esquiva naturaleza y su difícil representación, naturaleza que se manifiesta muy principalmente por medio de ocultamientos, explica la subyugadora creación de Benet, el lenguaje que utiliza pone admirablemente de relieve su actitud: «Nothing that is said has its truth simply in itself, but refers instead backward and forward to what is unsaid,» esta reflexión de Gadamer respecto a la potencialidad del lenguaje encaja perfectamente en la concepción artística de nuestro novelista[3]. Al mismo tiempo Benet parece partir de una concepción clara del poder metafórico del arte para representar esa esquiva naturaleza[4]. La fuerza estética de la metáfora arranca primordialmente de su capacidad de generar conocimiento de un signo distinto al conocimiento científico, basado no en el análisis sino en la síntesis. En la sintetización metafórica de elementos dispares radica en gran parte la fuerza estética. La naturaleza aproximativa del lenguaje por un lado, y la metáfora como vía de conocimiento estético por otro, pueden ser los medios esenciales de Benet tanto para el análisis como para la producción del discurso literario. El verdadero valor cognitivo de su arte no aparece en lo que en él se especifica, sino en lo que se implica y está profundamente arraigado en la capacidad de generar una respuesta vivencial en el lector. Es el conseguido por estos medios un tipo de conocimiento que puede

---

[2] Juan BENET, «Prólogo», *Las palmeras salvajes,* por William Faulkner, Barcelona, Edhasa, 1970, p. 12.

[3] Hans-Georg GADAMER, «Man and Language», en *Philosophical Hermeneutics*, trad. al inglés y ed. por David E. Linge, Berkeley, University of California Press, 1976, p. 67.

[4] En una entrevista, más reciente que el prólogo en el que apoyamos estas opiniones, Benet se refiere de nuevo a la metáfora como método de conocimiento y creación: «Si todo es una metáfora, la metáfora del raciocinio está tan bien arquitecturada como cualquier otra. Todo depende de cuáles son los límites de la metáfora.» Citado por José HERNÁNDEZ, «Juan Benet, 1976», *Modern Language Notes*, 92, nº 2, Marzo de 1977, 346-355.

ilustrar las conclusiones estéticas de Levy-Strauss: «El arte no es ciego respecto a la realidad; es más bien apto para esclarecerla, y sus virtudes de construcción no articulan en último análisis, más que el campo de una inteligencia profunda de la condición del hombre y su lugar en el universo»[5].

Constituyendo el párrafo la unidad más pequeña de su gran Región, es en efecto un modelo reducido de su manera total de novelar. La prosa de Benet tiende a seguir un patrón bastante constante que puede sin dificultad ser representado por el siguiente párrafo, tomado casi al azar de *Saúl ante Samuel*. Se observa sistemáticamente en este tipo de párrafos un montaje sintáctico tortuoso y un contenido semántico en suspensión, sometido a profundas tensiones interiores.

> En todo caso fue por otra clase de miedo; pero no a perder el sórdido pero estable equilibrio conseguido gracias a la abstinencia ni a verme de nuevo en la vorágine nocturna de una libido monoplaza (ignoraba qué había sido de ella y me decía que solamente (para requerir noticias suyas, tal vez, un indicio que estaba dispuesto a aprovechar para abatirla) mi presencia podría atraerla de nuevo a la casa en el más augusto mediodía de la devastación, en el más hircano invierno y en la más huérfana de sus fechas) sino por miedo (el mismo del hombre que acumula y dispone durante años los preparativos de la que considera su obra capital que no se decide a abordar atenazado por la sospecha de un mayúsculo fracaso indefinidamente suspendido por el intento) a poner un falso punto final a mi espera y liquidar de manera precipitada la única posibilidad para tu vuelta[6].

Lo expresado en la primera proposición se difumina al verse negado, reformado o demolido por la acumulación de proposiciones coordinadas y por cláusulas parentéticas que mantienen en equilibrio el enunciado inicial. Queda éste sugerido, pero de ninguna manera descrito. En la muestra encontramos en la primera proposición una afirmación, *fue por otra clase de miedo*, que se ve inmediatamente contrapesada por una proposición coordinada de carácter adversativo negativo, *pero no*, ésta a su vez contiene un modificante también de carácter adversativo, *sórdido pero estable*, continúa la estructura sintáctica con una oración copulativa negati-

[5] José Guilherme MERQUIOR, *La estética de Lévi-Strauss*, traducción de Antoni Vicens, Barcelona, Destino, 1978, p. 38.

[6] Juan BENET, *Saúl ante Samuel*, Barcelona, La Gaya Ciencia, 1980, pp. 236-237.

va, *ni*, que se ve interrumpida por dos frases parentéticas, una dentro de la otra, sigue una segunda oración adversativa que a su vez se ve interrumpida por otro paréntesis y que se desdobla en la conclusión del párrafo en dos proposiciones coordinadas. La naturaleza de los tres paréntesis es negativa; en el primero, *ignoraba*, hay un adverbio de duda, *tal vez*; en el segundo la subordinada relativa es también negativa. El marco sintagmático nos da un reiterado intento de explicación que está constituido siempre por claúsulas de orden negativo. En otro orden de cosas, los elementos semánticos de esta estructura enriquecen y amplían en profundidad por así decirlo paradigmática, el enunciado: se nos dice una cosa de la misma naturaleza de muchas maneras diferentes, *no a perder el equilibrio, ni a verme en la vorágine, sino por miedo a poner un falso punto, y liquidar la única posibilidad*. Los conceptos que se barajan en la reflexión del narrador en torno al miedo son *equilibrio* y *vorágine* por un lado, *falso* y *único* por otro, conceptos que contrapuntísticamente no se anulan, pero sí se modifican de una manera sustancial, ya que están formados por parejas de opuestos. Respecto a las metáforas y a la imagen que completan la frase, se puede comprobar igualmente que su función es la de mantener en equilibrio la línea de pensamiento y proveer más profundidad en la sugerencia que descripción: *augusto mediodía de la devastación, hircano invierno, fecha huérfana*, ampliadas todas ellas por el comparativo de superioridad *más*. Los elementos que conforman los ejemplos tienden a emparejar conceptos contrapuestos que se componen en sustancia de nombres que se refiere a periodos temporales acompañados de modificantes que pertenecen a conceptos abstractos y básicamente referidos a los seres humanos, *huérfano, augusto, devastación*. Queda por examinar el uso de la imagen en la cual la actividad abstracta que se pretende describir, el miedo, se compara con una acción realizada, o no como en el caso que nos ocupa, por un ser humano; se deduce de ella una emoción que expresa de forma paralela la que se trata de describir, pero ahora con elementos más immediatos, ya que muestra la actuación concreta de una persona en circunstancias aproximadamente similares. Los dos términos de la imagen son ahora unos positivos: *acumula, dispone, muchos años, obra capital, preparativos*, y otros negativos: *no se decide, sospecha, mayúsculo fracaso, indefinidamente y suspendido*. Unos indican actividad y otros pasividad, la claúsula completa permanece así en estado de nacimiento, de sugerencia, de indeterminación y es el lector el que tiene que dar en todos los casos el salto para completar, por medio de su respuesta estética, la situación que con tanta destreza ha ido componiendo el autor. Se manifiesta excepcionalmente en este párrafo el exceso de significado, o más bien el significado que va más allá de lo que los datos nos proporcionan y nos impulsa a buscar un significado, que habremos de conquistar a través de los datos que nos proporciona el texto. Por otra parte se observa una exposición clarísima de lo que se ha definido como la infinitud de lo no dicho, *the circle of the unspoken*, que constituye una invitación o acaso un desafío a establecer un diálogo con el texto, que como toda auténtica conversación jamás puede estar prefijada. Se deduce que el texto no puede ofrecer una respuesta ni una interpretación fija, ya que ésta dependerá siempre de la reacción dialogística del lector.

Esta potenciación de la capacidad insinuadora del lenguaje y de la capacidad sintetizadora del arte al provocar a la manera de la metáfora una reacción ante conceptos opuestos, partiendo del párrafo como unidad más pequeña, abarca la totalidad de la obra de Benet. Así ocurre en los aspectos ponderativos de la mente humana, la reflexión, los recuerdos y las lucubraciones de la imaginación que se apoyan para su alumbramiento en la palabra. La memoria es muy principalmente el objeto de la reflexión de los narradores. Se nutre ésta de las acciones humanas y es «celosa archivadora de los datos de los sentidos que han merecido su resguardo y de qué manera confunde, engaña y defrauda, pierde y hasta chantajea los números y las abstracciones»[7]. La memoria se ejercita y se depura o se manipula por medio de un esfuerzo reflexivo formulado en palabras, cuyo poder es problemático y funciona a base de esfuerzos para rellenar el vacío de lo que no llega a decirse, «vacío que conforman las palabras cuando desalojan el misterio que ocupaba el silencio»[8]. La palabra es preexistente a cada ser humano y a ella nos incorporamos en el proceso de vivir, «el grano de mostaza único y plural, señor del espíritu, el reino no interpuesto entre el hombre y la naturaleza sino anterior a ellos»[9]. Los acontecimientos en torno a los cuales se centra la actividad verbal y reflexiva tienen esencialmente un nivel temporal, que es el del pasado, aunque también exista un presente, una proyección hacia el futuro y un modo subjuntivo de la existencia cuando ese tiempo sólo ocurre a nivel soñado o imaginado. De

---

[7] *Ibid.*, p. 174.
[8] *Ibid.*, p. 265.
[9] *Ibid.*, p. 209.

entre lo ocurrido en el pasado o en la imaginación es a veces imposible distinguir, ya que en el mundo solipsista de algunos personajes no se aclara del todo ese presupuesto, tal como le ocurre a Demetria en *Un viaje de invierno*[10]. El resorte que motiva las reflexiones sobre lo ocurrido, sea al nivel temporal que sea, son esas escenas sensoriales cuyo significado emocional se describe de diversas maneras (a la manera del párrafo que se ha analizado más arriba). A medida que la escena recurrente a lo largo de la obra, se presenta a la memoria, sigue un patrón equivalente al sintagmático. La escena casi siempre fija e inmóvil como una fotografía, despierta a nivel reflexivo y por consiguiente verbal, una serie de reacciones que ensambladas darán distintas impresiones y todas aproximadas, metafóricas, del mundo interior del narrador o del personaje, siguiendo esta vez un patrón de tipo paradigmático. Así en *Saúl ante Samuel* las escenas del arañazo en la palma de la mano, la salida del camarero, un vaso de leche, una mochila, constituyen no tanto los motivos centrales como «las varillas del paraguas» del que hablaba Ortega[11], que dan a la narración una fundamentación referencial. Al mismo tiempo constatamos que el narrador o el personaje, que ancla sus cavilaciones en el pasado y que nutre sus reflexiones de esas escenas del pasado (real o imaginado), ha renunciado muchas veces al presente y se incapacita a sí mismo para funcionar en el mundo de las vivencias experimentadas. Por eso un narrador de *Saúl ante Samuel*, y tantos otros de novelas anteriores, no reconoce el presente y cierra la ventana a un futuro que espera de forma periclitada y estéril, que para poder seguir manteniéndose ha de renunciar al presente. La dialéctica del diálogo creador ante su propia vida ha terminado y sólo les queda a esos personajes la ruina o la aniquilación.

A partir de la naturaleza de las vivencias humanas temporales, que dotan al texto de esos elementos referenciales imprescindibles que constituyen el punto de arranque del discurso literario, se podría analizar a su vez el aspecto metafórico, sugerente y provocador de tensiones de éste. Así algunos temas recurrentes en la obra son la Guerra Civil y sus ramificaciones: relaciones

---

[10] Ricardo GULLÓN, en «Esperando a Coré», *Revista de Occidente*, XLIX (segunda época, abril-junio, 1975), 16-35 [aquí, pp. 127-146], analiza los diversos niveles de la novela cuyo común denominador es la contraposición, con la que se crea una continua tensión en todos los elementos hasta el punto de alcanzar el oxymoron en varios de ellos.

[11] José ORTEGA Y GASSET, *Ideas sobre la novela*, Obras Completas, III, Madrid, Revista de Occidente, 1966, p. 402.

familiares, cainitas, fratricidas, mestizaje espiritual, incesto, es decir de signo negativo, unidas a otras de tipo positivo o neutro, infancia, sensación de arraigamiento de protección de clan familiar, de opulencia o de decadencia, de actividad o de pasividad. Otro aspecto es el del amor, del que Ricardo Gullón ha comentado la oposición entre el amor cefálico y el fálico[12]; la indeterminación de las parejas de amantes en muchos casos y la clara diferenciación en otros, el aspecto masoquista y oscuro en unos casos o la total armonía en otras ocasiones, ponen de relieve la suspensión y básicamente abierta posibilidad de respuesta por parte del lector. La infancia y su contrapartida, la edad madura, son también elementos narrativos que se repiten siguiendo siempre el método alusivo o metafórico y nunca el descriptivo o analítico.

Otro nivel de creación lo constituye el que se refiere a la naturaleza y al entorno de los personajes. Está formado igualmente por elementos contrapuestos y hermanados. El método para describir la topografía es el científico, es decir analítico, vocabulario preciso y técnico en el que reconocemos al geólogo o al experto en botánica, que selecciona, cataloga y archiva datos. Cuando en ese entorno se produce una batalla, es el jefe de Estado Mayor el que informa. Ahora bien, en el momento en que en estos entornos impasibles se involucra un conflicto íntimo, una emoción individual, el tono se vuelve poético, es decir sintético y difuminado, siguiendo el modo metafórico, obligando al lector a dar ese salto continuo para rellenar el vacío que queda entre lo que se dice. Algo así ocurre cuando el río se ve de repente despojado de su objetividad geográfica y empieza a asumir la representación, el carácter y la problemática del padre en *Saúl ante Samuel*, o la naturaleza minuciosamente catalogada de *Volverás a Región* se envuelve, a medida que se aleja de lo científico y se aproxima a lo mítico, en un tono poético, construido por yuxtaposiciones a la manera metafórica. Otro tanto ocurre con el entorno natural doméstico (el olmo, la tapia del jardín, la yedra, la maleza de las cunetas, la huerta) que vale para acercar lo físico a lo espiritual —dar rienda suelta a la palabra— y presentarnos el transcurso del tiempo en sus respectivas apariciones alternadas, como ocurría con la repetición de la misma escena en los sucesos humanos. Aparecen estos elementos unas veces pulidos y cuidados, otras

---

[12] Ricardo GULLÓN hizo un análisis de este aspecto en la conferencia «Una meditación de Juan Benet», Universidad de Salamanca, Cursos de Verano, 3 de junio, 1981.

aniquilados por el abandono, sugiriendo así las etapas temporales, siempre de una manera indirecta. Desde «Baalbec una mancha» o «Duelo» es evidente esta capacidad expresiva de lo natural doméstico con respecto a lo temporal, los jardines o las huertas son un ejemplo bien conocido. Los muebles tienen la misma función expresiva, si el ser humano encargado de mantener a flote todo ese mundo en un vivo diálogo creador con las cosas no lo hace, sobreviene en efecto la decadencia.

En otro plano se puede considerar el papel que representa en la obra de Benet la tradición literaria. Si bien se observa en tantos sentidos, de manera explícita en sus muchos comentarios y de manera implícita en su forma de novelar, un rechazo de la tradición, no obstante toda su obra hace un uso de ella casi abrumador, hasta el punto de que prácticamente todas y cada una de las obras de Benet tienen un trasfondo no sólo literario sino filosófico, musical y por supuesto, como se acaba de anotar, científico y linguístico. Ninguna de estas utilizaciones es tradicional, ya que al ser alusiones en la mayor parte de los casos ocultas y veladas (excepto en lo científico) están totalmente insertas y cumplen de nuevo la función de provocar un diálogo con el lector, quien responde así de forma sintética, por aproximación, creando una relación totalmente viva y polivalente con el texto. Así la inserción de versos de Garcilaso o la narración bíblica o los trasfondos mitológicos o las referencias al teatro proveen una perspectiva de singular expansión y profundidad, dándole al texto una riqueza, una variedad de respuestas casi inagotable.

Consideremos ahora otro aspecto esencial que pasa explícitamente de unas obras a otras: el juego. Proporciona este elemento un mismo tipo de diálogo creador entre el lector y su obra, los personajes entre sí, el autor y su creación, ya que en definitiva plantea el tema de la interacción, del diálogo por excelencia que tan íntimo parecido guarda con el lenguaje de la conversación. Refleja la acción limitada que le es dada al hombre; es al mismo tiempo el impulso a la acción total y a la comprensión total y la conciencia de la imposibilidad de ambas cosas, y así aparece con frecuencia el destino o un Jugador, un Maquinista que controla en gran medida los dados o las bazas. De ahí que la abuela en *Saúl ante Samuel* se convierte en (es) un auténtico oráculo, y también que cada una de las actuaciones de algunos personajes vengan marcadas por el destino o el azar, y la voluntad sólo intervenga a medias, de forma que una moneda en *Volverás a Región*, un siete de espadas en *Saúl ante Samuel* marquen definitivamente el destino de varios personajes; igual función tienen una sota que no se echó entre los contertulios que ganaron la guerra por contemplación, o un par de camiones que se averían y obstaculizan el avance de la ofensiva, o un seis falso que saca el Rey de *La otra casa de Mazón*.

Entre los elementos que integran la creación de Benet figura de forma prominente el humor que, contrapuesto a la decadencia y a la tragedia, con tanta frecuencia ilumina, dinamiza y dota al texto de nuevas reverberaciones estéticas y vitales. Este poder del humor lo define el autor como una contraposición a la seriedad en los siguientes términos: «La seriedad y el apetito de trascendencia parecen proceder del hecho de que el hombre no se siente totalmente responsable de la situación actual y en cambio debe responsibilizarse con sus consecuencias; ante tal paradoja es difícil no dejarse invadir por las pasiones del alma que saben responder con más seguridad y generosidad que el conocimiento... el humor, en cambio, no es en el fondo más que una forma intencionada de conocer»[13]. Al presentarse en ellas el doble juego, aparecen las novelas salpicadas de un humorismo vital cuyo origen auténtico habría que analizar si está en los diversos narradores o en la voz del autor que, oculto tras toda la obra, asoma de cuando en cuando la cabeza para reirse con el lector, e incluso con los personajes, de ciertos aspectos de la narración que son así tácitamente sometidos a análisis. El humor surge de una manera espontánea e inesperada, así pues, para arrojar otro tipo de luz sobre situaciones de tensa emoción. Ejemplos son el manual de higiene sexual de la esposa del Dr. Sebastián en el contexto de su fracaso sentimental con María Timoner, o frases como «tu padre empezó temiendo por la vida de tu hermano y acabó sus días teniendo miedo al lechero»[14]. A veces, como en la secuencia (en *Saúl ante Samuel*) de las salidas al cine de la tía y el sobrino pequeño, lo que empieza con lo que parece una breve incursión al margen, continúa en largas páginas no en un tono ponderativo, sino impresionista y sencillo que, sin abandonar el humor, va perdiendo los perfiles de la realidad para desembocar en una situación absurda y disparatada, que a su vez establece en esta categoría del humor un tipo de oposición y juxtaposición del mismo carácter dialéctico y dinámico que compone toda la obra.

---

[13] Juan BENET, «Agonía del humor», *Revista de Occidente*, nº 11, 1964, 236.
[14] *Saúl ante Samuel*, p. 236.

Llegamos por último a interrogarnos sobre los límites de la producción de este discurso narrativo: ¿Quiénes son los narradores? Una variedad de voces va sacando a la superficie este vasto mundo. Desde el narrador participante pero principalmente testigo de «Baalbec» al de un punto de vista multifásico omnisciente en «Duelo» a los diversos narradores de *Volverás a Región* en primera persona, en tercera, en segunda. En *Saúl ante Samuel* frecuentemente esa elocución en segunda persona va dirigida a un hipotético interlocutor, implicado también en otras novelas, en el que el yo, el tú o el él se barajan y se suceden con una rapidez y agilidad que no están lejos del caleidoscopio, desdobla en muchos planos las identidades de quienes producen el texto y quienes lo reciben; en varios momentos en algunas de esas personas gramaticales se ve involucrado el lector. Existe la tercera persona subjetiva (*Un viaje de invierno*), el diálogo teatral mezclado con una presentación multifásica en *La otra casa de Mazón*. Los personajes se pueden contemplar, pues, desde diversos ángulos, el discurso es múltiple y polifónico, el resultado es un magnífico concierto y una amplia panorámica donde las luces y las sombras, lo dicho y lo no dicho, convierten a Benet en el creador de un mundo que siendo tan literario es al mismo tiempo tan vital[15].

El aire de un crimen sorprendió mucho y hubo comentarios como éste: «El editor y financiero del premio que lleva el nombre de la editorial Planeta sostuvo en la conferencia de prensa que el mérito principal de la obra de Benet era que por fin se entendía una novela del creador de *Región* como mundo literario»[16], a lo que contestó el novelista: «Esta novela no se entiende ni mejor ni peor que otras obras mías, todas se entienden si se leen con atención»[17]. *El aire de un crimen* es una yuxtaposición más, otra perspectiva. La narración tradicional, de naturaleza fija a palabra fija, está aquí mucho más presente y aporta una nueva visión que modula aún más lo creado hasta ahora. En las otras obras vemos a los personajes principalmente desde dentro, penetramos en sus vericuetos mentales, en sus ensoñaciones, aunque la narración nos venga de otros personajes, de otros narradores. Ahora los vemos

---

[15] Esta enumeración no pretende ser exhaustiva. Entre otras dicotomías cabría considerar la formada por la contraposición razón-instinto que señala José ORTEGA en «Estudios sobre Juan Benet», *Cuadernos Hispanoamericanos*, 84 (febrero, 1974), 229-258. [Aquí, pp. 61-92].

[16] J. C., «Discrepancias entre Lara y Benet sobre la claridad en la literatura», *El País* (Madrid), 17 de octubre de 1980, p. 31, 5.ª col.

[17] *Ibid.*

por fuera, en una dimensión plana y exterior, que nos hace percibir de una manera mucho más esquemática a Demetria y a su criado, a los diversos personajes que ya nos resultan tan familiares, como el doctor Sebastián en su conmovedora y abnegada rutina profesional diaria; el exilio y su angustiosa visión de destino ineludible en *Una meditación* o *Saúl ante Samuel* se contempla ahora expresado en una dimensión puramente humorística. La narración presenta los hechos filtrados por un esfuerzo clarificador, pero que manipula en cada secuencia la ración de datos proporcionados. Todos son claros pero incompletos y mediante un moderado esfuerzo, ya clásico en la novela de nuestros días, el lector puede completar lo que no se da. La representación es impresionista pero nítida, implica sobre todo una percepción externa del mundo presentado. Constituye en esencia una magnífica adición a las otras perspectivas.

El texto literario de Benet amplía constantemente el examen de sus posibilidades. Dice el autor: «Si la relación entre naturaleza y representación se ha complicado es porque ésta adopta el mismo método sibilino de la realidad para manifestarse por medio de ocultaciones»[18]. Existe una concepción clarividente de las posibilidades y los condicionamientos de la creación artística. Se muestra por parte de Benet una voluntad expresa de investigación del lenguaje literario como medio de conocimiento de la naturaleza. En la totalidad de su obra se puede advertir una total coherencia. Es factible percibir dos tipos de coordenadas esenciales: las que a la manera de marco sintagmático tienden a presentar unas situaciones caracterizadas por mutuas oposiciones y tensiones; y la múltiple, casi infinita variedad de posibles alternativas para cada una de las situaciones, siguiendo en este caso una ordenación que podríamos llamar paradigmática. Por otra parte la metáfora y su procedimiento creador de tipo sintético, expresado en un discurso que continuamente sugiere vacíos, nos obliga a establecer un tenso diálogo con los textos cuyo resultado es, en definitiva, el mundo novelesco de Región.

[*Modern Language Notes*, 98, marzo de 1983, 250-258.]

[18] Juan BENET, «Prólogo», cit., p. 9.

III

OTRAS HISTORIAS, OTRAS NARRATIVAS

GONZALO NAVAJAS

EL SIGNIFICADO DISEMINADO DE *EN EL ESTADO* DE JUAN BENET

Creo que no es inexacto mantener que no hay otro momento como el actual en que sea tan manifiesta la confluencia de la orientación del discurso realizativo (de la literatura de creación) y el cognitivo (de la crítica). Sería necesario trasladarse a la época de la unidad del saber clásico, en que todavía era posible la universalidad del conocimiento, para hallar una comunidad de propósito afín a la que se experimenta en la actualidad entre la literatura y la crítica.

Esta unión de ambos discursos se produce después de una larga separación ocurrida sobre todo con el advenimiento de la crítica histórica del siglo pasado; es un fenómeno reciente que se materializa a partir del cuestionamiento de la crítica informativa y de cuantificación y estudio de datos, considerada supuestamente como científica. Los resultados han sido numerosos e importantes y han contribuido a una fecunda eclosión de lenguajes críticos. Una de estas consecuencias es la progresiva desaparición de las fronteras jerárquicas que delimitaban rígidamente los discursos realizativo y cognitivo, y establecían gradaciones de precedencia entre ellos. No hay ya un lenguaje primario (la literatura) y otro secundario y ancilar (la crítica) sino una intertextualidad mutua, sin origen definido, en la que las relaciones son multidirecciona-les.

Esto se comprueba en bastantes textos de la ficción actual en la que se ha operado un movimiento de ruptura de la normativa ficcional, paralelo, en su orientación y finalidad, al que se ha producido en el discurso propio de la crítica deconstructiva que difiere de la corriente estructuralista predominante durante algún tiempo. Tanto en el caso de la ficción como del pensamiento crítico, el rasgo determinante de esta ruptura se caracteriza por una investigación renovada del significado. Lejos del propósito de unidad y sistematización para explicar la realidad (propósito que sustenta teóricamente a la crítica anterior), hallamos ahora un interés predominante en acercarse al mundo y al texto no para pretender incluirlos dentro de una retícula interpretativa, construida según una misma unidad significativa, sino para investigarlos a partir de la discontinuidad y la dispersión. Frente a la unidad se propone la diferencia; frente a la verdad con carácter universal la diseminación de significados múltiples[1].

Tanto el discurso cognitivo como el realizativo han abandonado el concepto de la interpretación como un desciframiento final de la verdad y han adoptado otro nuevo en el que la interpretación se considera como un juego infinito de diferencias[2]. Ya en 1964, Lévi-Strauss, en un libro todavía fiel al estructuralismo, *Le cru et le cuit*, reconocía que el estudio de los mitos no puede ser reducido a la unidad y que su propio libro sobre los mitos de las tribus indias del Brasil carecía también de unidad[3]. El pensamiento deconstructivo amplía y profundiza la visión de Lévi-Strauss que él no llegó a desarrollar en su libro. El estudio del modo múltiple y contradictorio de significación del texto se ha convertido en el núcleo de la literatura. Se ha sobrepasado así el viejo tema de la referencialidad que dominó durante largo tiempo el discurso de la literatura desde los tratados estéticos de Auerbach y Lukács y sus subsiguientes derivaciones[4].

Existen algunos textos de ficción en el medio hispánico que incorporan esta orientación nueva del pensamiento de la literatura.

---

[1] Christopher NORRIS, *Deconstruction. Theory and Practice*, Londres, Methuen, 1982, pp. 1-17. La crítica deconstructiva, pese a lo que mantengan sus más tenaces defensores, no es la única que se plantea la cuestión del significado desde perspectivas nuevas. Lo que sí hace esa crítica es convertirla en el campo casi exclusivo de su investigación y propugnarla con particular agudeza y fervor.

[2] Roland BARTHES, *Le plaisir du texte*, París, Editions du Seuil, 1973. Este concepto de la interpretación produciría una lectura que sería consecuente con los rasgos que Barthes señala para el texto del goce frente al texto del placer. Frente a la visión reconfortante del texto del placer, el texto del goce es «celui qui met en état de perte, celui qui déconforte (peut-être jusqu'à un certain ennui), fait vaciller les assises historiques, culturelles, psychologiques, du lecteur, la consistance de ses goûts, de ses valeurs et de ses souvenirs, met en crise son rapport au langage» (p. 25).

[3] Claude LÉVI-STRAUSS, *Le cru et le cuit*, París, Plon, 1964, p. 13.

[4] Superación no equivale a desaparición, no-existencia. Se siguen produciendo obras que continúan centradas en el tema de la referencialidad. Algunas de ellas tienen un renovado interés.

Uno de ellos, que juzgo de especial interés, es *En el estado* de Juan Benet[5]. Este libro ilustra de manera paradigmática el movimiento en contra de la unidad del texto que lo aleja de la necesidad de hallar para él una *arché* u origen heurístico a partir del cual pueda construirse el libro y realizarse luego su explicación crítica. Este fenómeno informa todo el texto y se revela en numerosos aspectos suyos. Voy a concentrarme en la consideración de tres de los que creo más destacados: la destematización conceptual, la destructuración de la trama y la indirección del lenguaje.

La destematización consiste en la ruptura que hace el texto de los núcleos o focos posibles de significación que podrían darle una consistencia temática y encaminarían el proceso de desciframiento de la lectura de modo seguro[6]. En un texto novelístico convencional, el texto y la lectura de él proceden de un foco significativo a otro y estos focos funcionan a modo de grandes jalones o puntos de señalización del avance de la narración. En lugar de esta consolidación progresiva del texto, hallamos en *En el estado* un deslizamiento ininterrumpido de las claves de la significación; no llega a hallarse nunca con precisión el inicio o la clausura de la significación y su identificación queda prorrogada *ad infinitum*.

Hay manifiesta en *En el estado* una actitud de desconfianza ante los que han sido considerados tradicionalmente como grandes temas del pensamiento occidental y los términos del lenguaje que los designan: el ser, el yo, el amor. El texto pretende situarse deliberadamente al margen de esos temas por considerar inválidos el planteamiento que se ha hecho de ellos y su caracterización como categorías esenciales absolutas; pero al mismo tiempo no puede prescindir de ellos por completo. Como decía J. Derrida en un importante ensayo de *L'écriture et la différence*, el texto moderno, anticonvencional, se sitúa más allá de la esencialidad porque se concibe como la negación de las categorías fijas e

---

[5] Que lo juzgue de interés no significa que sea el más valido. Otros textos de Juan Benet podrían ser tanto o más interesantes, *Un viaje de invierno*, por ejemplo. *En el estado* presenta la ventaja de que lleva algunos conceptos y tendencias a sus consecuencias-límite y la verificación de las ideas propuestas puede proceder de modo más directo.

[6] Las referencias bibliográficas en torno al aspecto de la tematización en la ficción no son abundantes. El ensayo clásico de Boris TOMASHEVSKY, «Temática», sigue siendo de interés como un posible punto de partida. (Lee T. LEMON y Marion REIS, *Russian Formalist Criticism*, Lincoln, University of Nebraska Press, 1965, pp. 61-95). También, aunque de modo más fragmentario, pueden hallarse ideas en Seymour CHATMAN, *Story and Discourse*, Ithaca, Cornell University Press, 1978, caps. I y II.

incuestionables, pero supone otra forma de esencialidad última, de «superesencialidad», una categoría terminal que estaría por encima de todas las precedentes: la negación y la ruptura pueden llegar a convertirse en la afirmación total de sí mismas[7]. *En el estado* es consciente de esta insatisfactoria alternativa y procura prevenirse contra ella; la evita cuidadosamente a lo largo de todo el texto e incluso al final, como veré más adelante, se permite una actitud irónica y de duda con relación a sus mismos principios.

Dos son los puntos centrales que ocupan un espacio amplio de significado en el texto: la guerra y el sexo. De un modo que conecta con la visión de Foucault, la materialización total del poder (la guerra) y de lo puramente corpóreo (el sexo) se han asentado en el modelo social mitificado donde queda ubicado el libro: el Estado[8]. Ambos permean y dominan la realidad ideológica del Estado que articula o, más precisamente, determina las palabras y los actos de las figuras-personaje que lo habitan. Una de las funciones del texto será deconstruir o desrealizar el sistema axiológico del Estado que, aunque da un sentido a la realidad, lo hace de modo perverso, no deseable.

La guerra se halla desrealizada, descalificada en su validez, a partir del discurso militar mismo, no desde la crítica de un observador externo. La injustificación y el absurdo de la palabra militar se mostrarán desde la palabra militar, verbalizada y presentada por los propios militares. Esta verbalización se produce además sin oposición alguna a las personas que la pronuncian. Diversos miembros del ejército hacen sus afirmaciones en torno a la guerra de modo incontestado y esas afirmaciones cobran así un valor absoluto. La deconstrucción tiene lugar a partir de las lagunas morales y lógicas que el discurso militar presenta en su desarrollo. Se ve así en este pasaje, en el que un coronel se refiere a alguno de los problemas encontrados por sus tropas en un avance en territorio enemigo:

> Un mal que aqueja al soldado más arrojado y a la más firme voluntad de conquista cuando enfrente no encuentra la resistencia que debería encontrar. Se lanzan al combate poseídos del más alto espíritu de lucha,

---

[7] Jacques DERRIDA, *L'écriture et la différence*, París, Éditions du Seuil, 1967, p. 398. Derrida se refiere en particular a los textos de G. Bataille, pero sus afirmaciones tienen mayor extensión y son aplicables a la literatura posclásica en general.

[8] Michel FOUCAULT, *Power/Knowledge*, Nueva York, Pantheon, 1980; también del mismo autor, *Histoire de la sexualité*, París, Gallimard, 1976.

entrega y sacrificio y no encuentran con quién luchar ni dónde sacrificarse... Es horrible. No se atreven a volver atrás pues *¿cómo van a volver a su patria con las manos vacías, sin haber consumado el menor sacrificio?* Así que seguirán avanzando... *Las razones de la guerra ¿quién se acuerda ya de ellas? Y ¿para qué? ¿Acaso no eran meros pretextos?* (cursiva mía)[9].

El coronel habla desde la verdad, desde una absoluta *adaequatio intellectus et rei*, como si la guerra fuera el orden natural del mundo y las razones para justificarla fueran totalmente innecesarias. Que el coronel pertenezca al ejército prusiano (paradigma de lo militar) y que el conflicto bélico se refiera a uno de los grandes enfrentamientos clásicos del ejército alemán con sus enemigos inmemoriales europeos son hechos que acentúan el carácter universal de sus aserciones y la generalización de la desvirtuación de la guerra, que sus mismas palabras conllevan.

En otras ocasiones el discurso militar pone de relieve no sólo su arbitrariedad sino también su falta de capacidad para significar. Detrás de la aparente precisión y tecnicismo de su lenguaje se encuentra tan sólo la nada de significado:

En cuanto el 1er Cuerpo de reserva toma posiciones en la línea Alt-Vierzighufen-Kirschdorf, sin haber detectado al enemigo, el general von Below, de acuerdo con el 17º Cuerpo de ejército, decide no avanzar más que con unos destacamentos de la 36ª División hacia Klein-Bössau contra el flanco de los rusos que operan al este del lago. La masa principal del ejército de von Below continúa su marcha hacia el extremo sur del lago Daday, a fin de cortar la retirada del 6º Cuerpo ruso. El comandante de la 4ª División rusa se ve obligado...(197).

El coronel prosigue de modo invariable su narración en la que se entremezclan mecánicamente términos como divisiones, brigadas y bajas, sin que en ningún punto aparezca su sentido y necesidad. El discurso de la guerra procede, en el Estado absoluto y universal del texto, como un mecanismo autosuficiente que, si en algún momento del pasado tuvo una causa concreta para su creación, existe ahora más allá de toda razón. La guerra, uno de los fundamentos del Estado, queda destematizada; es uno de los focos temáticos del texto pero no se elabora una anécdota o historia a partir de ella (Cf. *Guerra y Paz*); se presenta sólo en su

---

[9] Juan BENET, *En el estado*, Madrid, Alfaguara, 1977, p. 176.

negatividad, y se muestra su ausencia de valor, su incapacidad de generar signos culturales auténticos.

La sexualidad fijada de manera absoluta en lo corpóreo es otro de los fundamentos del Estado y sufre un proceso de desrealización parecido al de la guerra. En numerosos textos de ficción, lo erótico sirve como importante núcleo o centro generador de significación en el texto. Las relaciones amorosas proveen un vínculo temático que se utiliza para hacer progresar la acción y darle una unidad general. En *En el estado* no existe la dimensión amorosa pero sí la sexual que aparece con frecuencia de modo ostensible y a veces espectacular. Y, sin embargo, la sexualidad no da origen a relaciones que se desarrollan a lo largo del texto. Produce, por lo general, monólogos delirantes de alguna de las figuras femeninas y alguna que otra alusión a las extrañas conexiones existentes entre el Sr. Hervás y la Sra. Somer, la hija de ambos y Ricardo, su yerno. La sexualidad no origina una tematización real y, al igual que la guerra, se presenta desvirtuada, ahora por modo paradójico: el deseo y la actividad erótica se convierten en la motivación central de las vidas de algunos personajes y al mismo tiempo la realidad y la validez de ese deseo se ven disminuidas o negadas por el comentario irónico o sarcástico. Así, por ejemplo, una de las figuras femeninas confiesa dedicarse por completo al placer y manifiesta que ése es el único impulso que rige su vida: «Había recobrado mi soberanía en la sumisión absoluta al placer y podía mirar cara a cara a todo lo desprovisto de destino» (165). El discurso de esta figura se extiende en minuciosas descripciones de su actividad erótica, que parecen confirmar la importancia fundamental que el sexo tiene para ella, pero, al final de su monólogo, su discurso se desdice a sí mismo por medio de la inclusión de datos extemporáneos que restan verosimilitud y consistencia lógica a lo presentado: «Aquí hay un mozo rural que quiere ser introducido a Vuestra Alteza. *Husband, I come*. No acierto a saber qué astro ha ordenado un nuevo descenso a la paridad pero en cualquier caso os trae unos higos. *So, have you done?* ¿Para qué quiero yo unos higos? Destruiré esta prisión de la carne, haga lo que haga César....Me parece que Antonio me llama» (166).

La primera frase del pasaje supone un cambio abrupto y no explicado del origen de la perspectiva del monólogo hacia un personaje que se dirige a la figura femenina. La procedencia de las frases en inglés es dudosa. Pueden ser dichas por el mozo rural, que ha sido presentado a la figura femenina, o pueden ser pronunciadas por esta misma figura que se anuncia a sí misma la llegada de un nuevo amante. En ambos casos, la utilización del inglés como lengua transmisora del discurso es inmotivada y desprovee de realidad a los hechos, de modo parecido a como ocurre con el tono ceremonioso («Vuestra Alteza») que surge inesperadamente. La referencia a los higos y a César y Antonio (figuras con resonancias teatrales shakespeareanas, pero carentes de una existencia real en el texto) es también inexplicable desde un punto de vista lógico y su mera presencia rompe no sólo la credibilidad sino también la continuidad y el dramatismo del discurso del personaje. La fuerza exclusivizante y absoluta de la sexualidad en la vida del personaje aparece reducida, cuando no eliminada, por la utilización del humor y de elementos inconsistentes con la naturalea del resto del discurso. Lo sexual aparece destematizado, transformado de valor absoluto, que domina la vida de algunos ciudadanos del Estado, en un elemento que es posible someter a un movimiento deconstructivo.

En otras ocasiones son los conceptos filosóficos o metafísicos más universales los que son sometidos a la desrealización. El tema del ser, de filiación filosófica tradicional, es puesto en entredicho por medio de la parodia, que se produce por la magnificación excesiva del lenguaje propio de la metafísica: «Por consiguiente, participando en el ser del siendo y en el no-ser del ser no-siendo, lo que es podrá plenamente ser. Y lo que no es tendrá que participar en el no-ser del no-ser-siendo... Así, pues, el ser es y el no-ser no es» (117). El ser, que sigue ocupando desde perspectivas diversas a algunos representantes del pensamiento deconstructivo, como Derrida, pierde toda validez posible en el texto de J. Benet. Los términos propios de la investigación filosófica del ser se combinan de tal manera que son mostrados como vacíos de significado. La negación de la validez del estudio del ser, de importancia primordial en la filosofía, apoya en *En el estado* la desvalorización de las realidades absolutas y de los conceptos o temas en torno a los cuales podría elaborarse una unidad significativa del mundo.

Otro concepto que es también desrealizado es el del tiempo. La idea del tiempo ha servido como uno de los modos de organización de los datos desconectados de la realidad. La secuencia cronológica de hechos permite el establecimiento de un principio seguro de ordenación de experiencias que contribuirá a darles sentido. El tiempo esencializa la realidad. La cadena temporal lineal que procede del pasado al futuro a través del punto intermedio del presente; la división en unidades y segmentos (horas, días, meses, etc.) de lo que, de otra manera, sería la masa impenetrable de la existencia inmutable del mundo son factores que hacen que los objetos, los hechos y los actos de la realidad encuentren una ubicación apropiada en un sistema consistente. La dimensión temporal estructura y jerarquiza el mundo; es un modo fundamental de iniciar la significación. La mayoría de los textos de ficción se desarrollan en torno a las diversas variantes de la forma biográfica (las novelas cuentan vidas o fragmentos de vidas), en la que la temporalidad tiene una función determinante. Se podría decir que en estas novelas la temporalidad alcanza un grado de perfección desacostumbrado en la vida real, ya que la evolución de los acontecimientos de la biografía de los personajes suele poseer una finalidad clara que es infrecuente en la concatenación azarosa de hechos, propia de muchas vidas de la realidad. La ficción se organiza temporalmente y esa primera organización implica una posibilidad de unidad significativa y de justificación de los hechos presentados.

Es de interés notar que en la ficción convencional se llega a la ordenación cronológica a partir de una actitud teórica subyacente: es posible ubicar los hechos en una estructura temporal porque se asume *a priori* que el mundo puede ser unificado en torno a un sentido y el tiempo es una manifestación de ese sentido. Se deja de considerar que el tiempo es una categoría artificial que no preexiste al hombre sino que está culturalmente determinada y que, por consiguiente, el hombre impone a la realidad de manera arbitraria. *En el estado* se aleja de esta visión de la temporalidad. Esto se manifiesta en la ausencia de un encadenamiento temporal lógico de acontecimientos: el texto carece de una continuidad y progresión desde un principio a un fin identificables. Pero eso no sería particularmente distintivo ya en el momento actual de la ficción, después de los numerosos y elaborados experimentos de ruptura temporal que ha producido la novela a partir de Proust y Joyce. Lo que es más peculiar e intrínseco en el texto de Benet es la naturaleza del tiempo más que el modo particular en que éste es presentado. En los textos de la ficción posjoyciana cambia la distribución y parcelación del tiempo pero la esencia del tiempo no se altera de modo básico. El tiempo es concebido en torno a una imagen de plenitud, de lo lleno: el tiempo abarca dentro de sí datos, sucesos, los fragmentos o la totalidad de las vidas de seres humanos. Dentro del receptáculo organizativo del tiempo cabe todo. Hay mayor desorden y ausencia de jerarquía cronológica en la novela posclásica que en la anterior, pero, en ambas, el tiempo es una estructura mensurable tridimensional (al modo de la figura geométrica del cubo), que incluye eventos, hechos, igualmente medibles, como si poseyeran volumen.

En *En el estado* este concepto del tiempo, de inspiración newtoniana, ha dejado de tener vigencia. Tanto el tiempo como la realidad carecen de sustancia, de dimensionalidad. No pueden incluirse uno dentro del otro —complementarse— porque ambos están vacíos[10]. Así lo percibirá una de las figuras del texto, Gapón, inmerso en uno de los insólitos monólogos de la novela: «El tiempo no es pleno como no lo es tampoco la materia y en su seno existen vacíos cerrados e incomunicados como las burbujas en el líquido. Por eso le pregunto, entre ayer y hoy ¿cuánta nada ha ocurrido?, ¿cuánto tiempo hemos estado muertos, si así lo prefiere?» (150). El tiempo pierde su cualidad de fijar y mensurar la realidad porque los componentes de la realidad son inaprensibles para las categorías de la razón y entre ambos media una separación no superable. La realidad ocurre al azar, sin justificación, y la ordenación temporal es por lo tanto un modo superfluo de aproximarse a ella. Éste es uno de los motivos por los que la lectura de *En el estado* es una lectura de impresiones inciertas más que de juicios seguros; el lector advierte que los diversos incidentes de la novela —y es un texto que abunda en ellos— es como si no empezaran ni terminaran nunca en realidad; su existencia es contingente e injustificable, de una manera que recuerda los rasgos de la conducta de Sísifo. El mismo Gapón así lo confiesa, señalando la paradoja de una realidad que es sin llegar a ser nunca del todo: «Llevo muchos años secuestrado en este irrespirable sótano, pero siento —lo siento aquí dentro, en el pecho— que es el único lugar *donde podré llevar a cabo mi cometido aunque, estando siempre a punto, no llegue a empezar nunca*» (cursiva mía) (154). Las palabras de Gapón no difieren en mucho de algunos conceptos de la filosofía existencialista. Pero el texto de *En el estado* se halla lejos de esa dimensión filosófica. No está preocupado tanto en las consecuencias humanísticas o éticas de la contingencia de la realidad como en sus implicaciones para el mundo de la significación. *En el estado* está vacío de humanidad; o, más precisamente, el hombre aparece descentrado, convertido

---

[10] Creo que no sería difícil mostrar que el texto de Benet está en contacto, en este punto, con los conceptos de la temporalidad que proceden de la teoría einsteiniana del tiempo. Véase Bertrand RUSSELL, *The ABC of Relativity*, Nueva York, George Allen and Unwin, 1969.

en una pieza no decisiva en el campo de la significación. El texto de Benet responde a la notoria evolución que ha tenido lugar en la escena intelectual desde los textos de Heidegger y Sartre —en los que todavía el eje de elaboración del pensamiento es el hombre— a los de Foucault y Lacan, en los que la categoría «hombre» queda subsumida a otras categorías culturales más esenciales que lo incluyen[11].

Como consecuencia del rompimiento del impulso de unificación significativa, se produce en *En el estado* una destructuración de la trama, del sistema que organiza los diferentes hechos del texto para que produzcan una impresión de totalidad coherente[12]. Esto afecta no sólo el modo de construcción del texto sino también el proceso de lectura. Hay una descodificación de las normas del código de la expectativa ficcional del lector que le asisten en la estructuración del texto al leerlo. Las lexias o unidades de lectura, los cinco códigos básicos propuestos por Barthes en *S/Z* de modo tan minucioso y atrayente, no tienen vigencia en *En el estado* porque el texto se hace a partir de la subversión de ellos[13]. La novela de Benet es consciente de la expectativa del lector pero, en lugar de darle una satisfacción, la alimenta por algún tiempo para defraudarla luego. Ocurre así con el viaje, núcleo de significación recurrente en la obra de Benet.

El contexto más general de *En el estado* es el viaje de una pareja, el Sr. Hervás y la Sra. Somer, a una localidad del Estado llamada La Portada. El viaje recibe destacada atención en el primer capítulo y en momentos subsiguientes del libro, de modo que la intencionalidad heurística del lector queda orientada inequívocamente hacia un viaje y sus posibles ramificaciones[14]. El viaje aparece no sólo mencionado marginalmente, como una excrecencia supletoria del texto, sino que se ve repetidamente presentado con prominencia en algunos pasajes: «En cuanto al viaje, resultaba

---

[11] Michel FOUCAULT, *Les mots et les choses*, París, Gallimard, 1966, p. 353. Jacques LACAN, *Écrits I*, París, Éditions du Seuil, 1966, p. 162.

[12] Sobre la trama novelística los estudios son más numerosos que sobre la tematización. Ver, entre otros, Jonathan CULLER, *Structuralist Poetics*, Ithaca, Cornell University Press, 1975, pp. 205-224, y Claude BREMOND, *Logique du récit*, París, Éditions du Seuil, 1973.

[13] Roland BARTHES, *S/Z*, París, Éditions du Seuil, 1970, pp. 20, 25, *et passim*.

[14] Sobre las dos posibles lecturas del texto, ver Michael RIFFATERRE, *Semiotics of Poetry*, Bloomington, Indiana University Press, 1978, p. 5. Sobre el fecundo tema del lector ver, entre otros, Wolfgang ISER, *The Implied Reader*, Baltimore, The Johns Hopkins University Press, 1978, y Jane TOMPKINS, ed., *Reader-Response Criticism*, Baltimore, The Johns Hopkins Univ. Press, 1981.

tan *insólito* y *distinto* de la rutina diaria que todos los años, en cuanto asomaba febrero, salía a colación no sólo como *festejo* con el que *celebrar* el final del duro invierno, no sólo como *premio jubilar* a una larga edad empeñada en el trabajo sino también como *liberación* al austero enclaustramiento en el piso de la calle del Almirante y *umbral de una nueva época cargada de promesas y abierta a todos los horizontes*» (cursiva mía) (53). A pesar de que estas aseveraciones están matizadas por la ironía (transmitida por el exceso linguístico y encomiástico), no hay duda de que el viaje del señor Hervás y su familia es convertido en un objeto narrativo de una importancia singular. Los términos utilizados para caracterizarlo así lo prueban: «insólito y distinto»; «premio jubilar», «liberación del austero enclaustramiento», «umbral de una nueva época...» El viaje tiene además una raigambre ancestral en el paradigma de la ficción, desde el viaje primordial de Ulises en *La Odisea* hasta las jornadas de Don Quijote por diversas zonas de España. De alguna manera, el viaje se asocia con la naturaleza más íntima de la ficción y connota en ella la realización de unos episodios o incidentes dentro de una estructura bien definida. Por estas razones, la expectativa del lector de *En el estado* hacia el viaje no hace sino intensificarse con la esperanza de que las acciones ilógicas e inconexas del libro podrán quedar incluidas en un momento determinado dentro de una serie explicativa en torno al viaje. Sin embargo, no es así. El viaje no llega a materializarse. El libro se abre con la llegada a La Portada y concluye con esa misma llegada. La implicación es que no ha acontecido nada; el viaje no tiene episodios, el retorno a Itaca ni siquiera ha comenzado. La jornada mítica de la ficción ha sido desrealizada, desprovista de su antigua funcionalidad y la intencionalidad de lectura queda desvirtuada, sin dirección ninguna.

Otro modo de estructuración de la trama ocurre por medio de la creación de situaciones en las que se produce un intercambio de relaciones entre personajes y, a través de él, un crecimiento y desarrollo de la acción. En el texto de Benet hay profusión de estas situaciones pero aparecen rotas, descalificadas por el texto mismo a poco de iniciarse. Voy a elegir una de ellas entre numerosas otras posibles. El procedimiento que se sigue en estas situaciones tiene una estructura similar y mi lectura de la situación seleccionada tiene un carácter emblemático:

«Parece que no hay nadie», observa la Somer, con la vista clavada en una botella, cuando se van disipando las tinieblas para dar paso a la penumbra. El señor Hervás da unas palmadas cuyo repique, al apagarse, hace más patente el zumbido de las moscas, y dice para sus adentros: «El vigor». La Somer despliega su abanico con el que golpea su moteado pecho, con el mismo ritmo y el mismo chasquido con que el caballo sacude sus cuartos con la cola, para aliviarlos de las bestias. El señor Hervás comprende que ha llegado el momento de dar ciertas muestras de impaciencia —sentimiento que no le gusta experimentar en público— y encaramándose sobre las puntas de los zapatos, grita:

«¡Casa!»

«Ajá, la clientela», posiblemente se trata de la voz de las tinieblas... «La clientela, la clientela, ya lo decía mi padre. ¿Acaso esperáis a la hora de pecar?... Soy el titular de un negocio y, por consiguiente, el adelantado de la doctrina de la libre empresa en estas tierras asoladas por la impiedad... ¿Entendido? ¿Conformes? Pasemos entonces al siguiente punto. ¿Qué desean ustedes tomar?» (60).

La situación recoge la entrada en un ventorro de Hervás y la Sra. Somer. Los tres personajes implicados en la escena, los dos mencionados y el dueño del local, asumen actitudes y realizan acciones que apoyan las suposiciones convencionales que el lector aplica en situaciones semejantes: La Sra. Somer dirige su mirada hacia un objeto propio del comedor de un local de comidas y bebidas: una botella; Hervás da una señal obvia (unas palmadas) para hacer manifiesta su presencia; el propietario del ventorro contesta a esa señal. El entorno físico también responde a lo previsible: la oscuridad absoluta se convierte en penumbra para Hervás y la Sra. Somer a poco de su entrada en el local, experiencia universal con la que el lector puede identificarse inmediatamente. Los datos para poder emprender una verosimilización de la escena con un significado unitario son patentes. Todo parece indicar que, a partir de ellos, se desarrollará una red de relaciones humanas consistentes que, con el diálogo o los actos de los personajes, ampliarán la trama y la harán progresar con seguridad. Pero las asunciones del lector orientadas en esa dirección se ven desmerecidas pronto. Las palabras y los actos de las tres figuras no sustentan la legítima expectativa de la escena sino que la destruyen. Las palabras extemporáneas de Hervás («El vigor», «¡Casa!») y sobre todo el absurdo e imprevisible monólogo hablado del dueño del ventorro (que comienza con «Ajá, la clientela») rompen la posibilidad de establecer una comunicación dialógica significativa entre ellos. La peroración del dueño con invectivas a sus clientes y su disquisición en torno a la libre empresa son obviamente ilógicas y altamente improbables en el contexto presentado. El símil entre los golpes de la Sra. Somer con el abanico sobre su pecho y el sacudimiento de la cola de un caballo resta también veracidad a la escena y la desvirtúa en su significación. Las últimas palabras del dueño («¿Qué desean ustedes tomar?»), que serían las únicas de esperar en un primer intercambio entre la persona que atiende las consumiciones de un lugar de bebidas y sus clientes, ocurren al final y, en lugar de contribuir a la edificación de la trama, la desbaratan más todavía, al poner de relieve el contraste entre lo procedente y esperable y lo que ocurre en realidad.

Las repeticiones son otro modo de construcción de la trama ya que contribuyen al establecimiento de una continuidad que se introduce entre las diferentes partes del texto, aumentando así la vinculación entre ellas. Hay bastantes repeticiones de este tipo en *En el estado*. Pero su excentricidad y falta de lógica no hacen sino incrementar la incertidumbre del lector en lugar de resolverla. Las frecuentes (y a veces extensas) alusiones a la diligencia de Concarneau, a los rasgos circasianos de algún personaje, al pope Gapón ocurren sin justificación y emergen en la superficie del texto como objetos espúreos que no es posible incorporar significativamente al texto, contribuyendo así a su efectiva deconstrucción.

Los títulos de los capítulos del libro destacan por su número y extensión. Un título es habitualmente una especie de sumario o indicación de lo presentado y puede incrementar por ello considerablemente la unidad significativa del texto. En *En el estado* los títulos no cumplen esa función. Algunos títulos aluden a un referente literario («Un tema de otro tiempo» recuerda una obra de Ortega y Gasset; «La vuelta de Durandarte» se refiere a la literatura épica); pero esa referencia no se ve suficientemente justificada en el capítulo. Otros anticipan un contenido que luego no aparece en lo presentado, por ejemplo: «Uno de los muchos impuestos con que las leyendas gravan la razón de Estado» o «De las operaciones relativas al conocimiento y de algunas circunstancias que tienen sobre él una influencia particular». La solemnidad y la culta precisión de estos títulos subrayan más su absurdo al ser relacionadas con la aparente inanidad de los capítulos.

Vemos que los elementos estudiados (viaje, escenas, repeticiones, títulos), que en el paradigma ficcional cumplen una función constructora de trama, en *En el estado* tienen otra opuesta. Algo parecido ocurre con el lenguaje. En lugar de caracterizarse por la inmediatez de un significado, que facilite el acceso del lector al texto, el lenguaje de *En el estado* tiene como cualidad fundamental la indirección. De modo paralelo a *Finnegans Wake* de Joyce y *Glas* de Derrida, el lenguaje de *En el estado*, en lugar de significar *per se*, es un lenguaje diseminado en otros textos y otros lenguajes; se multiplica en un deslizamiento semántico que no llega nunca a detenerse. La incorporación frecuente de pasajes donde se adopta la sintaxis y el vocabulario de textos como *La Ilíada*, con la utilización de símiles y epítetos inequívocamente homéricos; la inclusión de expresiones propias del lenguaje de los Evangelios; de tecnicismos típicos del lenguaje de tratados militares y libros de erudición son un índice claro de que el texto no quiere emplear un lenguaje único y, en lugar de tener una identidad linguística definida, prefiere una diseminación de identidades que no pueden ser aprehendidas del todo. Esa es la razón de la imbricación de lenguajes, distintos y a veces contradictorios, que en *En el estado* se presentan combinados con completa naturalidad. En el siguiente fragmento, las palabras del diálogo son proferidas por dos personajes que se hallan con Hervás en el ventorro. Su condición vulgar hace más sorprendente el lenguaje que emplean:

«¿Cara a cara? ¿Cómo voy a mirarte a la cara si careces de ella?»
«Oh, señor, sois cruel con este pobre esclavo que se arrodilla a vuestras plantas en demanda de gracia.»
«Ea, madame, concluid semejante farsa. Castilla no es tierra de hurones.»
«Allez, seigneur, sauvez votre vie et la mienne...»
«Voy volando, que aquella sangre fría, que con tímida voz me está llamando, algo tiene de mía.»
«Deteneos.»
«Advertid.»
«Espera, escucha, detente, aguarda.»
(Sale LA LUZ con un hacha encendida).
«¡Ay, Pensamiento, contigo qué de cosas hablar tengo!»
Al final, el último parrafo léalo en voz alta (114).

La combinación de formas de la literatura clásica española y francesa, puestas en boca de dos personajes de una zona remota y sin cultura, destacan la inoperabilidad funcional del lenguaje que no denota significados sino que connota una multiplicidad de referencias culturales. El lenguaje de *En el estado* sirve no para fijar designativamente el texto sino para dispersar su significado.

No es sorprendente que un texto como el de *En el estado* carezca de un clímax y un final, aspectos que forman parte de la expectativa habitual del lector ficcional. El texto no concluye. *Concludere* significa callarse[15]. El texto de *En el estado* no se calla, no opta por el silencio de una significación cerrada, terminada al final del texto. Prefiere la continuación indefinida de lo lúdico, de una actividad que no se justifica a sí misma por razones absolutas, que es suceptible de revertir sus mismos principios y volver a empezar el juego según otras reglas. Por ello, *En el estado* no ofrece resistencia a la paradoja, que se incrusta en el texto, y que anticipaba yo al principio de este trabajo. Al contrario, la asume francamente. Niega la normativa y el lenguaje ficcionales, pero reconoce que está hecho de ellos y que negarlos por completo sería negar su propia existencia. Niega la fijación del significado y, sin embargo, el duro ataque final a la realidad física y humana de La Portada («de hecho nadie se ha amado en ese lugar, que se recuerde», 210) es una afirmación directa de un significado. En realidad, todo el libro es una crítica —hecha a partir del reconocimiento de unos valores implícitos— de los principios del Estado, en el que los seres que lo integran tienen un valor que no se percibe más que por lo negativo y en el que la única afirmación posible ocurre por lo grotesco. Así, el texto no queda clausurado ni siquiera dentro de sus principios ya que, como se ha visto, los cuestiona abiertamente.

Por su indefinición y su cuestionamiento incesante de todos los principios, *En el estado* conduce inevitablemente a la perplejidad del lector. Probablemente sea inaccesible para un lector que se aproxime a él con una expectativa convencional; requiere precisamente el abandono imperativo de esa expectativa y de una perspectiva filosófica fundamentada en la unidad de la razón. Como otros textos de la literatura posclásica, exige del lector un esfuerzo especial, una actitud de apertura y de riesgo que propicien la apertura a formas inesperadas y no descubiertas de la realidad.

[*Modern Language Notes*, 99, nº 2, marzo de 1984, 327-341.]

---

[15] Véase Vincent LEITCH, *Deconstructive Criticism*, Nueva York, Columbia Univ. Press, 1983, p. 253.

RICARDO GULLÓN

SOBRE ESPECTROS Y TUMBAS

Los cuentos y las novelas cortas de Juan Benet han atraído, hasta ahora, menos interés que sus novelas, pese a que entre ellos figura al menos una pequeña obra maestra y varios relatos de misteriosos y sugestivos perfiles. *Una tumba*[1], puede adscribirse al subgénero llamado por los anglosajones «ghost stories», y me parece tan lograda como algunas de las narraciones en que Henry James dejó testimonio de su interés por las secretas fantasías de la mente. Y si menciono a James no es para sugerir lo que en un lenguaje crítico caducado se llamaban «influencias», sino apuntando a una analogía de propósitos, a una coincidencia en el modo de tratar las historias de fantasmas como situaciones favorables a la emergencia de un cierto tipo de revelación, a súbitos o tortuosos descubrimientos de la personalidad. El enfrentamiento con el espectro es expresión de un choque con la parcela oscura del ser y reconocimiento de un miedo, oscuro también, en el sentido de irrazonable, no debido a causas precisas. Tal es el tema, o uno de los temas de *Una tumba*.

En los mejores ejemplos del genero, los espectros son creaciones mentales y pueden ser contemplados desde fuera como alucinaciones o pesadillas padecidas por un individuo, e incluso por un grupo o una colectividad. La creación de un ambiente que haga verosímil tales alteraciones es requisito esencial en este tipo de obras y de ahí la frecuencia con que el fantasma va asociado a los lugares de su aparición: casas abandonadas, espacios desola-

[1] Editorial Lumen, Barcelona, 1971. Las cifras entre paréntesis corresponden a las páginas de esta edición.

dos, castillos o palacios en ruinas... *Una tumba* ocurre en una vieja casa (la casa devastada o en estado de abandono en que las novelas de Benet suelen ocurrir) situada en la zona regionata que constituye el territorio novelesco propiamente suyo, la provincia española y universal de que tratan la mayoría de sus páginas narrativas. Al vincular aquí la casa a un episodio o episodios de la Guerra Civil, complicó y enriqueció la trama, añadiendo a la historia del fantasma un subtexto en que se funde el temor heredado con el odio y el afán destructivo de una multitud, de un pueblo, que en el saqueo y el incendio de la revolución incoada, aunque no realizada, encuentra un medio de desahogar sus miedos y sus humillaciones, y la fuerza para soportarlos, repitiendo, a distancia de casi un siglo, la venganza que en el pasado determinó la conversión de un asesinado en la figura espectral que sin tardanza castigó por extraños y seguros modos a los culpables de su muerte.

El espectro de *Una tumba* se comporta de diferente modo según las personas. Para uno de sus descendientes, con violencia literalmente aplastante, como se hace ver con intenso dramatismo en una página decisiva. El tío del niño en torno a quien se centra la narración, trata de conversar con éste, a solas, pero la puerta de la habitación en que se encuentran se abre, sin que aquél logre cerrarla. Oigámosle: «...entonces su tío se abalanzó de nuevo contra la puerta maldiciéndole: maldito, vete de aquí, tú no tienes nada que decirle, maldito, maldito. Pero no pudo con ella a pesar de empujarla con todas sus fuerzas, con los pies clavados en el suelo. Luego ya sólo pudo decir vete, vete, porque su resuello no le permitía más, jadeando y sudando por aquel esfuerzo infructuoso ante el empuje de la puerta que avanzando continua y lentamente —no venciendo su infinitesimal oposición sino en obediencia a la velocidad que le imponía su propio inhumano e inexorable impulso, como accionada por un émbolo hidráulico indiferente a la acción de sus brazos—, poco a poco le fue acorralando contra la pared del cuarto. Y ya no pugnaba por cerrarla sino —sus manos magnetizadas en el picaporte— por zafarse de su intolerable presión, cuando acudió su padre y a una orden suya no colérica pero sí dominante, consciente del poder que ejercía sobre todo el ignorado dominio, la hoja quedó libre e inerte, soportando en el picaporte el peso del caído sujeto a él con sus dos manos, con la potente y humillada laxitud de un en otro momento vibrante y tenebroso orgullo vencido y amedrentado tan sólo por la mirada». (pp. 91-92).

En *A Small Boy and Others* cuenta Henry James una pesadilla en que se había soñado en situación análoga: luchando por impedir la entrada en su cuarto de alguien que empujaba vigorosamente la puerta, de «un tremendo agente, criatura o presencia»; sólo que en la pesadilla de James, el soñador vence a la presión sin nombre y, como el personaje de algunos de sus cuentos (*The Jolly Corner*, por ejemplo), se convierte en perseguidor de quien le acosa.

La tumba de que se trata en la narración de Benet está en un lugar apartado, en el centro de lo que pudo ser un parque, acaso identificable por las resonancias, sin duda buscadas, que su descripción suscita: «cerrado por aquella cancela de la tarde muerta de verano que, tras atraer en otoño todas las hojas caídas en las inmediaciones, sólo se abría en invierno para barrer la mullida y húmeda hojarasca y despertar, con un rechinar triste y prolongado...» (p. 7). En un conocido poema de Antonio Machado[2] «la vieja cancela», y la tarde, igual que aquí, es «de verano» y «muerta». Menciono el hecho, porque, como la referencia a la página autobiográfica de James, alude a un procedimiento muy del gusto de Benet: la cita, más o menos alterada, acaso es un saludo, el reconocimiento de una relación, un homenaje, algo de esto o todo a la vez. Lo discreto de la alusión puede hacerla pasar inadvertida, y así suele acontecer con otras del mismo carácter insertas en sus obras, sin que, en ninguno de los casos que recuerdo, desvíen el fluir natural del discurso. Son parte de la caracterización obviamente culturalista de la prosa benetiana y por eso mismo surgen con absoluta naturalidad.

Empieza la novelita con una descripción de la tumba y su emplazamiento; después, las figuras: el guarda y el niño, en un presente desde el cual, por sucesivas calas en el pasado irá el lector informándose de acontecimientos ocurridos en momentos anteriores: la integración de éstos en la corriente narrativa se realiza sin violencia, por transiciones que se anuncian de modo muy sutil. Al exponer la actitud del guarda frente al niño (en que se trasluce un temor cuyas causas no se concretan) se deslizó ya, desde las primeras páginas, una alusión al modo como el padre le había mirado (con mirada llena de significación) en un ayer no demasiado remoto, pero del que no se hablará hasta bastante después. Esa especie de terror, al principio inexplicable, que el guarda parece sentir por el niño, lo explicará el progresivo adelanto del relato, y

---

[2] *Poesías completas*, VI.

aún la «explicación» no irá más allá de facilitar unos datos nada inequívocos que al lector corresponde entender. Cuando se advierta que el niño mantiene con el fantasma (su antepasado) una relación particular, los acontecimientos empezarán a tener sentido. El guarda, como el tío del niño, siente la hostilidad latente en la sombra, algo que ambos deben afrontar. Las homologías derivadas de ese enfrentamiento contribuyen a trabar y a reforzar la unidad del texto. Así, anticipando la escena citada hace un momento, veremos al guarda pugnando por cerrar la cancela del recinto en que se halla la tumba, tratando de doblegar «la resistencia que se oponía a sus brazos» y quedando «agotado y sofocado», jadeante, cuando por último consigue su propósito (p. 16).

Como en el caso del tío, el espectro actúa presionando como viento fuerte, lo cual me parece un modo indirecto de señalar su consistencia, muy dentro del gusto de Benet y de su técnica codificante. Sabemos, por la decisiva influencia que una cita y unos nombres tienen en *Un viaje de invierno*, que no sólo es capaz de manejar la lengua griega, sino que puede utilizarla como clave para la expresión cabal del texto.

Pues bien, en griego la palabra «pneuma», espíritu, significa también «viento», y el sumo espíritu, Dios mismo, es (como en el Génesis), para decirlo con palabras de Jung, «un ente formado por el hálito invisible». Jung también nos recuerda que en árabe la palabra «ruh» significa a la vez «aliento» y «espíritu»[3]. Es, pues, muy apropiada la presentación del fantasma, puro espíritu, en forma de viento, y que sea su aliento (el de su esfuerzo en las páginas descritas) lo que perciban quienes se le enfrentan. Y tanto más claramente lo perciben, cuanto que viene de dentro: susurros y aliento se les representan y son representación de lo que ellos, los personajes, piensan.

Reiteradamente se insiste en el recelo, el temor, los sentimientos mezclados que el niño suscita en el guarda. Ello es el primer indicio de que en la criatura hay algo («aquella prestancia que le revestía de una cierta majestad», p. 23) que el pobre hombre no acierta a descifrar. Y siguiendo el modo sencillo y lógico de empalmar lo actual y lo pasado, se introduce el subtema de la Guerra Civil con una pasajera mención de la batalla de la Loma (que en esa parte del país puso fin a la acción bélica), cuyos ecos habían llegado a los oídos del niño. También al describirle

[3] C. G. JUNG, *El Yo y lo inconsciente*. Trad. de S. Monserrat Esteve, Barcelona, Luis Miracle, editor, 1936; p. 56-57.

copiando en un cuaderno su libro de lectura, sirve la ocasión para mencionar a un tercer personaje, la señora, que sobre regalarle el libro le había encomendado la tarea de copiarlo. Aun en el sencillo acto de escribir sospecha el guarda (que es analfabeto) conspiraciones y peligros, aventurándose entonces, por primera vez, la hipótesis de que en esas páginas o a través de ellas podría vislumbrarse la presencia informe que le aterra, y más, el hecho, tan improbable, de que entre tal presencia y el niño se hubiera establecido una especie de tácito pacto.

Que la relación entre guarda y niño esté tejida, sobre todo, de silencios, parece ser exigencia del texto y de la función atribuida a los personajes: éstos dos y la mujer del guarda (única a la que, incidentalmente, se da nombre: María) viven o han vivido en estado de suspensión, de espera, en un tipo de incertidumbre cuya salida se conociera, o se sospechara con buenas razones; de ahí la zozobra del guarda y la serenidad del niño, como si ambos intuyeran el modo en que el destino había necesariamente de cumplirse.

Espera dilatada y al fin interrumpida por una carta que se refiere a la tumba, y no al niño. El tiempo narrativo y el tiempo cronológico son entonces distintos. El «flashback» conduce al verano de 1936, cuando, al comienzo de la guerra, las turbas destruyeron la tumba y tal vez esparcieron los restos allí sepultados. Al contar esta orgía de profanación, el narrador desliza otra clave: esos restos eran «malditos y temidos». No se concretan las causas de la maldición y el temor, mas ya el hecho de que la tumba estuviera donde estaba y no en el cementerio es dato cuya singularidad retiene la atención del lector. Si éste se distrae, si no practica sin desmayo el «close reading» y deja escapar alguna de las claves, las novelas de Benet le negarán la cerrada coherencia que en verdad tienen.

La segunda parte de *Una tumba* presenta a dos personajes, el niño y la señora, en relación muy diferente a la que se daba en la primera entre el niño y el guarda. A la hostilidad le sucede la aproximación, a la repulsa del guarda, la acogida de la señora, que es por cierto soltera, joven y atractiva. Aunque no se dice, ni casi se sugiere, sino de manera muy oblicua, pudiera ser o haber sido amante del tío, de quien, por cierto, aquí se averigua que no se llevaba bien con su hermano mayor, el padre del niño. La relación entre éste y la señora implica un cambio y un enriquecimiento temático y estructural: a la tensión indecisa, de causas mal precisadas, pero evidente en la actitud del guarda, le sucede la derivada de motivos tan concretos como la revolución y la guerra, ya irrumpientes al final de la parte anterior.

Un erotismo sin estridencia surca estas páginas, asociado a otra presencia, no sé si inevitable pero funcionalmente útil para explicar las reacciones del niño: un hombre joven miliciano, jefe político, acaso policía, ingresa en la narración y la altera, alterando el ser y el comportamiento de los demás. Alteración importante que, como todo lo que en la novela se cuenta, va referido en última instancia al niño, que por alguna compensación o complemento se beneficia de la intimidad entre la señora y el miliciano, o lo que sea, estableciendo con ella una intimidad que apaga los insomnios de la criatura. Estos insomnios son el estímulo de su lucidez, y eliminarlos significa que entre los brazos de la señora encuentra calma y olvido. Es como si el tibio cuerpo femenino en que se refugia le devolviera a una condición infantil que antes (después, en la cronología) vimos negada a través de la tensión con que el guarda le observa y le teme.

Y el lector no sólo asiste al descubrimiento de la delicia que el niño y la mujer encuentran en los juegos eróticos, sino al de lo que, aun si nunca recibe tal nombre, acaso pudiera llamarse amor, descrito por el narrador con precisión estilística rigurosa: se hace ver que el niño no entiende del todo lo que le ocurre y que mucho menos podría expresarlo; lo que siente, ni se sugiere, a no ser mostrando que también en este caso el silencio es la única posibilidad de indicarlo. En cuanto a la señora, a lo más que se llega es a caracterizarla por la sonrisa con que, en la mañana, confirma la complacencia que el niño intuye. Diré, al pasar, que estas páginas, esta revelación de la mujer y de la voluptuosidad, apenas tienen precedentes (por su finura) en la narrativa española; tal vez el más cercano a ellas fuera el Benjamín Jarnés que, en «Danae» (nota preliminar a *El convidado de papel*) presenta, con tonalidad más recargada, una escena semejante.

Pero la revolución, ya lo hemos dicho, es en esta parte realidad de primer plano. Contrasta con las luces y sombras de lo anterior (posterior en el tiempo del narrador): llamas de incendios, sombras del combate, partida al fin de la señora, dejando al niño en la soledad insomne en que al comienzo lo encontramos. Estructuralmente, la primera y la segunda parte se complementan, no se oponen: dos realidades existen, coexisten con igual vigor, aunque la sensualidad y la guerra hagan retroceder el tema central.

Sólo en la tercera parte, y de modo un tanto abrupto que disuena de las cautelas precedentes, el tema central, apuntado, esbozado, sugerido en páginas anteriores, alcanza pleno desarrollo. Citaré el comienzo, donde los acordes que, dispersos, anunciaran la melodía, se organizan en forma coherente: «Era la cuarta generación que sufría su enojo. No había disminuido un ápice sino que, antes al contrario, parecía haber ido en aumento, enfurecido más y más por su deshonroso final. Pero incapaz de golpear y revolverse contra sus enemigos —tal hubiera sido su deseo— su forma de vengarse adolecía de cierta innata torpeza como si maniatado en el más allá, sólo le fuera permitido patalear y elevar furiosas protestas de vez en cuando» (p. 56). El texto, explícito, autosuficiente, da por supuesto que el lector ha adivinado la consistencia del fenómeno a que se refiere el «su» (este pronombre, tan propicio a la anfibología, lo utiliza Benet para incurrir en ambigüedades que obligan al lector a un descifrado prudente) y que en consecuencia, se halla en disposición de asimilar la información que puntualizará cuál fue ese final calificado de desastroso y cómo se llegó a esa insólita situación de un espectro impotente para desempeñar con la debida prestancia el papel que por naturaleza y tradición le corresponde. Irónicamente se le reserva el derecho al pataleo y hasta el más reglamentado y burocrático de «elevar» sus protestas a una instancia superior.

El asesinato del bisabuelo del niño, inverosímil en su modo de perpetrarse, si no fuera verdadero y hasta histórico, se cuenta en páginas de violencia tan extremada que en su horrible fascinación son el paralelo antagónico de las que en el capítulo anterior expusieron el descubrimiento de la caricia. Con idéntica seguridad de pulso y reduciendo al mínimo, por la sobriedad del estilo, la parte del folletín, se cuenta el crimen, la persecución de la víctima y al fin la muerte. Lo inverosímil es anulado por el hecho de que la resistencia física del asesinado se ha producido en casos conocidos con características análogas. En este punto, y anticipándose a eventuales reproches, Benet tomó sus materiales de la realidad, acaso de algún hecho, como el asesinato de Rasputín, a quien también, tras envenenarle en un banquete sus fingidos amigos, al comprobar la ineficacia del tóxico en el robusto organismo de la víctima, lo remataron en circunstancias semejantes, aunque atenuadas, a las de *Una tumba*.

La leyenda o, si se prefiere, la novela del espectro, comienza en este punto: disipado en vida, en la muerte su comportamiento se colorea de satanismo (con la salvedad apuntada: su hostilidad admite excepciones hacia quienes considera suyos: el padre (su nieto) y el niño (su biznieto). La leyenda que le acompañó en vida (la de su don de ubicuidad, por ejemplo), se consolida en muerte: sus poderes demoníacos se ejercitan lógicamente contra sus victimarios, pero en los años de la guerra su maligna influencia queda reducida a cero, seguramente, como apunta el narrador, porque «gran parte de sus fuerzas descansaban en las costumbres de sus descendientes y de los descendientes de sus enemigos» (p. 80). El fantasma existe en quienes creen en él; nada patológico, nada truculento: creaciones de la imaginación actúan como agentes del mal e impregnan el espacio novelesco de una perversidad cuya indeterminación las hace más temibles.

Se declara de este modo una posibilidad de lectura acorde con el texto y el contexto. Pues según ya observamos, en la segunda parte, y por presiones cuyo origen más o menos directo procede de la guerra y la revolución, la tensión de la primera parte queda sepultada por otras ocurrencias y otras preocupaciones. La tercera parte, localizada en un ayer más remoto, ofrece una esperable simetría con la precedente: el bisabuelo había combatido en otra guerra civil, batiéndose con éxito contra los carlistas.

Leyenda e historia continuadas en el presente novelesco, en el hoy desde el cual se narra la primera parte. Al llegar a la cuarta y última, el lector está en posesión de todos los datos. El niño, que había sido desplazado de su posición privilegiada, se convierte de nuevo en centro de interés, y asistimos al proceso de su exploración del espacio como medio titubeante de encontrarse y averiguar, a través de lo que le rodea, el carácter de sus sentimientos. La narración, siempre en tercera persona, está escrita desde la perspectiva del personaje, a quien va siguiendo en sus miedos no declarados, en su deambular tímido y osado a la vez, o contrarrestando la timidez con una curiosidad más poderosa que sus temores, en la exploración de las habitaciones donde las sombras acechan. Alejadas del psicologismo, estas páginas, por la mera exposición de cómo el niño, empujado por el vacío que se va cerrando a sus espaldas según avanza en sus exploraciones, atento a las voces que le llaman (las oye, como Juana de Arco las oía, y poco importa de dónde proceden, si no son, como se sugiere, sino «el aliento de su propio yo», p. 86), declaran la ambigüedad de una actitud, de una respuesta automática a estímulos oscuros.

Atraído y atemorizado por los objetos, inmerso en su propia zozobra (y en una seguridad que a pesar suyo le posee) el niño revela la consistencia del fantasma y la del espacio-laberinto en que su imagen se diluye. El recuerdo del día en que el tío luchara con la puerta sin conseguir cerrarla, aumenta sus miedos, calmados si acaso por la seguridad de que el padre vendrá en su ayuda cuando la necesite; se sabe parte de un pacto que le asegura la paz en un futuro augurado por la frase que corre por la narración como un leitmotiv: «más adelante, cuando seas dueño de todo». La señora se lo dice con frecuencia, y en ese «todo» quizá el niño se atreve a incluir el cuerpo femenino en que se refugia.

Sueños y recuerdos se funden en la memoria. La imaginación aporta lo suyo, y si no los transfigura al menos los hace más vívidos, más intensos. Cuando el guarda, otra vez en el presente, acaba de rellenar la sepultura violada, vuelve el niño a oír voces, y a ver a la señora, al padre, al bisabuelo. En el sueño, o en un insomnio equivalente, las puertas se abren y avanza por cámaras y corredores hasta el centro de la casa, hasta la posesión de una soledad que es «la manera de formar parte de todos aquellos que con tanta y tan muda insistencia le habían reclamado» (p. 106). Si en la última página el guarda le maldice, expresando otra vez su angustia, es porque instintivamente, como el perro aullando en la noche a formas invisibles, se ha dado cuenta del cambio: de que en el niño, dueño ya de todo, se integran voluntades o fuerzas que él (y acaso tampoco la criatura) no puede entender.

Reducido a su reflejo en el niño, el fantasma deja ver su textura mental: su ser, que es un ser de los otros y en los otros. El niño, al asumir su nuevo estado, entra en una situación configurada por las maldiciones del guarda. El narrador no se asoma ni por un instante a las conciencias, contentándose con describir el contorno de las ansiedades según se manifiestan en gestos y movimientos. Y oblicuamente, éstos revelan, sobre todo en el niño y en la señora, un complicado juego de fugas y tránsitos de la realidad a la fantasía, y viceversa.

El primero y el último capítulo ocurren, a decir verdad, en el espacio mental, mientras los intermedios acontecen en el mundo contradictorio de lo tangible. Si el comienzo y el final pertenecen al presente, mientras los centrales nos retrotraen al pasado, inmediato en el segundo, distante en el tercero, ello es porque el retroceso en el tiempo es condición necesaria de una profundización de la perspectiva que explica la madurez alcanzada por el joven protagonista. La informulada aceptación del destino y de la figura implícita en tal conformidad, es señal de que el niño ha dejado de serlo, tomando conciencia de lo que es y de lo que está llamado a ser cuando en verdad sea dueño de todo —y de sí.

La soledad y el silencio, los laberintos de la casa y la presión para llevarle a ella, son indicios de que la criatura vive un infierno propio, creado para él por los adultos, como Leon Edel opina que le ocurre a Maisie en el cuento de James («What Maisie Knew»). Y aún, si pensamos en James, observaremos que la hostilidad y la desazón del guarda influyen en la actitud del niño como la de los adultos en la pareja infantil de *The Turn of the Screw*. Atravesando las estancias y galerías solitarias (galerías mentales, sobre todo) el niño cumple un rito de pasaje, la transición de la sospecha al conocimiento. Entre el descubrimiento de la voluptuosidad, que tan pronto le fuera escamoteada, y la asunción del destino, creo ver un paralelismo, y desde luego una conexión, pues el escamoteo del placer le devuelve al desvelo que parece constituirle: «Frío cisne enlutado / Que nadas en los lagos de la sangre. / Cómo me hace temblar tu pico gélido / Cuando en el pecho tu rozar me arde». («Desvelo», de Juana de Ibarbourou).

Espero se me disculpe la aproximación, pues los versos de Ibarbourou aluden más precisamente, y con otra retórica, a esa inquietud que en la página final de *Una tumba* ha sido superada. El cisne enlutado es, como el espectro de la novela, una realidad en su propio plano, el metafórico; con esta diferencia: aquél es visualización de la angustia sentida por la persona que habita el poema, mientras el fantasma es figuración de otros, no del niño, centro de conciencia, ni del narrador, que para hacer inteligible el problema introduce en su tratamiento intermitentes cambios de perspectiva. Que el tío y el guarda luchan con una fuerza invisible, y que el esfuerzo les hace jadear, es un hecho, como lo es el que el niño asista impasible y callado a su combate.

La fidelidad del narrador a la situación descrita y su atención al detalle confieren a la novela una complejidad de que no puede dar idea una lectura que no se permita señalar, a cada paso, los matices introducidos por tan finas variaciones. Como en una composición musical, los temas aparecen y se ocultan, para retornar páginas adelante, o bien en una cita ocasional o bien orquestadas y desarrolladas con amplitud. Si, por ejemplo, el tema dominante en las relaciones niño-guarda es el del presentimiento y el temor con que éste observa y acecha los movimientos y aun la inmovilidad y el silencio de aquél, no faltan instantes, por veloces que transcurran, en que el niño no es más que un niño que necesita acogerse y hasta cogerse al adulto, y el adulto no puede sino desvirtuar la maldición que se le viene a los labios (después de todo, forma parte del rito a que se ve forzado) y, «a su pesar tal vez», pone una mano sobre la cabeza del chico «para desterrar el instante de soledad» (p. 15). Y aun si sólo es un momento fugacísimo, ese momento sugiere la ruptura de la incomunicación entre quienes viven confinados en el silencio. Cuando el placer acerque a la señora y al niño, la comunicación se establecerá sin palabras, sustituidas por el contacto de los cuerpos. El niño, al agarrarse al pantalón del guarda, expresa de modo tímido y tal vez inconsciente la necesidad de una aproximación que le libere del aislamiento, consecuencia de las ansiedades proyectadas sobre él.

Se habrá observado que los personajes no tienen nombre; para designarlos se habla, como he venido haciendo, del guarda, el niño, la señora, el tío, el padre... Roland Barthes afirma que «lo que hoy ha caducado en la novela no es lo novelesco, sino el personaje: lo que no puede ya escribirse es el Nombre Propio»[4]. La afirmación parece excesiva. Más aceptable es lo dicho por el crítico en líneas anteriores; de lo que se habla, al hablar del personaje, «es de su figura (red impersonal de símbolos manejada —en su ejemplo— bajo el nombre propio de Sarrasine), no de su persona (libertad moral dotada de móviles y de una sobrecarga de sentido): se desarrollan connotaciones; no se persiguen investigaciones; no se busca la verdad de Sarrasine, sino la sistemática de un lugar (transitorio) del texto: se marca ese lugar (con el nombre de Sarrasine) para que entre en las coartadas del dispositivo narrativo, en la red indecible de sentido, en el plural de los códigos. Al tomar en el discurso el nombre propio del héroe no se hace más que seguir la naturaleza económica del Nombre; en el régimen novelesco (¿también en otras partes?), es un instrumento de cambio: permite sustituir una mitad nominal o una colección de rasgos planteando una relación de equivalencia entre el signo y la suma: es un artificio de cálculo en virtud del cual, si el precio es el mismo, la mercancía condensada es preferible a la mercancía voluminosa»[5]. La seguridad con que Barthes expone su teoría, esgrimiéndola como dogma, es un tanto inquietante, pero nos orienta hacia un modo de lectura que no deja de tener sus ventajas (aun si sus limitaciones son visibles): la de situar al personaje, como figura, en el texto, y no en la realidad, como persona. El niño, la señora y los demás, actúan en la novela, y será preferible no sacarlos de sus páginas, dejándolos operantes en su espacio propio: el literario.

Volviendo a Benet, recordaremos que la indeterminación del nombre se registra ya en su primera novela, *Volverás a Región*,

---

[4] *S/Z*, París, Seuil, 1970, p. 102.
[5] *Ibidem*, p. 101.

donde un personaje es llamado Rumbal, Rumbás, Ribal, Rubal..., sea por indiferencia, sea por inseguridad del narrador. En algunos cuentos de *Sub rosa*, como, por ejemplo, «Horas en apariencia vacías», los entes ficticios carecen de nombre: el capitán, el reo, la tía... (sólo el coronel Gamallo ostenta el suyo, como vínculo con la novela citada); en *Una tumba* la explicación de esa carencia es fácil: se trata un incidente al que la anonimidad marca como arquetipo, como suceso que con ligeras variantes puede referirse a muchos casos análogos. Y por supuesto, ni el narrador de «Viator» (en *5 narraciones y 2 fábulas*) ni el de otros cuentos es identificado nominalmente, autorizando así un obvio equívoco en cuanto a su condición vicaria (del autor).

Pero la eliminación del nombre tiene en *Una tumba* otro sentido: si, según creo, el niño es el centro de la narración, los personajes entre quienes se mueve tienen la consistencia que su función les confiere: el guarda, el tío, el padre, la señora... son *figuras* del círculo a que alcanza su mirada, reflejos de una creencia difusa, y son según ésta les constituye y según la relación que con ellos establece. Darles nombres sería atribuirles una significación ajena a ese contexto, una significación que los objetivara e independizara del círculo presidido por la conciencia central, como ocurre de modo muy relevante en otra obra de Benet: *Un viaje de invierno*.

El padre y el tío, por ejemplo, son casos clarísimos de funciones referidas al niño con quien están unidos en parentesco; sus actuaciones se limitan a lo que con él les relaciona, y más en segundo término, a las implicaciones de la borrosa conexión que a los tres les vincula con el antepasado que en susurros, impulsos y temores rige desde el más allá su conducta. Cuando Barthes sugiere que el novelista (y la sugerencia es tan aplicable a Benet como a Balzac) habla de figuras y no de personas, entiendo que apunta a lo inconveniente de prolongar la existencia del personaje más allá de la narración. Por eso el tío, el padre, y la señora dejan de figurar (para el lector, de existir) tan pronto como se alejan del espacio novelesco en que su presencia (referida a la del niño y al espectro, quizá) tiene sentido. Hay un extramuros en que están, pero sin existencia propiamente dicha, o existiendo como latencias que pueden hacerse patentes, siquiera en la forma precaria de una carta o mensaje que testimonie de su situación al otro lado de la narración y de su posibilidad de volver a ella cuando la peripecia lo exija.

Es el narrador quien omite los nombres, y su decisión, que es una opción, señala un modo de codificar que le caracteriza y caracteriza la obra total de Juan Benet. La codificación es, por la carga de alusiones literarias y por los recursos estilísticos empleados, una llamada constante a nuestra atención. Considero exageradas las afirmaciones circulantes respecto a esta escritura, a veces presentada como ininteligible. Siendo parte del ciclo novelesco localizado en torno a Región, incluye la obra referencias a una geografía (o, más bien, a una toponimia) familiar al lector de Benet. La mitificación del territorio contribuye a dilucidar los enigmas propuestos: sobre todo el de las violencias que en la guerra encuentran su forma extrema de producirse, y las contenidas, refrenadas o insinuadas en el resto de la narración. Una lectura simbólica de la novela hará del espectro encarnación y supervivencia, no solamente de miedos ancestrales, sino de un tejido significativo de impulsos en que se hace visible (o audible) una atmósfera mental, una peripecia interior que desde fuera, y aparte los dramáticos sucesos del pasado (asesinato, muertes, revolución), apenas se trasluce sino en movimientos elementales y, desde luego, en silencios.

Ligada a Región, *Una tumba* ingresa en lo mítico, trasciende lo individual y abre las puertas del campo, las avenidas de lo social, como se puede ver transparentemente en las escenas revolucionarias, o, ya antes, en el asesinato del bisabuelo, y en la emergencia del fantasma, creación colectiva y no individual. Todo esto es curioso, pues las fantasías responden a convicciones que no se limitan a estados de conciencia personales, sino que afectan y operan sobre grupos más o menos nutridos.

El lenguaje es de una sostenida elaboración y transparencia, elusivo pero riguroso; la escritura mantiene una uniformidad tonal constante. Aun sin ruptura, ni siquiera mínima, del tono, el desplazamiento narrativo del relato externo al interno, a la conciencia del personaje, introduce una variante sutil, perceptible para el oído que sabe escuchar. Las unidades narrativas tienen procedencia diferente en cuanto a lo expresado, no en cuanto a hechos estilísticos: la tersura y la precisión de esta prosa no se alteran por el hecho de que la perspectiva cambie. Un estilo de calmas sinuosidades, de transiciones convincentes, nos retiene, nos incita, asegura un asentimiento que no puede serle negado por quien busca en el acto de leer algo más que un entretenimiento. Ni entretenimiento ni experimento, *Una tumba* es, por la madurez de la expresión, por el obstinado rigor con que texto y subtexto se ajustan, una novela corta reveladora de las obsesiones que convierten al hombre en esa persona angustiada en que el lector se reconoce. Entre la soledad y el silencio, absorto en sus tareas y en la espera de algo que presiente, el niño-protagonista va pasando de la penumbra a la luz, de la indecisión a la conciencia. El mito de la oscuridad benetiana, en cuya formación ha entrado en buena parte la pereza de un público «hembra» (para citar de nuevo a Cortázar) que prefiere ser conducido a ser estimulado, no puede invocarse frente a estas páginas en que cada frase es una pieza que añade al discurso lo que éste exige para su cabal y transparente significación.

[*Cuaderno del Norte*. *Norte: Revista Hispánica de Amsterdam*, 1976, 83-95.]

KATHLEEN M. VERNON

AMOR, FANTASÍA, VACÍO EN UN CUENTO DE JUAN BENET

La situación inicial del cuento de Juan Benet *Amor vacui* se revela a través de la conversación-meditación unilateral de un «yo» implícito que se dirige a su amante[1]. Se nos presenta una voz que describe una serie de comparaciones en torno a la naturaleza de una experiencia sexual. Hasta el segundo párrafo sólo tenemos un examen metafórico de ciertas sensaciones físicas. La voz del «yo» no identificado conjura la imagen de dos cuerpos fundidos, la de un animal doble que cobra vida durante unas horas para escindirse luego otra vez: el amor creando dos seres nuevos y gemelos. El modelo metafórico es la división celular, la «carioquinesis», proceso en que la división es precedida por una transformación completa en el núcleo de la célula generatriz. Con la unión sexual se relaciona no sólo este aspecto transformador y creador, sino también el poder de suscitar la toma de conciencia en el cuerpo que se junta con el de otro.

El tono de la introducción es impersonal. En la ausencia de personas o personajes como tales, se atribuye a los cuerpos el carácter de una fuerza autónoma, asimilable por su forma a los conceptos de necesidad y destino. La eliminación de nombres o identidades específicas sirve para crear la impresión de que lo descrito va alcanzando la condición de ser ley natural que rige la conjunción humana, este «fusilamiento con que una carne extraviada aspira a aniquilar y burlar la separación de su hermana».

Desde el segundo párrafo, sin embargo, se modifica la naturaleza de la composición. El narrador abandona el descripti-

[1] «Amor vacui», *Plural*, núm. 41, febrero de 1975.

vismo estático para iniciar una narrativa verdadera en forma de *récit* o relato, o sea, que él mismo anuncia su intención de contar. El deseo como meditación engendra al deseo-narración.

Y efectivamente, este relato consta de un solo incidente; el perfil de la acción contada revela una estructura sencilla, familiar al lector de Vladimir Propp y sus descendientes[2]. La dinámica de «la aventura de la mujer del velo» aparece en forma tripartita: prohibición, transgresión y sanción. Para redondear su cuento, el narrador suministra detalles «realistas» sugiriendo en la estructura el sentido de una trayectoria bien definida por medio de dos tensiones crecientes: el apetito sexual y la curiosidad humana, dos aspectos del mecanismo narrativo que funciona hacia un cierre o conclusión deslumbrante y horrible.

En el nivel literal, la comprensión del relato puede lograrse mediante el examen de estos factores estructurales. El narrador presenta una situación tópica: una mujer desconocida y su primer encuentro con ella; el «rapto» del narrador y su transporte a una mansión misteriosa, con el dormitorio blanco, el lecho blanco, y como única habitante la mujer del velo negro. Sigue una serie de encuentros sexuales. Las experiencias adelantan y excitan el deseo del varón, y según lo satisfacen van suscitando otro estímulo: la curiosidad. ¿Quién es esta mujer que lo entrega todo, menos su rostro? En forma análoga a la presión del deseo, esa curiosidad acabará por superar la «prohibición» u «ordenanza» impuesta por la amante desconocida, y le lleva a formular una resolución violenta: «hice el propósito de arrebatarla el velo en el momento de su éxtasis». Las palabras con que describe esta intención muestran cuál es su idea del asunto: «la violación del secreto, el desafuero». Se acerca al final y lleva a cabo su resolución, consciente del riesgo, «cualesquiera que fueran las consecuencias», especulando sobre la naturaleza del rostro que se le oculta, «algún rasgo o expresión de aquella fisonomía sin duda demasiado terrible». Los efectos de lo dicho y de lo insinuado contribuyen a seducir al lector, preparándolo para el choque final: al tirar del velo que cubre la cara de la mujer, descubre que bajo él no hay sino vacío.

Condicionado por la dinámica de la prohibición «de quitar el velo» y la transgresión de la misma, el lector espera una sanción espantosa. No será defraudado. Una estructura tan clásica como

---

[2] *Morphology of the Folktale*, trad. Laurence Scott, Austin, University of Texas Press, 1968.

ésta deriva su fuerza de su previsibilidad misma, y los ecos de otras obras que evoca su lectura. La atmósfera gótica de una mansión misteriosa y una mujer velada alcanza una plenitud de eficacia en un contexto literario conocido, así como el toque del desengaño final cobra mayor poder afectivo si el lector está familiarizado con la poesía barroca española. Benet maneja bien las resonancias literarias en la construcción de su cuento.

Pero esta manera de escribirlo todavía plantea unas preguntas que el texto no contesta. ¿Qué relación tiene el relato con la «introducción»? ¿Por qué cuenta el narrador esta «aventura» a su amante? En cierto sentido, el *récit* presenta una experiencia amorosa deficiente, evidente en la comparación implícita entre las dos partes del cuento. Las dos relaciones eróticas presentan una imagen abstracta, fuera de un contexto específico, realista, pero dentro de un contexto mítico-literario donde se manifiesta el modo de la relación arquetípica entre la mujer y el hombre. Bajo la interpretación literal, el relato parece tener valor ejemplar, pero, en definitiva, esto no es cierto.

Con una ambigüedad a menudo deliberada y muy característica de la literatura moderna, la posibilidad de una doble lectura se nos sugiere en este punto. El aspecto típico, la estructura sencilla tal vez apunta en otra dirección. Junto con el tono ligero de la narración y la generalidad pintoresca de los detalles espaciotemporales se vislumbra la posibilidad de considerar el cuento como exposición de una fantasía masculina. Así, el cuidado con que se refiere la historia, los esfuerzos por caracterizar físicamente a la mujer, las descripciones del encuentro sexual concuerdan con el erotismo patente de la introducción y contribuyen a una concepción unificada del texto. El deseo que informa la sección descriptiva se manifiesta aquí como materia y estímulo del relato erótico. Considerada como cristalización de una fantasía, la narración se inserta igualmente en una tradición no ajena a la literatura: la de lo que Roland Barthes llama el «libro de la vida», que sigue patrones de estirpe viva[3]. Forma y estructura se acomodan a los modelos de la fantasía sexual. (Como muestra la literatura pornográfica, parece muy evidente que las variaciones temáticas o estructurales en este tipo de fantasías son muy reducidas.) Esta especie de excitación mental, análoga al *wish fulfillment* de los sueños, desdobla en algunos aspectos la creación literaria. De ahí la

---

[3] *S/Z*, París, Seuil, 1970.

sencillez de su estructura. Como los cuentos folclóricos analizados por Propp, obedece a modelos fijos y más limitados que la mayoría de los cuentos «artísticos».

La fantasía del personaje imagina el placer de hacer el amor con una mujer sin facciones precisas, que así será todas las mujeres y ninguna, sólo cuerpo, esencia de la sexualidad, hermosura sin carácter, que no actúa como personaje, sino como función, o, dicho con las palabras del narrador, «una pieza de mecánica precisión cada una de cuyas superficies, salientes y entrantes está destinada a acoplarse con sus vaciados dentro del aparato».

Conforme con esta percepción del caso, se pone en duda la «realidad» de esa mujer que sólo existe como instrumento del placer, acumulación de partes corporales conjurada por la fantasía masculina. Entendido así, el final del relato cobra otro sentido; la mujer-fantasía, irreal creación del narrador, engendrada de sus ilusiones, se desprende del velo, incapaz de resistir, de tener voluntad propia, cosa imposible en las frágiles criaturas fabricadas por los sueños. La ilusión no tiene permanencia, ni realidad independiente. Como todos los sueños y todas las fantasías es perecedera, se destruye, se desvanece en el vacío. El deseo no ha conseguido producir una mujer de «carne y hueso», de existencia duradera, pero sí ha logrado darle ser y consistencia en la narración.

Al estudiar este cuento, intentamos una comprensión amplia de la obra, que abarque e incorpore las dos lecturas y quizá sea capaz de resolverlas en una. Examinados dos aspectos de la dinámica de la narración, la estructura de los «sucesos» del relato y la fuerza motriz del mecanismo narrativo que impulsa una trayectoria determinada, en suma, por el deseo y la curiosidad, investigaré ahora los indicios o signos lingüísticos del texto, pues ellos pueden ofrecernos un tercer aspecto de la construcción narrativa.

Desde el principio del cuento se registra una serie de claves lingüísticas que transmiten un mensaje sobre la naturaleza de la expresión misma. Ya en la tercera frase habla de «un atrás que no sabe describir ni definir». Como ya indicamos, la modalidad retórica predominante es la comparación, destacada por el empleo de las conjunciones (como, como si, etc.) y los verbos (parecer, asemejar) que señalan lo inseguro de la dicción, de la empresa de identificar «la forma final con que *se expresa* el placer». (El subrayado es mío.) Se comprueba la presencia continuada de esta preocupación cuando más adelante, tras una descripción de la insistencia ineluctable del acto sexual, leemos:

> Se entiende que ese momento sea reacio a toda descripción; no admite la metáfora y si es necesaria la comparación su propia singularidad exige sea utilizado como comparado, pero nunca en cuanto comparante.

No admite la metáfora y sin embargo es metáfora la unión sexual para la posibilidad misma de expresarse. ¿A qué alude la figura doble del comparado/comparante sino a una metaforización del signo literario significado/significante?

La dimensión verbal se funde con la búsqueda del objeto amoroso. La amante, la «tú» de la introducción y la *narrataire* original del relato, paradigma y paradoja es, como la palabra, el enemigo y el instrumento —el aliado— del hombre en su lucha erótica-literaria. El léxico subraya el funcionamiento doble del pasaje en que el narrador habla del principio «verbal» que guía, por consiguiente, su vida y su escritura.

> Ese principio y —por paradoja meramente verbal— ese fin solamente lo había de encontrar en ti, hasta tal punto se traduce en involuntaria esclavitud, el afán ascensional de una aspiración que un día se topa con el objeto y el medio que envuelve todas sus elucubraciones.

En el *Diccionario de uso del español* (María Moliner, Editorial Gredos), se define la palabra «elucubración» como «composición o escrito hecho por alguien con sus propias meditaciones». Así, tal palabra acumula el sentido de fantasía como materia del cuento con el tema erótico como paralelo al proceso de escribir.

Desde otras perspectivas también se examina el proceso de la creación artística. Este cuento es *—además—* una meditación sobre el acto de narrar subyacente bajo la narración misma.

Después de describir la mansión blanca y el dormitorio blanco con el lecho blanco, el narrador introduce la figura de la mujer:

> su cuerpo blanco tumbado desnudo y con las piernas abiertas y las rodillas en alto como para acentuar el contraste del velo negro que cubría toda su cabeza hasta la altura de los hombros y el negro triángulo de su pubis como la cola y la punta de la flecha indicadora de la única dirección que me estaba permitido seguir.

Esta escena, cuyo esquema visual sugiere un signo negro sobre una página blanca, presenta un sistema semiótico no tan difícil de descifrar. El lector como el protagonista se ven obligados a seguir las indicaciones del texto.

Más tarde, el narrador caracteriza el episodio con otras palabras muy resonantes: «Es difícil amar en esas condiciones; pero no se trataba de amar sino de romper un hechizo, satisfacer una curiosidad, reestablecer un equilibrio que aquella mujer maldita había desbaratado con su odioso velo.» De nuevo parece estar refiriéndose a dos realidades, la de la anécdota misma y la del proceso de narrar. Cuando habla (por segunda vez) de «romper un hechizo», evoca (al menos para el lector de habla inglesa) la descripción de una lectura como «spell-binding»; en este caso romper el hechizo sería acabar la narración, o «break the spell over the reader». «Satisfacer la curiosidad» es expresión alusiva al deseo de ir más allá del embrujo, y al de saber, tan distintivo del ser humano. Al hablar de «reestablecer un equilibrio» parece acudir a la cuestión de la dinámica fundamental de la narración. Incluso la yuxtaposición del párrafo inicial, que sugiere un marco conocido en el cual insertar el relato, pone de relieve la naturaleza de la narrativa por medio de la oposición éxtasis descriptivo y dinámica narrativa.

En cuanto a ésta, el texto sugiere la identidad de la trayectoria entre el impulso sexual, el intelectual y el narrativo. La conjunción de los tres proporciona la fuerza motriz que hace avanzar la narración. Roland Barthes, en su libro *El placer del texto*, destaca el mismo paralelo, sin referirse a una obra especifica.

> El placer del texto no es el placer del *strip-tease* corporal o del «suspense» narrativo. En estos casos no hay desgarramiento, ni extremosidades: un desvelamiento gradual. Toda la excitación se refugia en la *esperanza* de ver el órgano sexual (sueño del chico de la escuela) o saber cómo acaba la historia (satisfacción novelística). Paradójicamente (puesto que es consumido por las masas), este placer es más intelectual que el otro: un placer edípico (desnudar, saber, aprender el origen y el fin), es una puesta en escena del padre (ausente, oculto o hipostasiado), lo cual podría explicar la solidaridad de las formas narrativas, de las estructuras familiares y de la prohibición de la desnudez, todas ellas recogidas en nuestra cultura en el mito de los hijos de Noé cubriendo su desnudez[4].

---

[4] *Le Plaisir du texte*, París, Seuil, 1973, pág. 10.

Aunque parece que Barthes hallaría igualmente obvios el erotismo, el «suspense» narrativo y el desvelar de la mujer-fantasía en el cuento de Benet, su discusión nos brinda otras posibilidades para nuestro estudio. Tal vez el propio carácter obvio del estructuramiento de la narrativa ofrece un reflejo más ilustrativo sobre el proceso de la creación literaria.

Con cierta ironía, Benet presenta un narrador/artista de fantasías, cuya invención al fin resulta ser «nada», y se destruye. El narcismo del hombre que hace el amor con sus fantasías se asemeja al trabajo narcisista del escritor empeñado en la creación de un personaje ficticio. El esfuerzo lingüístico por encontrar palabras (describrir, nombrando las partes del cuerpo; dar vida por acumulación de fragmentos) es, como bien se sabe, un esfuerzo frustrante. Como le ocurre al protagonista de «Las ruinas circulares» al comienzo del cuento, el narrador de Benet es incapaz de soñar totalmente a otra persona[5]. En este caso falta el signo caracterizador por excelencia, la cara, y esa falta reducía la criatura a la condición de «un ser anónimo, a una pieza de nácar». Por eso no se completa ese proceso de transfiguración por medio del cual el personaje literario adquiere carácter y «vida» literaria, quedándose en mera función. Quizá ocurre así por una insuficiencia del deseo («... cuando no se ama, el cuerpo se desvanece en parte y llega a confundirse con otras porque ninguno de sus atributos alcanza la individualización») y sobre todo porque el autor quiso ofrecernos en el texto una metáfora esencial sobre la generación de la obra de arte.

[*Ínsula*, Madrid, nº 410, enero de 1981, 10.]

[5] Jorge Luis BORGES, en *Ficciones*, Buenos Aires, Emecé Editores, 1971.

IV

CONTEXTOS

MANUEL DURÁN

JUAN BENET Y LA NUEVA NOVELA ESPAÑOLA

Ni una golondrina, ni dos, bastan para darnos la impresión de que ha llegado el verano. Cuando esta impresión persiste y se afianza es que, en efecto, el verano ha llegado. Cambio de rumbo, crisis de una estética, apertura de nuevos horizontes lingüísticos: otras tantas formas de definir una aventura literaria.

Aventura que es difícil de definir y apreciar: todo lo que está en marcha, a gran velocidad, se transforma para el espectador —en este caso el crítico literario, el lector inteligente— en una fotografía algo borrosa. Pero no cabe dudar: la nueva novela española —Benet, el último Cela, Goytisolo, Torrente-Ballester, Julián Ríos, José María Carrascal, entre otros— no solamente existe ya y se afianza cada año, sino que su presencia y su proyección, paralelas en cierto sentido, divergentes en detalles y matices, frente a la nueva novela latinoamericana, se convierten en un dato indispensable: si queremos comprender lo que sucede en el ámbito de la novela escrita en español no tenemos más remedio que trazar la curva de la novelística hispanoamericana, y compararla después con las novelas españolas de estos últimos años; más tarde, con tiempo y paciencia, quizás podremos comprender cómo, en qué forma, con qué consecuencias, todas estas novelas escritas en un solo idioma empiezan a pesar, y no poco, en el ámbito internacional de la novela moderna.

Creo que vale la pena subrayar la relativa autonomía de este cambio en la novela española. Es decir: el cambio se ha producido, en gran parte, sin que la nueva novela hispanoamericana lo haya motivado; ha surgido de fuentes internas, si bien, en estos últimos años, a partir, sobre todo, de 1967, el impacto de los autores latinoamericanos resulta cada vez más influyente.

La cronología, indispensable cuando de influencias se trata, nos indica que en 1962, año decisivo en que aparece *Tiempo de Silencio*, hallamos que la literatura española se encuentra en un momento en que el «realismo» sigue en vigencia, y los contactos entre España e Hispanoamérica, en el campo de la novela, no se han establecido todavía en forma efectiva. Aparece, pues, *Tiempo de Silencio*, la novela —quizá— más importante, más renovadora, de los últimos quince o veinte años en la literatura española; y, sin embargo, asistimos a una pausa, a un compás de espera; es como el que ha escuchado caer un zapato en el piso de arriba, y, angustiado, aguza el oído aguardando la caída del otro zapato. La novela de Martín Santos obliga a lectores, críticos y autores, a cuestionar la validez de la estética hasta entonces normal: el «realismo crítico», la novela comprometida de denuncia y testimonio, emparentada con las novelas, más realistas y comprometidas que existencialistas y filosóficas, de Sartre, y con el cine neorrealista italiano (De Sica, Rossellini) de la postguerra. Los lectores de Martín Santos, creo, no podían dudar de la necesidad de una novelística española comprometida: en un país en que la prensa mentía a diario, la única fuente de verdad, el único testimonio posible de lo que ocurría, era la novela; la responsabilidad de los novelistas, ineludible, les imponía una sola norma estética, ética y literaria: presentar un panorama más adecuado, más veraz, más apegado a la vida cotidiana de lo que la rosada imagen oficial ofrecía a sus lectores. Muchos de los novelistas españoles de los «cincuentas» e incluso «sesentas» eran, en el fondo, periodistas frustrados, escritores —y escritoras— que, irritados por las limitaciones que la censura imponía a la prensa, encontraron en la novela, mucho menos influida por la censura, el único medio de expresar la verdad acerca de la vida cotidiana y la sociedad española de su tiempo. (Casi resulta innecesario señalar que uno de los grandes méritos de la novela de Martín Santos estriba en que renueva el lenguaje y la estructura de la novelística española sin dejar por ello de ser una obra crítica, comprometida, veraz; al contrario, su carácter revelador queda reforzado por las técnicas literarias de que hace uso. La novela de Martín Santos nos hace pensar inmediatamente en Joyce, pero también en Kafka y en los oscuros simbolismos, las constantes frustraciones, el constante substrato infernal, de la gran novela de Malcolm Lowry, *Under the Volcano*, que con toda probabilidad Martín Santos no conoció. La subversión de los mitos «intelectuales» y «liberales» (por ejemplo, la mordaz crítica de Martín Santos a la personalidad y la obra de Ortega y Gasset) se proyectarán unos años más tarde en otra valiosa novela española, *Ultimas tardes con Teresa*, de Juan Marsé; el mensaje aparece claramente: la crítica no debe conocer barreras, debe permitirnos desembarazarnos de todas nuestras ilusiones, tanto las ilusiones creadas por la cultura y la prensa oficiales como las que han nacido al débil amparo de la resistencia antigubernamental o al rescoldo del último liberalismo de la época anterior. Hay que crear una tabla rasa, hay que volver a empezar desde el principio.

Pero este principio, esta tabla rasa, no es el vacío. Resultante de una larga tradición cultural, la literatura de hoy es incapaz de partir de la nada: nuestra cultura es demasiado rica para permitirlo. Curioso coincidir de tres novelistas: tanto Joyce como Martín Santos y Benet parten, para su renovación del lenguaje —y, consecuencia de esta renovación, su renovación de la novela— de lo que podríamos llamar una base científica: sobre todo, un vocabulario científico. En el caso de Joyce, lo que domina es la filología y la lingüística; en el de Martín Santos, la medicina, la psicología, la psiquiatría; en el de Benet —que profesionalmente es ingeniero de caminos, canales y puentes— la geología. (Señalemos de paso que otro gran renovador de la novela moderna, Alain Robbe-Grillet, es también, igual que Benet, ingeniero. En todos estos casos la ciencia —el vocabulario científico— les da una precisión, una exactitud, un contacto con la objetividad, que les permite oponerse con éxito a las «verdades oficiales», que para Joyce fueron la rétorica y la idea del mundo de los jesuitas irlandeses, para Martín Santos y Benet la retórica y la idea del mundo de la prensa oficial y el régimen españoles. Esta oposición entre una actitud científica y las verdades oficiales, «triunfalistas», de lo que podríamos llamar el totalitarismo barroco o neo-barroco tradicional, emparenta a Joyce, Martín Santos y Benet con la cultura del siglo XVIII, en que se produce el primer choque frontal entre ciencia y tradición; los subproductos literarios de este choque, la ironía (pensemos en Voltaire) o la parodia (Pope), muy claramente incorporados a la obra de Joyce y de Martín Santos, se encuentran también, si los buscamos con cuidado, en las novelas y los relatos de Benet. Se trata de una misma «familia literaria» en que algunos rasgos típicos aparecen más acusados en unos individuos que en otros.

Martín Santos nos ofrece, con su novela, la golondrina, no el verano; el verano tardará unos cuantos años más. Mientras tanto siguen evolucionando la novela hispanoamericana y las novelas de otros idiomas, otras culturas. Y es indispensable referirnos a estas novelas y a los cambios de dirección en las líneas generales de la novela de hoy. Indispensable, pero no fácil. Escribo estas páginas en una oficina-despacho-biblioteca que pertenece a la Universidad de Yale, una de las más ilustres de Estados Unidos, y en la que desde hace algunos años imparto cursos de literatura española e hispanoamericana; conozco bien, por tanto, que el hispanismo norteamericano, quizá el más activo hoy, ha quedado extrañamente —quizá sería mejor decir enfermizamente— dividido en dos grupos que conviven en el seno de cada departamento, de cada división administrativa: por una parte, los que se ocupan de la literatura española, «peninsular»; por otra, los que tratan de la cultura latinoamericana. Rara vez coinciden en sus gustos, en sus actitudes, en sus puntos de vista. Son «hermanos enemigos», lo cual contribuye a debilitar a ambos grupos. Evitando caer en esta anomalía, en esta esquizofrenia, es preciso subrayar que la literatura española de hoy, y la de ayer, poco sentido tiene si la separamos arbitrariamente de su literatura hermana, la hispanoamericana; y al revés. Por tanto, al hablar de la novela española de estos últimos años no es posible olvidar lo que ocurre en Hispanoamérica. Empiezo por citar a un buen observador y mejor crítico, de origen español pero desde hace bastantes años residente en Holanda, Francisco Carrasquer: «La honrada impresión general de un observador español creo que sería ésta: la novela española de postguerra ha vivido su etapa de compromiso interior al margen de las corrientes y técnicas novelísticas reinantes internacionalmente y la novela hispanoamericana ha vivido más al compás del mundo en cuanto a innovaciones literarias». (*Norte*, XI, nº 6, nov.-dic., 1970). Las novelas hispanoamericanas —señala Carrasquer— han sido, quizá, no solamente más modernas, sino en muchos casos más eclécticas: no se han afiliado a escuelas concretas, cosa que ha ocurrido con algunas novelas españolas esenciales: *Nada*, de Carmen Laforet, aparecida en 1947, es neorrealista-existencialista; *La colmena* de Cela (1951), unanimista-dospassosiana; *Las últimas horas* de Suárez Carreño (1949), documentalista-cinematográfica; *El Jarama* (1955) de Sánchez Ferlosio, objetivista-«nouveau roman»; *Tiempo de silencio* (1962), neo-joyceana. «Lo que pasa es que han invadido un tiempo el mercado y han ocupado a los críticos casi exclusivamente entre 1947 y 1967 las novelas de costumbristas como Zunzunegui, Aldecoa, Delibes, y hasta en gran parte Cela y, sobre todo, de "realistas históricos" como Juan Goytisolo, García Hortelano y Armando López Salinas entre los más representativos de esta tendencia... Pero no tiene mayor importancia. La verdaderamente importante es otra impresión: la impresión de una calidad superior en los hispanoamericanos. Nadie que haya medianamente seguido ambas literaturas de narración en los últimos años podrá negar esa diferencia de bulto: puestos los grandes novelistas hispanoamericanos de hoy frente a los grandes españoles nos parecen aquéllos unos gigantes, en comparación. Y aún más que de tamaño creo que es cuestión de brillo. Sí, sí: los hispanoamericanos nos parecen más *brillantes*» (*Norte*, art. cit.).

Los motivos, según el crítico citado, son dos. El primero: «en primer lugar ese brillo lo irradia el lenguaje. El buen escritor hispanoamericano de hoy es más artista de la lengua y, por lo tanto, se permite más libertades creadoras... Estos creadores hispanoamericanos están enriqueciendo nuestra lengua en proporciones y calidades sin precedentes. Los que son verdaderos artistas renuevan nuestro instrumento lingüístico y le saben sacar los más insospechados sones y ritmos sin salirse de las fuentes "magmáticas" —podríamos decir—, sin dejar de usar y combinar las materias primas de nuestra lengua... La segunda razón que explique esta mayor brillantez de la actual novela hispanoamericana sobre la española es —si se conocen los determinismos históricos— más que obvia: el timbre. Hispanoamérica está en franca curva ascendente de nuestro momento histórico, sus masas en plena efervescencia prerrevolucionaria, en plena euforia juvenil de cambios en gestación o gestación de esperanzas. Todo está tenso en Hispanoamérica, y todo tira hacia arriba y hacia adelante; está, en una palabra, concentrándose en un escorzo creador de discóbolo para su lanzamiento hacia una etapa decisiva de su ciclo histórico. En España, el reverso de la medalla: un cansancio largo, una desilusión estirada al infinito, un abatimiento inmenso» *(Ibid)*.

Creo que esta imagen, si bien certera, puede pecar de exagerada si nos olvidamos de la rápida evolución de la novela en la España de hoy, en estos últimos años. Todo cambia a ritmo acelerado: son los críticos —y, a veces, los lectores— los que se ven sobrepasados por los acontecimientos. No podemos olvidar, entre tantos otros datos esenciales, la publicación de *San Camilo*, de Cela, seguida de su *Oficio de tinieblas*; la aparición de *Señas de identidad*, de Goytisolo, y, poco después, de *Reivindicación del Conde D. Julián*, al que sigue *Juan Sin Tierra*, que conozco muy imperfectamente, y que a estas fechas, que yo sepa, no ha aparecido todavía; cabe mencionar también la novela de Torrente Ballester, *La saga-fuga...*, que señala la renovación de un veterano de la novela, así como *Groovy*, de J. M. Carrascal, que inventa un vocabulario «hippy» para tratar el mundo concreto y caótico de la vida de los jóvenes en Nueva York; las últimas novelas, densas y amargas, de Roberto Ruiz, y que, publicadas en México, son escasamente conocidas en España. Todo un mundo de novelas y novelistas que se niega a seguir por los caminos tradicionales.

Hay más: en el ámbito —limitado en público y en resonancia internacional, pero rico en contenido, verdadero tesoro para los «connaisseurs»— que es la novelística catalana de hoy, el fenómeno se ha producido también: renovación de la técnica, del lenguaje, de la imaginación. Un novelista tan tradicional, en el mejor sentido de la palabra, como Llorenç Villalonga, el inolvidable autor de *Bearn*, novela que bien puede compararse con el *Gattopardo* de Lampedusa, aunque no se trate de señalar influencias (el influjo, en ambos casos, sería de Proust, aunque vale la pena apuntar que *Bearn*, el ciclo de novelas que tratan de la decadencia de una familia mallorquina, está más cerca que *Il Gattopardo*, creo, del espíritu de Proust), Villalonga, pues, se ha renovado en forma casi increíble. Veamos, por ejemplo, lo que dice de la última novela de Villalonga, *Andrea Victrix*, el excelente crítico y narrador, también mallorquín, Baltasar Porcel: «Villalonga veía como irremediable la desaparición de una época, de unas formas de vida, de unas ideas, pero lo veía con amor. Después se enfrenta polémicamente, enarbolando un bisturí incluso a ratos sangriento, con lo que considera el presente. Bascula del tiempo perdido a la visión apocalíptica. La cual es la base, en cada palabra y en cada episodio, de *Andrea Victrix*, novela utópica, cuya acción transcurre en 1985 y en una Mallorca transformada en absurdo reducto, delirante síntesis, de la sociedad de consumo. El narrador, liberal y escritor, vuelve a la vida después de un largo período de congelación: el mundo que encuentra ya no tiene nada que ver con el que ha dejado. La catedral mallorquina es un almacén, los rascacielos llenan la isla, que se ha convertido en el centro turístico máximo de los Estados Unidos de Europa. Los camareros son la nueva aristocracia. El soma, el único estímulo vital. Las neveras son monstruosamente grandes, llenan las habitaciones, pero no hay nada que guardar en ellas, ya que los alimentos son sintéticos. Las flores y los pájaros son de plástico. El presidente, que reside en París, es un viejo ridículo, Monsieur-

Dame: la división de sexos se considera una inmoralidad y el unisex ha sido entronizado. La "Hola-Hola", bebida que es simplemente agua coloreada, reina por doquier. Los coches lo invaden todo y atropellar a los peatones es premiado con gratificaciones... El personaje de Andrea Victrix, brillante y bello joven, simboliza las excelencias de lo que será el desastre: no llega a saberse si es hombre o mujer, y de diosa del placer —o dios— de estos Estados Unidos, un Estado totalitario, en definitiva, pasa a convertirse en la trágica conciencia, en la espoleta de la ruina. La Venus Victrix, que conducía a las tropas romanas a la victoria, es aquí esta patética —o patético— Andrea Victrix, ángel apocalíptico» (*Destino*, 12 de enero de 1974, p. 11). Todo lo cual indica un intenso afán de renovación por parte de un novelista hasta ahora conservador. Renovación de temas y situaciones, pero también de lenguaje: los personajes de esta última novela de Villalonga, por supuesto, no hablan ni piensan como los personajes de sus novelas anteriores. Y lo mismo ocurre con Cela: *Oficio de tinieblas* no se parece a ninguno de sus libros anteriores. Y con Delibes, que se renueva a partir de su *Parábola del náufrago*. La evolución del lenguaje y la técnica de Goytisolo en *Reivindicación...* es tan evidente —y asombrosa— que merecería capítulo aparte.

Volverás a Región, la primera novela de Benet, aparece a fines de 1967, año en que ve la luz la novela de García Márquez, *Cien años de soledad*. Se trata de dos novelas muy diferentes, pero con coincidencias notables: en ambos casos hay detalles inesperados que aparecen de pronto, subvirtiendo la normalidad, pero de tal manera integrados dentro de un todo que los aceptamos como si, en efecto, no hubieran de producirnos sorpresa o asombro. Conocido es el episodio en que García Márquez narra la levitación de uno de sus personajes femeninos. Pues bien: en *Volverás a Región* encontramos la siguiente nota al pie de la página 109: «Su madre, sentada como una reina, boquiabierta por el espanto, inspiró tanto aire que se levantó de la silla como un globo y, sueltas las amarras, se deslizó majestuosa y sin decir una sola palabra a la habitación del piso alto de donde ya no salió sino para abandonar la casa». Un espíritu malicioso o desconfiado en extremo insistiría en la posibilidad de una influencia, de un plagio: nada más absurdo. (La novela de Benet fue escrita entre 1962 y 1964.) Y es que esta coincidencia —y otras— se deben a que ambos escritores han asumido una actitud sumamente libre y experimental frente a los materiales novelísticos que manejan. Son artífices, creadores libres, no se someten a las leyes de la física más que cuando quieren y en la medida en que quieren: en estas dos novelas, la española y la hispanoamericana, «pasan cosas raras», y sin embargo ello no desorienta al lector, que acaba por encontrar perfectamente natural que determinados personajes, en un momento dado, se pongan a volar por los aires. (Recordemos de paso que si de influencias se trata, otro novelista español, Rafael Sánchez Ferlosio, había ya utilizado abundantemente lo que pudiéramos llamar «elementos maravillosos cotidianos» en su relato *Industria y andanzas de Alfanhuí,* publicado en 1951.)

A veces incluso casi llegamos a pensar que Benet es una reecarnación de Kafka, un Kafka menos consecuente, que juega al juego de los disparates: «No sé mucho de historia», dice uno de los personajes de Benet, «pero no puedo menos que pensar que un gran número de cosas que hoy consideramos naturales y que, a primera vista, han existido siempre, son en realidad consecuencia de la máquina de vapor: el verano, la noche de bodas, y —en gran medida— el horror» (págs. 216-217 de *Volverás a Región*). Y después: «Yo creo que por aquel tiempo... también se inventó el verano» *(Ibid.).* (Y no olvidemos que todo esto, para colmo, lo dice un doctor en medicina.)

En *Volverás a Región* nos hallamos continuamente al borde del delirio, de lo absurdo e increíble, y ello contrasta con los alardes de erudición positivista, científica, con que el autor describe la geografía que sirve de trasfondo a sus personajes. Buen ejemplo de la subversión de elementos positivistas lo encontramos en las descripciones y alusiones a una extraña máquina que sirve para comunicarse a distancia y adivinar el porvenir, una especie de tabla de ouija motorizada, un juguete digno de Julio Verne auxiliado por Nostradamus. (Casi no vale la pena señalar que Benet no inventa lo maravilloso en literatura, como tampoco lo inventa García Márquez. Después de hablar de *Alfanhuí* pudiéramos citar los relatos de Alejo Carpentier, como *Viaje a la semilla*, que quizá ambos novelistas, el colombiano y el español, conocían; los textos de Henri Michaux; y casi toda la corriente surrealista, para abreviar. Esto sin pensar en *Las mil y una noches*, los cuentos de Grimm y Perrault, etc.)

Lo importante es pues no la presencia de elementos maravillosos sino la función que estos elementos desempeñan. Creo que en *Volverás a Región* funcionan en forma «extrañante» para que el lector no se identifique con los personajes, que, poco a poco, van haciéndose como transparentes, van convirtiéndose en símbolos. El autor interviene una y otra vez para que veamos cómo manipula a sus personajes: la novela contiene numerosas notas al pie de página. Nos describe actos imposibles: una vez más nos alejamos de los personajes. Y no son estos los únicos motivos de asombro y distanciamiento. Como ha señalado Gonzalo Sobejano, uno de los mejores y más agudos críticos de la novela española de hoy, «a tal orden de procedimientos pertenecen los siguientes: repetición de motivos lúgubres (los ladridos de los perros descritos con palabras de Stephan Andres, Faulkner y Nietzsche; las voces del enfermo en la habitación de arriba, que de tarde en tarde interrumpen el coloquio), imprecisión o escamoteo de nombres personales (un jefe republicano es llamado indistintamente Rumbal, Rombal, Rembal, Rubal, Robal, Rumbás; el ahijado del doctor, foco obsesivo de la mujer, no tiene nombre y sólo es señalado por "él" o por la desinencia verbal de tercera persona)... extranjerismos... citas no precisadas de otros autores... notas a pie de páginas... y, en fin, como prueba mayor de esta técnica de mistificación hay que consignar una absoluta falta de "decorum": los personajes hablan de una manera no caracterizada, no fiel a la psicología que cabe atribuirles, sino de la misma manera que el autor, o sea, en un lenguaje de largas y matizadas frases, "literario" siempre, poético en ocasiones e incluso pedante a veces, vagamente emparentado con las ramificaciones y arabescos de Proust» (*Novela española de nuestro tiempo*, pp. 405-406). Es decir: no interesa la psicología de los personajes, sí, en cambio, la fusión de personajes y ambiente: al deshumanizar en parte a sus personajes, los acerca al paisaje; al dar mayor énfasis al paisaje, lo humaniza; y en este lento proceso tanto el paisaje como los personajes se convierten en símbolos de la España eterna, de la guerra civil, del doloroso período de la postguerra. Con razón observa Sobejano que en cuanto a «riqueza y originalidad de ideas y perspectivas mentales Benet sólo es comparable a Luis Martín Santos» (*ibid*, pág. 404), ya que para ambos novelistas los personajes son en gran parte un trampolín que nos proyecta a una realidad interna, simbólica, a una capa profunda en que el presente y el pasado quedan a la vez revelados y fundidos. El destino del héroe de la novela de Martín Santos se frustra; el destino de los personajes de *Volverás a Región* queda envuelto en niebla, humo, amargura, auto-destrucción y ruina de todos. La línea del relato se subordina, en Benet, a un objetivo —que entrevemos, que aparece fragmentariamente, misteriosamente— más vasto. «Región», con su atormentada geografía de montañas abruptas y casi inaccesibles, equivale a España. En miniatura, lo que ocurre en la novela reproduce los acontecimientos de la Guerra Civil y la post-guerra. Hacia los montes salvajes de Región, al acabar la guerra, escapó un grupo de luchadores supervivientes, entre los cuales se encuentra el ahijado del doctor Daniel Sebastián, que fueron sentenciados a muerte en rebeldía. Pasan los años: el doctor se ha enterrado en vida en su clínica-residencia; no se ocupa más que de cuidar a un muchacho enloquecido por la ausencia de su madre. Pero repentinamente recibe la visita de una misteriosa mujer. La mujer y el doctor evocan sus recuerdos y sus destinos a lo largo de una noche, en prolongado diálogo, en el que cada cual parece hablar consigo mismo. La mujer había sido amante del ahijado de Sebastián, y aquel amor fue para ella una revelación. Vuelve ahora a Región, tratando de resucitar sus recuerdos. El doctor, por su parte, recuerda sus amores y sus esperanzas frustradas. La mujer parte; el paciente, oculto en el piso de arriba, y que había acechado la llegada de la mujer como si fuese el regreso de su madre desaparecida, siente un arrebato de delirio: ataca a Daniel Sebastián y lo mata.

Si los personajes tienen un valor simbólico, ¿cuál es éste? Yo creo que el doctor Daniel Sebastián simboliza la vieja generación, apolítica o liberal, que no supo actuar con energía durante la Guerra Civil, contribuyó a perderla, y ha quedado desde entonces marginada y paralizada; la mujer misteriosa representa la juventud española, perseguida por las fuerzas autoritarias y totalitarias de derechas y de izquierdas, atormentada por los recuerdos del pasado pero recordando con nostalgia unas pocas horas de libertad durante la época revolucionaria. El viejo guardabosque que ronda por los montes simboliza a Franco y sus seguidores. El muchacho enfermo oculto en el piso alto de la casa, que ataca y mata al doctor, es, quizá, la imagen de las futuras generaciones, que habrán algún día de repudiar la pasividad y la abulia con que tantos españoles han aceptado la situación política y social de su país. No creo que estas interpretaciones sean las únicas posibles; creo, sí, que son necesarias, en la medida en que la técnica de extrañamiento, al crear una distancia entre el lector y los personajes, permite al lector tratar a estos personajes como símbolos o como encarnaciones de ideas más generales. Técnica que ya Brecht ha utilizado en su teatro y que con frecuencia se relaciona con mensajes de tipo político sin perder por ello su fuerza de expresión artística: el arte ofrece en estos casos un mensaje didáctico, pero no lo impone;

cada lector —o cada espectador— debe buscarlo por cuenta propia.

Creo, por otra parte, que el mensaje más claro de la novela no es social ni político sino más bien emocional: es un mensaje relacionado con la ruina, la desolación, la destrucción: esta es, parece decirnos Benet, la realidad: angustia y ruina; todo lo demás se subordina a ella. Ni triunfalismo ni prosperidad: otras tantas máscaras que ocultan la destrucción interna de España. Para expresar esta destrucción, este caos, Benet escribe una novela caótica, fragmentada, «en ruinas».

La novela de Benet parece desdoblarse en una serie de relatos que, barajados, penetran uno en otro hasta adquirir coherencia y unidad. Por una parte, el relato de una serie de operaciones militares durante la Guerra Civil española, descritas minuciosamente pero no sin ambigüedad. Por otra, la descripción de vidas privadas: el doctor Daniel Sebastián, que habita, como fuera del tiempo, una residencia ruinosa, en la que cuida de un muchacho enloquecido por la ausencia de su madre; y la narración autobiografica que la mujer misteriosa va desgranando entrecortada y confusamente a lo largo de las páginas centrales de la novela. Pero más que los personajes es el ambiente, un ambiente de angustia y de creciente ruina, el que se impone al lector: es ésta la mejor prueba de que no es la psicología de sus personajes o la interacción de los mismos lo que interesa a Benet, y que nos hallamos quizá ante una auténtica novela gótica.

Benet, hombre de vasta cultura literaria, parece sentir predilección por los anglosajones. Ha leído a Poe con todo cuidado; probablemente conoce bien la tradición de la novela gótica, que, iniciándose en pleno siglo XVIII con *The Castle of Otranto*, de Horace Walpole (1764), prosigue con *The Monk*, de Matthew Lewis (1796), y da innumerables frutos en el siglo pasado: *Frankenstein*, de Mary Shelley, los cuentos de Poe (y en especial «The Fall of the House of Usher»), el *Drácula* de Bram Stoker, hasta penetrar en nuestro siglo con *Rebecca* y otras novelas de Daphne Du Maurier.

No faltan en Benet los ingredientes esenciales de la novela gótica: misterio, crueldad, sadismo, sufrimiento de una mujer perseguida, sangre, muerte, desolación, y la constante presencia del mal. El mundo está mal hecho, el centro del mismo se resquebraja. Nos sentimos constantemente amenazados por lo desconocido. Con todo ello quisiera decir que *Volverás a Región* es y no es una novela gótica. Siempre he creído en la utilidad de leer tres o cuatro novelas a la vez, novelas que tengan bastante en común, por supuesto, ya que las novelas forman familias y establecen entre sí uniones, a semejanza de los seres humanos. A veces no entendemos la conducta de un individuo si no sabemos nada del ambiente y la familia en que se educó. No entendemos bien una novela si no la comparamos con otras de su grupo. Pues bien: en el caso de *Volverás a Región* yo leería esta novela junto con otras dos: *Tiempo de Silencio*, de Martín Santos, y *Cien años de soledad,* de García Márquez, que pertenecen a la familia hispánica, y también con una o dos novelas de esta extraña e inquietante familia anglosajona que es la familia de la novela gótica. Igual que la novela gótica, la de Benet es conscientemente un gesto de protesta ante los valores literarios establecidos por los novelistas que dominan el horizonte de su país y la sensibilidad que impera en los círculos más influyentes de críticos y lectores. Benet es plenamente consciente de que la novela realista ha dado ya lo mejor de sus frutos y de que es hora de cambiar de rumbo. (Entre paréntesis, la gran ventaja que ofrecen las novelas de Benet, y que viene a contrapesar sus indudables dificultades y oscuridades, es que Benet además de ser novelista es crítico, y muy buen crítico, lo cual siempre nos permite ir a buscar en sus páginas críticas la justificación o la explicación de lo que no acabamos de entender en sus novelas.) También la novela gótica nace de un sentimiento de insatisfacción: en este caso se trata de una protesta, consciente o no, ante el estrecho racionalismo del siglo XVIII, ante lo que podríamos llamar el racionalismo panglossiano, color de rosa, ciego para el misterio y para la poesía de lo irracional. Detrás de los gestos teatrales y melodramáticos, de los resplandores siniestros y los efectos de guardarropía de la novela gótica, hay un mensaje implícito que hemos tardado muchos años en reconocer. Este mensaje nos advierte que bajo la máscara de serenidad y sentido común los hombres esconden fuerzas monstruosas; que el espíritu científico a secas no basta; que el sueño de la razón, como diría Goya, engendra monstruos. Y que el hombre es cruel frente a los demás, y en especial frente a la mujer, la galantería y la sensualidad del siglo XVIII no expresan ni los verdaderos sentimientos del hombre ni la realidad social, mucho más cercana a la degradación y las torturas de la novela gótica que a la elegancia serena de las óperas de Mozart. (Si nos fijamos en que muchas novelas góticas fueron escritas por mujeres, y algunas de ellas, como Mary Shelley, fueron ardientes feministas, comprenderemos que en las largas descripciones de heroínas perseguidas, esclavizadas, humilladas y torturadas, se ocultaba no un mero recurso para producir escalofríos, sino también un mensaje crítico, que los lectores masculinos creímos prudente no entender.)

Naturalmente las divergencias entre Benet y la novela gótica son tan instructivas como las convergencias. En Benet hay una clara voluntad de crear un relato simbólico y mítico. Como el Macondo de *Cien años de soledad*, Región y sus habitantes equivalen a toda España. Benet escribe, por ejemplo (p. 75): «Todo el curso de la guerra civil en la comarca de Región empieza a verse claro cuando se comprende que, en más de un aspecto, es un paradigma a escala menor y a un ritmo más lento, de los sucesos peninsulares; su desarrollo se asemeja al despliegue de imágenes saltarinas de esa película que al ser proyectada a una velocidad más lenta que la idónea pierde intensidad, colorido y contrastes». A diferencia de los personajes de la novela gótica, los personajes de Benet aparecen intencionalmente desfigurados y borrosos, tienden a fundirse y transformarse unos en otros: así, por ejemplo, la heroína relata: (págs. 276-278): «[Adela], segura estoy de ello, era un ser ganado por la revolución proletaria e incorporado al Comité de Defensa para celar mis pasos, lo mismo que en el internado. Unas semanas más tarde, bajo el peso de la derrota, se convertirá en Muerte a fin de saldar con los beneficios de un burdel la deuda que ha contraído con la sociedad de los vencedores. Un poco más tarde se transforma en mi madre política —una señora autoritaria y lacónica— para reconciliarse definitivamente con aquella gente de orden de que en el fondo de su alma nunca renegó. Si todas esas personas no son una sola y única me parece un despilfarro de la naturaleza y de la sociedad emplear tanta gente para cumplir una sola función: velar por mi conducta y tratar por todos los medios de tenerme sujeta al orden que encarnan». Se diría que Benet quiere impedir a toda costa la identificación entre el lector y los personajes de su novela. Y que ello nos permite penetrar en un bosque de símbolos, una selva encantada en la que se escuchan voces misteriosas, maldiciones, gritos, gemidos.

Así, pues, en definitiva, la novela española ha empezado su renovación, su marcha ascendente, libre, experimental, mientras la novela hispanoamericana hacía lo mismo. Después de *Rayuela* y de *Cien años de soledad* la novela hispanoamericana no podía ser la misma de antes, la misma novela de Rómulo Gallegos o de Azuela; la transformación ha sido radical e irrevocable. Y la novela española, después de *Tiempo de silencio* y de *Volverás a Región,* está siguiendo resueltamente el mismo camino, el camino del experimentalismo, la libertad creadora, los grandes relatos en que se mezclan símbolos, fantasía, y observaciones críticas: La nueva novela española ha nacido ya y está en pleno desarrollo.

[*Cuadernos Americanos*, 195, nº 4, julio-agosto de 1974, 193-205.]

RANDOLPH D. POPE

BENET, FAULKNER Y LA MEMORIA SEGÚN BERGSON

En su ensayo «De Canudos a Macondo», Juan Benet cuenta como, en la primavera de 1945, entró en una librería en la calle San Bernardo buscando un libro de Fabre[1]. Tropezó con una estantería de la que se cayó un libro y en una de las páginas leyó las dos líneas siguientes:

VARDAMAN

Mi madre es un pez.

Acababa de topar con William Faulkner. Este descubrimiento accidental representa un momento clave en la carrera literaria de Benet. Ha afirmado con frecuencia que la influencia de Faulkner fue decisiva en su escritura y muchos estudiosos de la obra de Benet consideran esta influencia evidente. Pero el caso es complejo y merece un nuevo examen más detenido, bien que breve, a fin de ensanchar los caminos de la investigación futura[2].

---

[1] «De Canudos a Macondo», *Revista de Occidente*, 2ª ép., nº 70, enero de 1969, p. 52.

[2] En uno de los primeros y mejores estudios de *Volverás a Región,* Alberto OLIART, *Revista de Occidente*, 2ª ép., nº 80 (1969, pp. 224-234), alude a la influencia de Faulkner y Kafka, en la p. 230. Edenia GUILLERMO y Juana Amelia HERNÁNDEZ en *La novelística española de los años 60*, Nueva York, Eliseo Torres, 1971, p. 149, se limitan a decir que la influencia de Faulkner es evidente en toda la obra de Benet. Santos SANZ VILLANUEVA en su *Historia de la novela social española* (1945-75), Madrid, Alhambra, 1980, p. 129, observa que Faulkner está «muy presente» en la novelas de Benet.

Desde el comienzo nos enfrentamos con un dilema, puesto que la cuestión de influencias, aun cuando confesadas por el autor influido, se encuentra muy alejada del pensamiento crítico contemporáneo. Por un lado, los rasgos característicos de un texto no son considerados propiedad intelectual de una persona; por el contrario, se cree que van más allá del escritor y se atribuyen a un estrato arqueológico (Michel Foucault), período (Angel Rama, *Rubén Darío*), horizontes (Hans Robert Jauss) y estrategias de la lectura (Jonathan Culler). Por otro lado, el escritor está atrapado en medio de una paradójica red de fuerzas sociales: el deseo de innovación y originalidad contrapuesto a las exigencias reductivas de una sociedad uni-dimensional, una sociedad de masas. El escritor puede intentar captar la atención del lector por medio de la novedad o de complicadas estrategias técnicas, pero muy a menudo un texto sembrado de dificultades acaba por desanimar al mismo lector a quien estaban destinadas tales novedades. Al mismo tiempo, la mera sugestión de influencia en la lucha del escritor por la diferencia a menudo desemboca en la ansiedad (Harold Bloom) o en una carga (W. Jackson Bate). Estalló un escándalo cuando Manuel Pedro González sugirió que Cortázar era, cuando menos, parte de una larga tradición, por no llamarlo derivativo. Además, cegarnos a la cuestión de influencias nos ayuda a evitar la confrontación con los serios obstáculos que dificultan la escritura de una historia de la literatura, un género que parece en vías de extinción. Muchos críticos prefieren hoy una colección de artículos (como este volumen) o las descripciones de literatura en textos históricos (tal como las propuestas por Raymond Williams) en vez de la historia literaria tradicional. Hasta los sociólogos como Erich Koehler se ven obligados a reconocer que el cambio literario a menudo se explica mejor dentro de un contexto independiente y exclusivamente literario[3].

---

[3] Las referencias en este párrafo, cuando se refieren a una obra específica, son las siguientes: Angel RAMA, *Ruben Darío y el Modernismo (Circunstancia socioeconómica de un arte americano)*, Caracas, Universidad de Venezuela, 1970; Hans Robert JAUSS, *Literaturgeschichte als Provokation*, Frankfurt am Main, Suhrkamp, 1970; Jonathan CULLER, *Structuralist Poetics*, Ithaca (Nueva York), Cornell University Press, 1975, quien define la poética estructuralista como la «teoría de la practica de la lectura» (p. 259); Harold BLOOM, *The Anxiety of Influence*, Londres, Oxford University Press, 1973; W. Jackson BATE, *The Burden of the Past and the English Poet*, Cambridge (Massachusetts), Harvard University Press, 1970; Manuel Pedro GONZÁLEZ, *Coloquio de la novela hispanoamericana*, México, Fondo de Cultura Económica, 1967; René WELLEK, «The Concept of Evolution in Literary Theory», *Concepts of Criticism*, New

Otro factor que complica el asunto es el hecho de que Benet inicialmente aparece como un caso aislado en el panorama de la literatura española de posguerra. Pero más tarde, en el momento de éxito, se le ve unido con otros escritores —los precedidos, como diría Borges— entre quienes uno de los más importantes es Luis Goytisolo[4].

Sin embargo, una vez planteada la cuestión de influencias, —y no la de la intertextualidad o las resonancias, dos maneras astutas de eludir el problema—, uno se da cuenta de que la influencia de Faulkner y Benet se ha analizado hasta ahora principalmente a nivel de las coincidencias entre el contenido y las estrategias[5]. Examinemos brevemente algunos de estos puntos de contacto para ver si son particulares a Benet:

1) La creación, fijación topográfica y población de una comarca ficticia que se percibe como un microcosmos de la realidad histórica y que está caracterizada por elementos reconocidos como típicos de ese mundo histórico. Como dice el propio Benet, esta comarca es «un paradigma en escala menor»[6]. Macondo, Región y el mundo sombrío de Onetti se encuentran todos bajo este rótulo. Aunque, para ser exacto, la creación de tal mundo no es de modo alguno una novedad introducida por Faulkner, parece claro que su ejemplo es decisivo para los escritores citados.

2) La importancia fundamental de referencias míticas o bíblicas como guía de la lectura de un texto o como paradigma

---

Haven (Connecticut), Yale University Press, 1977, y Erich KOEHLER en una conferencia en la Universidad de Friburgo, en julio de 1971, donde sus sugerencias de que existía una historia literaria relativamente independiente de la base socieconómica, fueron recibidas con ruidosas protestas por parte de la mayoría de los estudiantes presentes.

[4] Santos SANZ VILLANUEVA, en su *Historia de la novela social española*, p. 222, considera la recepción de las obras de Benet «sintomática» porque «la manera en que están escritas estas novelas no cambia mucho después de las dos primeras, pero su aceptación, sí». En el prólogo a la segunda edición de *Volverás a Región*, Madrid, Alianza Editorial, 1974, Benet habla de las vicisitudes de su busca de una editorial. Las citas de la novela en este estudio hacen referencia a esa edición.

[5] El análisis más detallado y preciso de este aspecto se encuentra en David K. HERZBERGER, *The Novelistic World of Juan Benet*, Clear Creek (Indiana), The American Hispanist, 1976. Con respecto a la influencia de Faulkner en Lino Novás Calvo, José Revueltas y Juan Rulfo, veáse James E. IRBY, *La influencia de Willian Faulkner en cuatro narradores hispanoamericanos*, México, Universidad Autónoma de México, 1956.

[6] *Volverás a Región*, p. 74. Durante un coloquio organizado por la Fundación Juan March, publicado luego bajo el título *Novela española actual*, Madrid, Fundación Juan March/Editorial Cátedra, 1976, se le preguntó a Benet si Región debe interpretarse como un compendio o abreviatura de España. Benet contestó: «No sé si tal correspondencia existe» (p. 185).

subyacente (Numa y Deméter en Benet, el Judío Errante en García Márquez). Algunos de los títulos de las novelas de Benet señalan este rasgo: *El ángel del Señor abandona a Tobías* (Barcelona, La Gaya Ciencia, 1976, y *Saúl ante Samuel* (Barcelona, La Gaya Ciencia, 1980). Benet ha escrito también un análisis espléndido del estilo del Antiguo Testamento[7].

3) La investigación de la subjetividad, llevada a cabo en frases largas, complejas y serpentinas (se puede pensar también en Roa Bastos o Carpentier) y el contrapunto de versiones y voces diferentes (tal como se encuentra en *As I Lay Dying*), que más a menudo son contradictorias en vez de complementarias. Faulkner explicó en una entrevista: «Creo que nadie aisladamente puede mirar a la verdad.»[8].

4) El papel central de la guerra civil, americana, española, colombiana, mejicana, paraguaya, respectivamente, para Faulkner, Benet, García Márquez, Carlos Fuentes y Roa Bastos.

Todas estas coincidencias y semejanzas parecen arbitrarias y casi incoherentes. En el caso de los novelistas hispanoamericanos, revelan una utilización fragmentada (e incluso hasta una especie de saqueo creativo basado, a veces, en lecturas equivocadas) de elementos oportunos para proyectos también fundamentados en otras tradiciones (precolombina, marxismo, criollismo, lenguaje cinematográfico, etc.). En contraste, mientras que Benet confiesa que otros autores han dejado una huella en su escritura (Melville, Conrad, Kafka, Proust, Thomas Mann y Rilke), hay en su obra

---

[7] Robert C. SPIRES ha estudiado la estructura mítica de *Volverás a Región* en *La novela española de postguerra,* Madrid, Cupsa Editorial, 1978, pp. 237-244. Para el empleo faulkneriano del mito, véase Walter BRYLOWSKI, *Faulkner's Olympian Laugh, Myth in the Novels*, Detroit (Michigan), Wayne State University Press, 1968. En *Faulkner at Nagano*, ed. Robert A. Jelliffe, Tokyo, 1946, p. 45, FAULKNER declara: «Para mí, el Antiguo Testamento es uno de los mejores, más fuertes y más divertidos tipos de folclore que yo conozco». Para el estudio benetiano del estilo de la Biblia, véase *La inspiración y el estilo* Barcelona, Seix Barral, 1973, pp. 45-54.

[8] *Faulkner at the University*, eds. Frederick L. Gwynn y Joseph L. Blotner, Charlottesville (Virginia), University of Virginia Press, 1957, pp. 273-274; el mejor estudio de las contradicciones, ambigüedades y enigmas de Benet está en David K. HERZBERGER, «Enigma as Narrative Determinant in the Novels of Juan Benet», *Hispanic Review*, 47 (1979), pp. 149-157. El médico en *Volverás a Región* dice de la historia de su padre: «yo no sabré nunca de fijo el verdadero desenlace» (p. 120), mientras que su interlocutor observa: «Ha pasado tanto tiempo y ha sido tal mi soledad que he llegado a dudar si todo aquello ocurrió como lo he dicho» (pp. 278-279); en *Saúl ante Samuel* se lee: «A la postre toda historia resulta oscura, con un origen indefinido y un haz de metamorfoseantes intenciones que arrojarán una resultante imprevisible» (p. 128).

una proximidad particular a Faulkner que le distingue de los otros escritores anteriormente citados. Esta afinidad se ve como más profunda cuando uno reconoce que ambos escritores utilizan como parte esencial de su narración toda una serie de postulados teóricos, que explican la narración principal y a veces llegan a ser un co-protagonista de la obra, semejante al coro griego. Es aquí donde yo creo que hay que explorar las afinidades entre los dos novelistas. En la obra de Benet, tal como en la de Faulkner, se encuentran meditaciones frecuentes sobre el valor del tiempo, la acción y la memoria, además de reflexiones acerca de un mundo que resiste la voluntad humana hasta que ésta esté derrotada (y no por razones externas, tales como el poder de la selva o un dictador en las novelas hispanoamericanas, sino por razones metafísicas)[9].

Benet y Faulkner encuentran el origen de sus formulaciones y preguntas en la fascinación común que ambos declaran haber sentido ante la filosofía de Bergson[10]. Los puntos principales en la obra de Bergson que llegan a ser fundamentales en el mundo narrativo de Faulkner y Benet son los siguientes:

1) La percepción no es nunca pura sino que se logra bajo el peso de la memoria total. El pasado, según Bergson, «todo él, sin duda, nos acompaña en cada instante»[11]. En otro libro escribe: «No hay ninguna percepción que no esté penetrada por la memoria.» Y añade: «Percibir se convierte en una oportunidad para recordar»[12]. Para Benet, «la memoria mantiene abierta la cuenta»[13]; y para Faulkner, «Tal vez nada sucede solamente una

---

[9] Para ejemplos de meditaciones extensas, véase pp. 90-91 de *Volverás a Región*; pp. 29-34 de *Una meditación* (Barcelona: Seix Barral, 1970); y p. 143 de William FAULKNER, *Absalom, Absalom*, Nueva York; The Modern Library, 1936.

[10] En el curso de una interesante conversación mantenida con Nelson R. ORRINGER, «Juan Benet a viva voz sobre la filosofía y el ensayo actuales», *Los Ensayistas*, nos. 8-9 (marzo de 1980), pp. 59-65, Benet admite que Bergson, cuya obra ha leído en su totalidad, ha ejercido la mayor influencia en él. En cuanto a la importancia de Bergson para Faulkner, véase el capítulo dedicado a esta cuestón en el libro de Cleanth BROOKS, *William Faulkner, Toward Yoknapatawpha and Beyond*, New Haven (Connecticut), Yale University Press, 1978, pp. 251-282.

[11] Henri BERGSON, *L'Évolution créatrice. Oeuvres*, París, Presses Universitaires de France, 1959, p. 498.

[12] Henri BERGSON, *Matière et mémoire. Oeuvres*, pp. 183 y 213.

[13] *Volverás a Región*, p. 23. Hablando con Orringer, Benet recuerda una frase de Faulkner de *Light in August*, «que para alguien que escribe sobre este tema es nada menos que la ley de la memoria de Einstein: al comienzo del capítulo 6 dice: "La memoria cree antes que el conocimiento recuerde" [*Memory believes before knowledge remembers*]» («Juan Benet a viva voz», p. 63).

vez y queda acabado»[14]. La mayoría de los personajes de Benet, como los de Faulkner, luchan continuamente con fantasmas del pasado mantenidos por una memoria inexorable. En un nivel anecdótico, una serie de fantasmas andan por las obras de Benet, en cuentos como «TLB», en *Una tumba* o meditaciones sobre los mitos de buques fantasmas. En un nivel más profundo, cada frase está penetrada por los fantasmas inquietantes que dan a los textos de Benet la densidad de un palimpsesto. Para ver clara y directamente en la realidad hay que penetrar esta memoria obsesiva, más un anhelo de memoria nostálgica que una auténtica posibilidad. «La paz del prerreflexivo» apuntada en *Un viaje de invierno* está siempre perdida en alguna parte distante de la situación presente[15].

2) El tiempo científico no es el tiempo humano, puesto que éste está determinado por la conciencia en la duración elástica de momentos que tienen su propia densidad peculiar (uno piensa en «El milagro secreto» de Borges). En las novelas de Faulkner y de Benet hay relojes que se contradicen o personajes que se encierran en un momento que los ancla en lo que para todos los demás es el pasado. En la habitación de Princeton, de *The Sound and the Fury*, relojes amenazantes marcan el tiempo del suicidio, mientras que en *Una meditación* de Benet la puesta en marcha del reloj con que Cayetano Corral se ha entretenido vanamente durante años incontables preside la destrucción de los jóvenes personajes. En *Absalom, Absalom*, Miss Rosa Coldfield declara: «Mi vida estaba destinada a acabar una tarde en abril hace cuarenta y tres años»[16], de la misma manera que en la primera novela importante de Benet la memoria del niño está fijada en el instante en que fue abandonado por su madre. En esta misma novela uno lee: «el tiempo no puede existir» (*Volverás a Región*, p. 281), mientras que Faulkner afirma: «No hay tiempo. De hecho estoy más bien de acuerdo con la teoría de la fluidez del tiempo de Bergson. Sólo hay el momento presente, dentro del cual incluyo el pasado como el futuro, y eso es la eternidad»[17].

---

[14] William FAULKNER, *Absalom, Absalom*, p. 261. En *Go Down, Moses*, Nueva York, The Modern Library, 1955, p. 326, Faulkner escribe: «la memoria, por lo menos, perdura» (memory at least does last). En *Faulkner at the University*, Faulkner observa: «Ningún hombre es el mismo, es la suma de su pasado» (p. 48).

[15] *Un viaje de invierno*, Barcelona, La Gaya Ciencia, 1973, p. 226.

[16] William FAULKNER, *The Sound and the Fury*, Nueva York, Vintage Books, 1939, p. 104; FAULKNER, *Absalom, Absalom*, p. 18.

[17] William FAULKNER, *Lion in the Garden*, ed. James Merriwether y Michael Millgate, Nueva York, Random House, 1968, p. 70.

3) La historia se mueve (no necesariamente progresa) a causa del impulso de la energía vital. Esta energía no es inagotable y tiene que luchar contra la resistencia ofrecida por el cuerpo y la inercia de toda materia. (En relación con esto, es interesante notar con que frecuencia Benet se refiere al alma.) Lo peor, para Benet, es «una sociedad agotada» (*Volverás a Región*, p. 17). Para Faulkner, en *The Sound and the Fury*, cada uno de los hermanos Compson posee una energía creativa que se paraliza y aniquila a ella misma[18].

4) Para expresar la experiencia de una realidad heterogénea y fluida el ser humano tiene que recurrir a un lenguaje que es, por su naturaleza, discontinuo y homogéneo. La abstracción por sí misma petrifica el fluir de la vida y la generalización fuerza la diversidad de los seres bajo una sola rúbrica[19]. Ningún estado de consciencia empieza o termina, tal como hacen las frases, sino que se entremezclan entre sí[20]. En un ensayo sobre el arte de escribir, Benet observa que uno no se ocupa del hecho en sí sino que vuelve a sus antecedentes e insinúa sus consecuencias[21]. En *Absalom, Absalom,* Faulkner declara: «Vivir es un instante constante y perpetuo» (p. 142). Utilizando toda la memoria uno puede sondar una y otra vez un instante hasta llegar al nivel más profundo donde se revelan todas sus implicaciones[22]. Hasta que esta tarea esté conclusa, los personajes de Benet sentirán desasosiego, inseguridad e incertidumbre, y percibirán alrededor de ellos enigmas y secretos de una incómoda ambigüedad. La mayor parte de los personajes benetianos experimentan una epifanía en la que su pasado se convierte en presente —o se hace a si mismo presente:

---

[18] Richard P. ADAMS, en *Faulkner Myth and Motion*, Princeton (New Jersey), Princeton University Press, 1968, p. 225, escribe: «Cada uno de los hermanos Compson...es un obstáculo estático para el movimiento de la vida».

[19] En *Matière et mémoire*, BERGSON observa: «Refinado o tosco, cualquier lenguaje implica muchas cosas que no puede expresar. Fundamentalmente discontinuo, porque tiene que proceder por medio de palabras yuxtapuestas, las palabras no hacen más que sugerir, a largos intervalos, las etapas principales del pensamiento» (*Oeuvres*, p. 269). Para una tentativa de refutar las ideas de Bergson sobre el lenguaje, véase Kamal Youssef EL-HAGE, *La Valeur du langage chez Henri Bergson*, Beirut: Publications de l'Université Libanaise, 1971. BERGSON afirma con toda claridad: «el pensamiento desborda los limites del lenguaje» (*Essaie sur les données immédiates de la conscience*. *Oeuvres*, p. 109).

[20] BERGSON, *La pensée et le mouvant*. *Oeuvres*, p. 1397.

[21] *En ciernes*, Madrid, Taurus, 1976, p. 30.

[22] En *Matière et mémoire*, BERGSON dibuja una ilustración del texto, en el cual todos los diversos y divergentes niveles del análisis se ven como emergentes de un punto de partida y formando un cono invertido sobre éste.

«el día en que se produce esa inexplicable e involuntaria emersión del recuerdo» (*Una meditación*, p. 31). El lector también tiene que acomodarse a la avalancha de materia inconexa que ofrece el narrador y luego experimentar un sentimiento de consumación cuando el contenido de la memoria adquiere sentido. Desgraciadamente, estos momentos pasajeros de perspicacia están mitigados por la conciencia de que no todos los enigmas están resueltos para los personajes o para los lectores. Pero en el esfuerzo de comprender la existencia como totalidad, las frases reflejan la complejidad de funcionamiento de la mente donde diversos momentos temporales se juntan, abriendo el paso a una constelación de fuerzas enterradas en el pasado, que determinan activamente las coordenadas de la acción futura. En este sentido, un mundo saturado de ruinas (y runas) como el mundo favorecido por las narraciones de Benet, se ve principalmente como histórico, como un tiempo de resplandores y glorias pasados, ahora ausente y añorado por la imaginación nostálgica, pero que también sigue ejerciendo su poder peligrosamente, a veces por obediencia insensata a órdenes dadas en circunstancias totalmente diferentes, que incluso pueden haber sido olvidadas. La secuencia de la multiplicidad de instantes siempre indica, en Faulkner tal como en Benet, una consecuencia trágica —asesinato, suicidio, rechazo— y por eso es urgente mirar de cerca la confusión del pasado/presente.

El deseo de trascender la abstracción del lenguaje lleva a una acumulación de calificativos, de matices de significación, y a la reiteración de afirmaciones ligeramente moduladas. («Cúmulo» es una de las palabras utilizadas con más frecuencia por Benet.) Esta esperanza de captar la complejidad de una realidad vivida también lleva a la busca de un ritmo lento, donde el pulso está marcado por enigmas y alusiones que hacen saber en su fracasada tentativa de comprensión, que «lo que realmente ocurrió» nunca está delimitado por las voces narrativas. Esto se relaciona con la creencia de Benet en la «radical insuficiencia del conocimiento» (*En ciernes*, p. 34) y con el hecho que «es inteligible el ímpetu de vivir» (*Un viaje de invierno*, p. 95). Por lo tanto, la literatura, según Benet, tiene como misión «demostrar la insuficiencia gnoseológica» y debe pretender «fomentar la invención de aquella clase de misterio que por su naturaleza se encuentra y se encontrará siempre más allá del poder del conocimiento» (*En ciernes*, p. 49). La inmersión en una región de unidad e iluminación está sugerida por la escritura, pero nunca se alcanza completamente por los significantes dispersos de un significado imposible de conocer. Dejándose ir intuitivamente «en las tinieblas que rodean el conocimiento del hombre» (*En ciernes*, p. 83), el escritor tiene que utilizar, pero a la vez trascender, el lenguaje. El aspecto fascinante de la prosa de Benet, casi perversa en su apego tenaz a las inferencias, alusiones, elipsis e inscripciones borradas o disimuladas, es su tentativa de conformarse con el dicho de Bergson que «el arte del escritor consiste sobre todo en hacernos olvidar que está usando palabras»[23]. El lenguaje, por lo tanto, es un instrumento oportuno, el dedo que señala la luna, el menú escrito en la carta, que incita más que apacigua el hambre.

5) La libertad intelectual puede obtenerse a través de la interrupción de un acto reflejo no mediado por la instancia de la memoria, lo cual, a su vez, sugiere la creación de nuevas respuestas y el bloqueo de otras[24]. La inteligencia, aquí una inteligencia profunda, finalmente imposible de conocer, salva la vida de la reiteración del instinto. La mayor parte de *Un viaje de invierno* está dedicada a la capacidad, concretada por la naturaleza (que trae cada año a Coré, idéntica pero diferente, sin memoria que le permita comparar), para repetir una fiesta sin caer en el estupor ritual, manteniéndose abierta a todo lo inesperado de la vida (pero sin caer en la trampa de esperar lo inesperado).

Un monólogo escrutador, un diálogo casi imperceptible y a veces inarticulado, el abarcar en un instante la duración de toda una vida, son actos, como los ríos fluyentes que ignoran el estancamiento, que anhelan (y a veces alcanzan) las orillas del descanso. Los textos de Benet tienen una fuerte corriente submarina de pensamiento que va más allá del mero psicoanálisis y que encuentra su erupción en la acción. La narrativa analítica no es, por lo tanto, ociosa, sino que constituye una acción verbal, donde todo se origina y todo finalmente se resuelve.

Los argumentos esenciales de la filosofía de Bergson están elaborados en términos dramáticos que facilmente pueden encajar en las novelas: la presencia activa del pasado en el presente (de la memoria en la percepción), el agotamiento del alma frente a la resistencia de la materia y el privilegio de ciertos instantes de larga

---

[23] Bergson, *L'Énergie spirituelle. Oeuvres*, p. 849.

[24] Bergson, *Essai sur les données immédiates de la conscience. Oeuvres*, p. 122: «Para decir la verdad, los estados más profundos de nuestra alma, los que se traducen en actos libres, expresan y abarcan la totalidad de nuestra historia pasada».

duración y profundidad que hacen la libertad posible. Benet incorporará estos elementos en su obra, dándoles una marca característica y única cuando él presiona hasta el extremo las frustraciones del alma y los enredos de la mente. Mientras que para Faulkner queda «alguna reserva amarga e implacable de lo invicto» (*Absalom*, p. 11), los personajes de Benet parecen derrotados y resignados, salvo por el hecho de que en ellos la memoria se convierte en fantasía y pone en marcha un proceso subconsciente que les fuerza a percibir claramente la victoria que hubiera podido ser suya. De la imagen de la victoria reciben un consuelo amargo: «la memoria...es casi siempre la venganza de lo que no fue» (*Volverás a Región*, p. 110) o «todo lo que nos queda es lo que un día no pasó» (p. 288), o hasta «el tiempo es todo lo que no somos» (p. 279). Faulkner también ha escrito que hay un «podía-haber-sido que es más verdadero que la verdad» (*Absalom*, p. 143). El alma, que nunca acaba por resignarse totalmente al deterioro del cuerpo y a la geografía en la que ella misma se encuentra, manifiesta su fuerza en una escritura imaginativa que corrige, amplifica y censura la memoria, dejando saber que todo no está perdido, puesto que por lo menos *ese* acto libre es siempre posible. (En contraste, en *Tiempo de silencio*, el yoga mental de Pedro no altera de ningún modo la realidad del hecho de que está en la cárcel. La comparación entre la actitud de Martín Santos y Benet hacia la imaginación podría ser extendida para incluir sus distintas visiones del estilo: la ironía del primero se contrasta agudamente con el cultivo casi religioso del refinamiento y la dificultad del segundo. En Benet uno encuentra una creencia casi anticuada en la capacidad de las palabras para importar, y esta confianza ha creado alguna de las prosas más brillantes de este siglo. Otra vez, como contraste, se puede pensar en el esfuerzo deconstructivo de Juan Goytisolo, quien, en su ficción reciente, intenta mostrar la contaminación radical de un lenguaje que Benet parece recuperar impoluto.)

Es imposible definir con mayor certeza cuáles de estas influencias en Benet son faulknerianas y cuales se derivan de su lectura directa de Bergson. No hay que olvidar, sin embargo, la originalidad del propio Benet, ni tampoco pasar por alto la oportunidad de meras coincidencias, favorecida por un sistema común de interrogantes. Pero es evidente que Benet encontró en Faulkner, y particularmente en su mentor común, Bergson, la formulación de ciertas preguntas filosóficas que serían fundamentales para su narrativa.

Hay, por lo menos, dos conclusiones más que se pueden sacar de este estudio, y las dos son de una utilidad inmediata. La primera se refiere a cómo se puede leer a Benet en Hispanoamérica. Los lectores de allá comprenderán mejor su obra si la asocian con las novelas de García Márquez, Roa Bastos, Vargas Llosa o Carpentier y, en particular, con los escritos de Borges, en vez de con las obras de otros escritores españoles, como Cela, Delibes o Juan Goytisolo. La segunda conclusión concierne a los críticos que desaprueban la lentitud y deliberación extremas de los textos de Benet, la unidimensionalidad de sus personajes, los argumentos confusos, enigmáticos y truncados, tres características que han de ser reinterpretadas cuando los orígenes y la originalidad del mundo narrativo benetiano se comprendan. Recientemente, Benet declaró a *El País Semanal* que escribir una novela con argumento es la cosa más fácil del mundo. Una vez esbozados, el argumento y los personajes arrastran al autor tras ellos, como caballo de las bridas. Lo difícil es escribir una novela sin argumento[25]. Nuestro examen de sus vínculos con Faulkner y Bergson ha mostrado que, de hecho, en la obra de Benet, el argumento narrativo no se encuentra en la anécdota, sino en otro nivel, donde los protagonistas se llaman percepción, tiempo, duración y, sobre todo, una memoria activa, imaginativa, engañosa y liberadora.

[*Critical Approaches to the Writings of Juan Benet*, ed. Roberto C. Manteiga, David K. Hertzberger y Malcom A. Compitello, The University Press of New England, 1984, Copyright, The Regents, University of Rhode Island. Traducción de Kathleen M. VERNON.]

[25] Ángel S. HARGUINDEY, «El último sudista,» *El País Semanal*, 23 de noviembre de 1980, p. 12.

GONZALO SOBEJANO

DOS ESTILOS DE COMPARACIÓN: JUAN BENET, LUIS GOYTISOLO

Con desprecio hablaba José Martínez Ruiz, por boca de Yuste, en *La voluntad*, de «la superchería de la comparación». Leía una página de Blasco Ibáñez en la que nada menos que seis veces se recurría a ella (los naranjales «como un oleaje aterciopelado», los grupos de palmeras «como chorros de hojas que quisieran tocar al cielo cayendo después con lánguido desmayo», etc.) para concluir que en todos estos casos se trataba de «producir una sensación desconocida, apelando a otra conocida... que es lo mismo que si yo no pudiendo contar una cosa llamase al vecino para que la contase por mí». A la página de Blasco oponía otra de Pío Baroja, donde creía encontrar «esos pequeños detalles sugestivos, suscitadores de todo un estado de conciencia», los cuales, ellos solos, dan «la sensación total». Y subrayaba éstos: «Se oye cómo caen y se hunden en el silencio del crepúsculo las campanas del Ángelus»; «la nota melancólica que modula un sapo en su flauta, nota cristalina que cruza el aire silencioso y desaparece como una estrella errante»[1].

El lector concederá fácilmente la superioridad de la página de Baroja en relación a la de Blasco, pero no dejará de notar que en aquélla hay una comparación («como una estrella errante») y varias expresiones metafóricas que implican semejanzas (las campanas «caen y se hunden», la «nota» que «modula» en su «flauta» un sapo, nota «cristalina» que «cruza el aire» como lo cruzaría un ser alado).

---

[1] José MARTÍNEZ RUIZ, AZORÍN, *La voluntad*, ed. de E. Inman Fox, Madrid, Castalia, 1968, pp. 130-132.

Acierta Yuste al preferir la página de Baroja, pero yerra al despreciar por modo absolulo la comparación. Ésta, en sí, no es buena ni mala: su calidad dependerá de las dotes imaginativas y expresivas del escritor y de la eficacia que logre en la conciencia del lector según el contexto en que opere.

Comparemos brevemente una de las comparaciones de Blasco Ibáñez con la comparación del texto de Baroja. Aquélla dice así: «los grupos de palmeras agitando sus surtidores de plumas, como chorros de hojas que quisieran tocar al cielo cayendo después con lánguido desmayo». De manera semejante a como la imagen auditiva de la «nota cristalina» adquiere una calidad visual cuando «desaparece como una estrella errante», la imagen más auditiva que visual de los «chorros» cobra una calidad marcadamente visiva cuando se los representa «cayendo después con lánguido desmayo». Ambas comparaciones, pues, la de Blasco y la de Baroja, son sinestésicas, enriquecen la percepción sensorial y podrían aspirar al mismo aplauso. Sin embargo, la comparación barojiana es sobria y comunica una impresión de novedad: que la voz del sapo cruce el aire y desaparezca como una estrella errante constituye una sinestesia extraña, de efecto sugestivo. La comparación de Blasco, en cambio, no trasmite esa impresión de novedad: los «chorros de hojas» componen también una sinestesia, pero obvia, de escaso efecto; y lo que es peor, la expresión, lejos de toda sobriedad, se enmaraña y recarga innecesariamente: «surtidores de plumas, como chorros de hojas» (catacresis, en el sentido más negativo de este término), «quisieran tocar el cielo cayendo después con lánguido desmayo» (falacias patéticas). En suma: hay comparaciones eficaces y hay comparaciones menos eficaces o de efecto nulo y aun contraproducente; pero la comparación en sí ¿por qué habría de ser reprobable? Yuste mismo, con las palabras con que pretendía condenar la comparación, incurría en una comparación: «producir una sensación desconocida, apelando a otra conocida... que es lo mismo que si yo no pudiendo contar una cosa llamase al vecino para que la contase por mí»; definición y símil bastante desdichados, pues ni siempre se apela a una sensación conocida para suscitar una sensación desconocida (a veces ocurre lo contrario), ni el escritor, cuando compara, consulta a ningún vecino: se consulta a sí mismo, y decide.

En la novela realista del siglo XIX, en España, se hallan con frecuencia, es cierto, comparaciones fácilmente predecibles, e incluso convencionales, que persiguen normalmente la visualización, el plasticismo, la concordancia ambientadora o la nota pintoresca. Los novelistas del 98 fueron exigentes en la poda de convencionalismos y procuraron formas y fórmulas de semejanza más selectas, sugestivas, sinestésicas, simbólicas. Sobrevino después el reinado de la metáfora (y de su especie más novedosa: la «greguería»): poetas, novelistas, ensayistas, periodistas habitaron una corte de los milagros metafóricos hasta casi la hora de la Guerra Civil. Todavía en los años cincuenta, cuando el neorrealismo y la llamada «novela social» mostraban tanto interés en lo particular y único como desinterés en las analogías, equivalencias y simbolismos, podía observarse algún eco de las metáforas ingeniosas y de las greguerías en novelistas de muy distintas edades y estilos, como Zunzunegui, Cela o Rafael Sánchez Ferlosio. Aunque los novelistas del realismo social querían ante todo dar testimonio de lo histórico e irrepetible, no podían evitar lo general y transhistórico, pues en la literatura, como en la realidad, todo es simbólico; pero de las dos caras del símbolo, la particular y la universal, escogían aquélla como objeto primario. Rompe esta tendencia, o irrumpe contra esta norma tácita, Luis Martín Santos en *Tiempo de silencio* (1962) y, poco después, Juan Goytisolo en *Señas de identidad* (1966). Baste recordar allí la visión de los sótanos de la Dirección General de Seguridad como un laberinto infernal que engulle al preso como gigantesco aparato digestivo, o aquí la escena de la represión de los campesinos en Yeste en contrapunto con la muy posterior del encierro de unos novillos en el mismo lugar. La analogía, en estos escritores, funciona más como principio constructivo de escenas, secuencias, capítulos, partes o conjuntos que en detalle. Con la primera novela de Juan Benet, *Volverás a Región* (1967) y la primera pieza de la tetralogía de Luis Goytisolo, *Recuento* (1973), entran en vigor nuevos modos de comparación que operan también en la organización de conjuntos pero que cobran riquísima presencia en la frase y en el párrafo. Y a este aspecto principalmente atendemos en lo que sigue.

He aquí la primera comparación que puede leerse en *Volverás a Región*[2]. El narrador está describiendo el viaje de Región a su sierra, una meseta pobre y seca, un desierto de rocas que al parecer la Sierra ha ido soltando «a lo largo de siglos y huracanes», con pequeñas charcas «de agua milenaria» rodeadas de áspera vegetación, habitadas por pequeños reptiles, negros pájaros hambrientos

---

[2] Juan BENET, *Volverás a Región*, Barcelona, Destino, 1967. Las cifras entre paréntesis junto a los textos citados refieren a las páginas de esta edición.

y una multitud de insectos *tan abigarrados de corazas y erizados de armas que siempre parecen dirigirse a Tierra Santa* (10).

Y he aquí la primera comparación que puede leerse en *Recuento*[3]. Refiere el narrador las correrías de Raúl adolescente y de otros muchachos por los campos aledaños de la finca de Vallfosca:

Seguían un rato por el fondo del torrente y luego remontaban el bosque, desplegándose en silenciosos avances, de matorral en matorral, reptando hasta aquella roca, *saludándose a veces con la carabina en ademán de inteligencia, igual que cuando va el protagonista y le sale un soldado alemán por la espalda, o asoma un japonés que está escondido, y en el momento en que lo apuntan se oye un disparo, y el protagonista se vuelve a tiempo de ver cómo el japonés se desploma y, desde otra roca, un compañero le saluda en silencio, sonriente, alzando el fusil* (43).

¿Cómo hubiera enjuiciado Yuste tales comparaciones? Son muy distintas entre sí: la de Benet es breve, inserta, inusitada o disonante, personificadora; la de Goytisolo es extensa, ejemplificadora, experiencial, correlacionante, variable. Pero ambas tienen en común el no ser triviales ni tópicas, y más que una sensación total sugestiva exponen algo así como una posibilidad (recordada o vivida) que viene a cobrar un relieve superior a lo comparado, ampliando el caudal de lo narrado al hacer presente la reflexión del narrador[4].

No ignorando las estrechas relaciones que existen entre metáfora y comparación, limito el examen a esta última porque es ella, la comparación, la que manifiesta más notable frecuencia y mayor novedad en la prosa de ambos escritores. La comparación expresa una relación de similitud entre dos términos (el comparado o tenor, y el comparante o vehículo) a través de una marca explícita («como» y sus variantes); relación establecida sobre un tercer término (la base), el cual, implícito o explícito, contiene la semejanza, siempre parcial, de manera que lo no contenido en la base comprende las desemejanzas y, por tanto, toda comparación, como toda metáfora, revela similitud y disimilitud a la vez. Se ha

[3] Luis GOYTISOLO, *Recuento*, Barcelona, Seix Barral, 1973. Las cifras entre paréntesis junto a los textos citados refieren a las páginas de esta edición, impresa en México.

[4] El cambio del pretérito al presente (en la comparación) atestigua el paso del relato al discurso (Roland BOURNEUF, Réal OUELLET, *La novela*, traducción castellana de Enric Sullá, Barcelona, Ariel, 1975, pp. 108-111).

señalado que la comparación, estilísticamente, importa mucho más como «similitudo» que como «comparatio»: cualitativa más que cuantitativamente[5]. Usaré alguna vez, como sinónimo de «comparación», el término retórico «símil», pero como acostumbra a hacerse en español: en el sentido de comparación desarrollada. Según se ha notado, la comparación opera al nivel de la comunicación lógica e intelectualizada sin llegar al grado de identificación de la metáfora[6], y descubre el parecido o la similitud precisamente a través de la fórmula o marca («como», «al igual que», «de modo semejante a», etc)[7]. Conviene advertir, sin embargo, que, aunque la marca tenga un efecto más lógico o intelectual que la carencia de marca (en la metáfora), la comparación puede tener una intensidad imaginativa y afectiva muy alta, como sucede en la prosa de Benet y en la de Goytisolo. Escojo como textos básicos *Volverás a Región* y *Recuento* porque bastan para la caracterización aquí intentada y porque la comparación no cambia apenas, cualitativamente, en textos posteriores de uno y otro autor. Son las comparaciones en la frase y en el párrafo las aquí primordialmente atendidas: ellas atestiguan y sostienen la analogía, principio constructivo de estas novelas que se manifiesta en la concepción y estructuración de sus conjuntos; la analogía, a su vez, cubre y descubre la antagonía.

JUAN BENET

Contribuyen a la eficacia expresiva y a la novedad de visión de la primera novela de Benet, *Volverás a Región*, numerosos medios de extrañamiento, señalados ya en otra parte[8], entre los cuales uno de los que se imponen con más evidencia es la comparación. En el ejemplo arriba transcrito no extraña tanto que a los insectos se les vea provistos de corazas y armas (un enjambre

---

[5] Michel LE GUERN, *Sémantique de la métaphore et de la métonymie*, París, Larousse, 1973, p. 53 y todo el capítulo VI («Métaphore et comparaison»).

[6] Michel LE GUERN, *op. cit.*, p. 55.

[7] «The most obvious semantic difference between simile and metaphor is that all similes are true and most metaphors are false [...]; the earth is like a floor, but it is not a floor» (Donald DAVIDSON, «What Metaphors Mean», en: Sheldon SACKS, ed., *On Metaphor*, Chicago, The University of Chicago Press, 1979, pp. 29-45, especialmente p. 39. Y las observaciones que sobre esto hace Jonathan CULLER, *The Pursuit of Signs*, Ithaca, (N. Y.), Cornell University Press, 1981, p. 208).

[8] Gonzalo SOBEJANO, *Novela española de nuestro tiempo*, Madrid, Prensa Española, 1975, pp. 561-562.

de insectos zumbantes bien pueden haberse equiparado alguna vez a un ruidoso ejército) cuanto esa otra imagen perifrástica que concluye el símil («siempre parecen dirigirse a Tierra Santa»), la cual transforma a los insectos en «cruzados». La imagen implícita de «cruzados» está, sin embargo, en concordancia con esas corazas y armas puntiagudas que no pertenecen al mundo de hoy y cuya antigüedad preludian en el texto las alusiones a vastas distancias temporales («a lo largo de siglos», «agua milenaria»); además, la nota de fanatismo religioso incrementa la fuerza de esa multitud de insectos.

En general, las comparaciones en esta novela se distinguen por una *inventividad* que, si a menudo concuerda con lo anunciado en el contexto, puede parecer exótica o extravagante. Y es este doble efecto de extravagancia aparente y concordancia latente lo que les infunde especial virtud estética. Raro será encontrar en la prosa de Benet una comparación estereotipada (a unos combatientes «los rodearon por todas partes y los acribillaron como a conejos», 299)[9]. La norma es la comparación inventiva, el hallazgo original no surgido de la lengua común ni de determinada convención literaria, sino de una observación personal que ha sorprendido una paridad y con ella sorprende a quien pueda reconocerla.

Podría decirse que la analogía, sustrato de toda comparación, ofrece dos aspectos principales: la paridad y la junción. La paridad sería un aparecer de parecidos, un aparear términos parejos, comparables, que parecen ser la cosa misma y otra cosa, que se parecen entre sí. La junción sería una agregación o concurso de términos semejantes, asimilables, que simulan ser junto a lo que son lo que semejan ser. Y si en la paridad predomina el dos, la dualidad, en la junción predomina el uno, la unidad o contracción de los términos asemejados.

En la prosa de Juan Benet la comparación es más *paritaria* que congregadora. Abundante hasta la estilización, se sale fuera de lo común no sólo por esa abundancia (unas doscientas comparaciones en trescientas quince páginas de texto, me refiero a *Volverás a*

---

[9] Una comparación o metáfora desgastada puede, sin embargo, irradiar fuerza en determinadas situaciones: «comme si la plénitude de l'âme ne débordait pas quelquefois par les métaphores les plus vides, puisque personne, jamais, ne peut donner l'exacte mesure de ses besoins, ni de ses conceptions ni de ses douleurs, et que la parole humaine est comme un chaudron fêlé où nous battons des mélodies à faire danser les ours, quand on voudrait attendrir les étoiles» (G. FLAUBERT, *Madame Bovary*, II, XII, París, Garnier, pp. 178-179).

Región), sino por la aludida inventividad, de la que pueden dar una idea estas series de correlatos, a modo de ejemplo: páramo nevado / inmensa nevera (44); páramo agostado / más seco que un estropajo (46); cadáveres en el campo de batalla / gavillas en la era (83); bigote / puercoespín colgado de la nariz (120); la familia aglomerada en torno al individuo / banco de arenques alrededor de un cetáceo (137); respiración profunda del amado dormido / latido de un caballo o rugido nocturno del mar (166), cañón humeante / víbora (285). Tales comparaciones cumplen la función más común: sensorializar, poner más al alcance de los sentidos el tenor (la nevera es más abarcable y cotidiana que el páramo nevado, las gavillas en la era más comúnmente vistas por todos que los cádaveres de unos soldados en el frente, etc.). Pero enunciar de modo tan esquemático los términos comparativos es —huelga decirlo— reducir su entera eficacia provocativa.

De las varias marcas comparativas disponibles en el idioma («como», «al igual que», «más que», «menos que», «semejante a», etc.), Benet prefiere con mucho la marca «como», y usa también muy a menudo los giros preposicionales: «con la (con esa, con la misma) indiferencia con que». Admiten tales marcas relaciones gramaticales varias con el vehículo, y en escala de menor a mayor explicitud de la paridad podrían representarse así:

Ejemplo: «la fantasía y el destino, excitados como dos músicos rivales que tratan de mantener animada una macabra noche de bullicio» (157):

A) como músico rivales que
B) como *unos* músicos rivales que
C) como *los* músicos rivales que
D) como *esos* músicos rivales que

O bien, cuando se trata de un giro preposicional:

Ejemplo: «[ella] sonreía entre luces confusas [...] con la misma serena, cruel y pedante delectación con que el agente de cobro llama a la casa en crisis» (101):

A) con serena delectación de agente que
B) con *una* serena delectación de agente que
C) con *la* serena delectación con que el agente
D) con *esa* serena delectación con que el agente
E) con *la misma* serena delectación con que el agente

En *Volverás a Región* usa Benet con característica frecuencia (aunque no deje de usar otras) las fórmulas C y D. Y digo característica porque estas dos fórmulas se distinguen por su mayor capacidad determinativa y especificativa: poseen más energía deíctica («los», «esos») y admiten más desarrollo particularizador a fin de situar el comparante en el contexto de la experiencia común al narrador y al lector, removiendo la imaginación, la memoria y la facultad de comprensión de éste. He aquí dos ejemplos, no de los más prolongados en su especificación:

> Porque es allí, en el campo del honor (nunca mejor dicho) donde *la razón y la pasión luchan* hasta la muerte su combate final, *como ese par de* nobles, corajudos y apuestos *caballeros que* salieron a la arena con las armas bruñidas y el propio orgullo agitando la cimera *pero que* terminaron el combate a puñetazos y mordiscos, tirados en el suelo, envueltos en el polvo (147).

> Apenas saludó, cruzó la doble fila de literas mientras al compás de sus pasos *sus compañeros se incorporaban* del lecho (*con ese* súbito, estupefacto y hierático *automatismo de los muñecos* de barraca *que* surgen de sus tumbas y sus urnas al paso del visitante), se quitó la chaqueta y la corbata y en la última litera arrojó el atado que sonó a quincalla (204).

Recordando la distinción que hace Philip Wheelwright, a propósito de la metáfora, entre la epífora (que lleva un tenor menos conocido u oscuramente conocido a un vehículo mejor conocido o más concreto) y la diáfora (que conduce el movimiento metafórico a través de ciertas particularidades de la experiencia [efectiva o imaginada] de una manera nueva, por mera yuxtaposición), diríamos que, si bien epífora y diáfora convergen en muchas metáforas, en las comparaciones de Benet predomina la *epífora*: intensificativa, productora de una especie de síntesis (junto al parecido se asume el no-parecido). El propio Juan Benet ha reconocido en la metáfora dos efectos —enriquecimiento y abreviación—, que se dan también en sus comparaciones: éstas, enriquecedora y condensadamente, dicen la semejanza implicando la desemejanza, con un ademán de selección decidida que a menudo encierra un valor sinestésico[10].

---

[10] Philip WHEELRIGHT, *Metaphor and Reality*, Bloomington, Indiana University Press, 1962, p. 72. —Hallando inadecuada o trivial cierta expresión de Flaubert («L'eau, plus noire que de l'encre, courait avec furie des deux côtés du bordage»), alega Juan BENET: «No cabe argüir que en este caso se trata de una vulgaridad deseada y expresa porque con ello se contradice y aniquila el propósito de enriquecimiento (y en cierto modo de abreviación) que tiene toda metáfora» (*La inspiración y el estilo*, Barcelona, Seix Barral, 1973, p. 85. La primera edición de este libro de Benet es de 1965).

Del poder *intensificativo* de las comparaciones de Benet pueden servir como muestras los casos recién citados: el uno magnifica el conflicto entre la razón y la pasión como un combate entre dos nobles caballeros; el otro reduce a los compañeros que se incorporan de sus literas a muñecos de barraca.

Aunque las similitudes emplean lexemas extraños a la isotopía del contexto inmediato[11], unas pueden ser más pertinentes y otras obedecer a una voluntad de disonancia. De la isotopía «facultades anímicas en conflicto» se pasa, es cierto, al concepto «combate caballeresco», que parece ajeno a aquella isotopía, pero que resulta pertinente si se repara en que el lenguaje del Dr. Sebastián, tan grandilocuente (en el sentido afirmativo de la palabra) como el del narrador, acostumbra a magnificar la realidad, y si se piensa que, inmediatamente antes, se ha hablado de la «razón acorralada», del «honor», de la resistencia del «sentido común, ese hijo de la razón» a salir «en defensa de su mayor cuando lo ve vencido», imágenes que preparan la pequeña escena del combate caballeresco, al igual que la imagen del «garito» en que contra su voluntad la razón encuentra «refugio» preludia la pelea «a puñetazos y mordiscos». También parece pertinente la comparación de los desvelados con los muñecos si se tiene en cuenta que el trasnochar del minero-jugador que, al volver, despierta a sus compañeros se debe a sus misteriosas andanzas de tahur afortunado y que ese mundo del juego no dista mucho del mundo de las barracas donde pueda haber muñecos de resorte.

Pero otras veces se busca, inequívocamente, la disonancia. Cuando de «veinte o treinta casuchas de piedra en seco [...] en torno a una iglesia descomunal» se dice que son «semejantes por su acumulación y pequeñez a ese enjambre de barcas, juncos y saipanes de los pequeños mercaderes que se arriman al costado del trasatlántico que hace escala en un puerto exótico del Oriente» (49), la comparación resulta paradójica en la medida en que se contrasta abruptamente la mísera y aislada condición de un pobre burgo regionato con la próspera y comunicada de un puerto oriental. Mediante vehículo tan remoto queda al descubierto aquella miseria a la luz de la ironía.

Ironía, humor, comicidad hilarante a veces, se halla en no pocas comparaciones. Así, mientras en el aula de un instituto de

---

[11] M. Le Guern (*op. cit.*, pp. 53-55) se sirve de esta puntualización para precisar la diferencia entre «similitudo» y «comparatio».

enseñanza media de Región ciertos intelectuales desorientados empezaban a interesarse por un manifiesto escrito por el Sr. Rembal con ayuda de su autoritaria esposa, éstos «observaban los mapas orográficos y la figura anatómica del hombre, una mitad mostrando las vísceras y la otra los músculos, con esa involuntaria y forzosa atención con que el espectador de cine debe presenciar durante el entreacto el anuncio de un colchón» (32)[12]. La paridad, sin embargo, no es caprichosa: para unos preparativos políticos la figura anatómica colgada de la pared de un aula vacía de estudiantes es tan superflua como el interpuesto anuncio de un colchón para un público que fue al cine a ver una película. O este otro caso: habla Marré de su primera noche de amores con un soldado de la República en una casa despoblada, al final de la guerra, y se refiere a un centinela que, tasada su ración de tabaco a un cigarrillo por noche, parecía pendiente de hacer durar lo más posible el cigarrillo, pero por lo demás permanecía absorto: «aquel testigo obligado de mi primera noche de amores tenía la misma conciencia que esos muñecos vestidos de hindú que acuclillados en los escaparates de las expendedurías de café, alternativamente se llevan a los labios una taza con la diestra y un habano con la siniestra» (281). Aunque pueda tenerse la impresión de que tales comparaciones alargan la imagen y matizan demasiado, en rigor su efecto es de síntesis, de condensada abreviación de aquello que, en términos descriptivos propios, resultaría prolijo exponer.

La *síntesis*, desde luego, no significa identificación, no anula la disimilitud, sino que la incorpora o alza consigo como término antitético implícito: la razón y la pasión son un par de caballeros y no lo son; los compañeros despertados son y no son muñecos; las casuchas en torno a la iglesia son barcas alrededor de un trasatlántico «por su acumulación y pequeñez» cerca de un gran cuerpo, pero nada más en eso; la figura anatómica es como el anuncio de un colchón porque nadie la miraría si no la tuviera colgada delante de los ojos; el centinela es el muñeco por su estupefacción y porque fuma, pero no fuma un habano sino «un cucurucho de papel del tamaño de un mondadientes» (280).

---

[12] En forma no comparativa resurge esta imagen cuando del músico que se avino a amenizar un interludio entre dos películas se dice en otro texto de Benet: «No debió despertar la menor atención, no debió ser escuchado, nadie reparó en él ni desvió hacia él una atención semipuesta (y no saturada) en los anuncios de colchones y sastrerías vecinas» (Juan BENET, *Un viaje de invierno*, Barcelona, La Gaya Ciencia, 1972, p. 142).

Frecuentemente estas comparaciones fundan la analogía en una *sinestesia:* un complejo de representaciones de diferentes órdenes o de sensaciones distintas. La sirvienta Adela inoculó a su hijo «esos desechos de la educación burguesa que las clases humildes han de recibir como la ropa usada de los señores: abrigos que es preciso convertir en chaquetas y camisas con las que hay que hacer un pijama» (22). La educación —concepto ético— es vista y casi tocada como ropa vieja, y no es superflua la prolongación de la imagen, porque precisa la degradación: de abrigo a chaqueta, de camisa a pijama (lo desgastado se oculta, pasa de fuera adentro).

Dos sensaciones (en el siguiente caso visivas) pueden tomar un efecto sinestésico por la aproximación de sus motivaciones diversas y aun opuestas: «una estampa ahumada que representa un beato levantino el cual contempla el crucifijo que sostiene con las manos en alto con el mismo supino asombro con que el pescador extasiado levanta una pieza que no esperaba cobrar» (220): lo que había de ser éxtasis en el santo y asombro en el pescador resulta ser asombro en aquél y éxtasis en éste. O bien, dos sensaciones del mismo orden (auditivas en el siguiente caso) adquieren calidad sinestésica porque derivan de objetos muy diferentes y, no obstante, acordes en algo: «Volvieron a llover sobre ellos las bengalas, los espaciados, secos y flatulentos disparos que jalonaron su ascensión como los crujidos de una vetusta y podrida escalera» (288). Salida de la isotopía porque de lo bélico se pasa a lo doméstico; pero, en el fondo, concordancia: esos últimos disparos que persiguen a una banda de fugitivos en retirada ascendente hacia la Sierra concuerdan imaginariamente con los crujidos de la escalera (por donde se sube) de una casa en ruinas, como en ruinas quedaba Región al final de la guerra.

Sinestesias en el estricto sentido de conjunciones de sensaciones auditivas y visuales: las gafas del joven huérfano «se habían deslizado por la cara y el ojo, pegado a la pared, parecía acomodarse a su liberación de la visión con un parpadeo lento y rítmico, como la respiración de un pez recién cobrado, tirado a la orilla del agua» (98); «una piel envuelta en el olor de la suavidad y el sudor, una respiración solemne y lejana, perfilada en las tinieblas como la línea de la cordillera donde habita esa gente y esa raza maldita» (167).

Sinestesia más compleja y extraña por la personificación mágica que comporta: «ese violento y despreciable apetito de perdón, de sosiego y beatitud que se apodera gratuitamente del ánimo [...] cuando la tierra (al igual que el peluquín platinado y magnificado por una combinación de las sombras con la fiebre se transforma en una pecaminosa pesadilla en la habitación del insomne) extiende sus rizos hasta el antepecho de la ventana o el embozo de la cama para pedir con un gesto zalamero y perverso un último gesto de esperanza que al día siguiente repugna como un atentado a la dignidad» (147).

En este caso las figuras de semejanza (comparaciones y metáforas) se encabalgan. Pero lo ordinario en *Volverás a Región* es que las comparaciones sean simples y no muy desarrolladas. *Simples* no en el sentido de fáciles de comprender, sino porque su vehículo, aunque pueda especificarse en varias líneas, es uno y no múltiple. Y *no muy desarrolladas* en el sentido de que la especificación raras veces ocupa más de tres o cuatro líneas y casi nunca invade párrafos enteros ni adquiere un desenvolvimiento que la independice. Si no he observado mal, en *Volverás a Región* es un caso único el siguiente, donde se explicita no sólo la marca del vehículo, sino también la del tenor («así»). Se está hablando de ciertos cuadros mitológicos o religiosos cuyo asunto el contemplador no conoce y que centran su argumento en una figura lejana:

y de la misma forma que en tales cuadros la ignorancia estima caprichosos ciertos acontecimientos que se desarrollan en otros planos que, de otra forma, están ligados a aquella enigmática figura por un vínculo que sólo puede descifrar una erudición ausente o la clave de un lenguaje esotérico que el artista utilizó para hacer manifiesta una creencia prohibida, *así* trataba de comprender la razón de aquella visita y la relación que podía guardar con los augurios del monte y la intolerable calma que parecía emanar de la sierra desde dos primaveras atrás (141-142).

Pero lo normal no es esto. Lo normal son comparaciones de este tipo y volumen:

ese estado de limbo que el papel —y toda la habitación, en suma— habían alcanzado con la pérdida de actualidad, *como esa casa* del héroe *que* convertida en museo y defendida por un cordón de seda *es conservada* en el mismo estado en que la dejó cuando tuvo que partir —sin poder terminar una carta— para guerrear en Ultramar (119).

En su formulación sintáctica, este tipo de comparación podría considerarse *insertiva*, puesta *entre paréntesis,* y no es raro que aparezca ortográficamente entre paréntesis[13]. Pretende avivar la memoria del lector como un auxilio evocativo. Siguiendo la descripción del narrador, el lector encuentra de vez en cuando estas comparaciones que, por un momento, le sacan y no le sacan de la isotopía del texto, apelando a la memoria de sus propias experiencias. La pluma poética traza una pequeña curva saliente, pero no ajena al encuadre del texto, que describe un breve rodeo (la comparación se siente así como una perífrasis, no como una paráfrasis), y el lector, tras la corta desviación, se siente de nuevo y más plenamente dentro del cerco imaginario.

Es así la comparación benetiana porque en ella no importan tanto los términos comparados como la *relación comparativa*. No se trata de esparcir un muestrario de analogías por contigüidad o vecindad de nociones o imágenes, sino de escoger un caso de analogía por paridad; analogía que entraña una antagonía.

La analogía se manifiesta, claro es, más allá de la frase y del párrafo. *Volverás a Región* tiene una estructura que podría calificarse de paritaria. La parte I presenta el paisaje, la historia, el mundo de Región; pero en seguida la parte II trae a escena a dos personajes, el Dr. Sebastián y Marré, que, por este orden hablan de sí mismos como casos de intensidad malograda por represión familiar. En la parte III, por boca de Sebastián o del narrador, se conoce cómo, habiendo perdido el doctor a María Timoner, volvió a Región. En la parte IV y última, por voz de Marré o del narrador, se conoce cómo aquélla, habiendo perdido a Luis I. Timoner, ahijado de Sebastián e hijo de María, ha vuelto a Región. Y el final es análogo para ambos: Sebastián muere de muerte violenta a manos del joven huérfano, su pupilo, y Marré a causa del disparo que le negó la entrada en la sierra. Una pareja de personas, pues, cuyos destinos, comparables, aparecen referidos en un orden alterno.

Los parecidos afectan a otros personajes: la madre del niño de las gafas partió en un coche negro, como Marré, en quien el ahora joven pupilo cree reconocer a su madre, ha vuelto en un coche negro. Hay la Adela sirvienta y la Adela (o Muerte) que albergó a los amantes. María Timoner estuvo a pique de ser confundida por

---

[13] Caso representativo: «Únicamente el clima —se diría— había recibido con agrado la dádiva del despojo, pero no (como ese niño que sólo es apaciguado con la paciente destrucción de un utensilio hogareño inservible) para llevar su demolición más adelante» (Juan BENET, *La otra casa de Mazón*, Barcelona, Seix Barral, 1973, p. 12).

Muerte (por la Muerte) con María Gubernael, asilada del doctor. La juventud del militar Gamallo y su soledad en el colegio anticipan la formación reprimida y solitaria de su hija, Marré, en un colegio de monjas. Hay una partida de juego y una partida de caza, ésta para vengar aquélla. Guerras de reconquista (o guerras carlistas) y Guerra Civil. El ahijado y el pupilo son ambos huérfanos. Volver a Región es comparar el ayer y el hoy, la esperanza y el miedo, la plenitud frustrada y la ruina segura.

Si la comparación o la metáfora acceden a elementos estables y repetibles investidos de una riqueza de sentido mayor y unitaria, se llega al símbolo, al arquetipo, al mito. No faltan en la novela de Benet estas formas más generales de analogía: Numa, el pastor solitario, guarda un recinto infranqueable; Región es España y es «la Nínive de Jonás» (86); en el pupilo del doctor puede reconocerse la orfandad de la postguerra; en Marré está la «reclusa» (149), la Cenicienta (153) y en su calidad de rehén una moderna y distinta Ifigenia (158). Ciertos objetos se cargan de valores mágicos, como la rueda de los vaticinios o la moneda de oro de la barquera bruja. La novela misma es como uno de esos cuadros mitológicos o devotos cuya clave está en una figura enigmática a la que todo lo demás se vincula.

Nada de esto debilita la presencia individual y concreta de personajes, paisajes, situaciones, épocas, experiencias, relaciones y circunstancias. Pero precisamente la importancia de la relación comparativa es lo que imprime carácter de «nueva novela», enquiciada en el problema de la pérdida y la búsqueda de la identidad, a *Volverás a Región*, configuración de analogías que hunde su raíz en la realidad histórica y eleva su cima a una sobrerrealidad legendaria. Y todas las analogías conformadoras apuntan a una antagonía semántica de múltiples manifestaciones: represión-libertad, prohibición-transgresión, familia-individuo, razón-pasión, culpa-felicidad, conciencia-cuerpo, orden-caos, y aquella Guerra Civil, guerra entre hermanos, cuya sombra sangrante pesa sobre esta y las otras novelas y narraciones ambientadas en Región[14].

---

[14] A propósito de los sonetos de Shakespeare habla Benet de «la tragedia de toda la contradictoria condición de la naturaleza humana, apresada entre las tenazas de la Belleza y la Fugacidad, el Orden y el Caos, el Saber y la Ignorancia, el Amor, la Inconstancia y la Infidelidad» (Juan BENET, *En ciernes*, Madrid, Taurus, 1976, p. 54).

Si la comparación, como recurso estilístico, o mejor, como constante estilizadora, se halla presente desde las primeras publicaciones de Juan Benet (*Nunca llegarás a nada*, 1961)[15], en Luis Goytisolo puede considerarse una adquisición relativamente tardía. Aparece en algunas páginas de *Ojos, círculos, búhos*, de 1970, pero sólo en *Recuento* (1973) cobra desarrollo y frecuencia características, para convertirse en las tres restantes novelas de la tetralogía, en un «manerismo» sobre el cual el propio escritor, según veremos, ha reflexionado[16].

En *Recuento*, sin embargo, la comparación no corre a lo largo de toda la novela. Surge tarde, ya muy avanzada la obra.

El discurso tejido en torno al protagonista, Raúl Ferrer (transparente «alter ego» de Luis Goytisolo), consiste en un recuento, inventario o registro de experiencias desde la niñez (1939) hasta los años 60, centrado temáticamente en el compromiso político de Raúl con el partido comunista durante unos años hasta que, por un complejo de motivos, sale del compromiso y endereza la capacidad de acción que le queda hacia un empeño de expresión literaria creativa. El proceso, pues, de un joven que, por represión y estrechez de horizontes, se arriesga a la subversión, sirve al partido por un tiempo intentando creer en ese servicio como en una verdad justificante, y luego, encarcelado, pero sobre todo desconfiando de poder realizar el ideal político, entra en una fase de amargo y lúcido desprendimiento para ensayar un trabajo de creación artística autosuficiente. El complejo de proyección activa ocupa los capítulos VI-VIII, en relación a los cuales los

---

[15] En la narración inicial, *Nunca llegarás a nada*, de 58 páginas, figuran —salvo error— 23 comparaciones. Tengo la impresión (no resuelta en estadística) de que la comparación es más frecuente en. *Volverás a Región*, *Un viaje de invierno* y *Una meditación*, por este orden (y dadas las proporciones de cada una de estas novelas). Es lógico que escaseen en *La otra casa de Mazón*, dialogada en gran parte. *Saúl ante Samuel* (1980), la obra maestra de Benet, a mi entender, contiene bellísimas comparaciones y metáforas de una intensidad deslumbrante.

[16] Las primeras comparaciones típicas de Luis Goytisolo las hallo en *Ojos, círculos, búhos* (Barcelona, Anagrama, 1970), en los fragmentos de este libro que empiezan así: «Exactamente igual que cuando Arnaut Daniel nos decía» y «Así como en la efectividad del régimen impuesto por el médico» (las páginas de este volumen no llevan numeración). De las cuatro novelas que integran *Antagonía* (*Recuento*, 1973; *Los verdes de mayo hasta el mar*, 1976; *La cólera de Aquiles*, 1979; *Teoría del conocimiento*, 1981, todas publicadas por la editorial Seix Barral, de Barcelona), las que más prodigan las comparaciones son las dos primeras.

anteriores (I-V) son prehistoria, y el IX y último contiene, además de la reducción a la inmovilidad externa debida al encarcelamiento, el despertar a la verdad interior, anticlímax y a la vez iniciación —lenta, serena, solitaria— de la vía nueva.

Pues bien, entre el capítulo I y el VII las comparaciones son muy escasas y apenas notables (el Montjuich «como un morro amoratado», 99; las tiendas de campaña con honduras «como bocas de horno», 135; «la paloma caída tal un ángel aleteante», 266). En cambio, a partir del capítulo VIII y hasta poco antes del final de la novela, rara es la página donde no se halle una camparación o varias, y tales comparaciones ofrecen, además, peculiaridades que aquí se trata de resumir y explicar.

Citábamos arriba una comparación (del capítulo III, página 43), que era excepcional por lo temprana y que permitía descubrir unas notas caracterizadoras: era extensa, ejemplificadora, experiencial, correlacionante, variable. Podría añadirse que es una comparación de vehículo bastante desarrollado, a manera de escena potencial (un soldado, a punto de ser atacado por otro soldado enemigo, mira a éste desplomarse a causa de un disparo que le dirige un compañero de aquél mientras le saluda desde otro punto; todo ello constituyendo el comparante del saludo cambiado entre juveniles compañeros en sus correrías por el campo). Es, además, una comparación planteada como ejemplo en términos alternativos («un soldado alemán», «o [...] un japonés»), de los cuales prevalece luego el segundo («a tiempo de ver cómo el japonés se desploma»), y tanto es así que pudiéramos reescribir el núcleo del símil intercalando «por ejemplo»: «saludándose a veces con la carabina en ademán de inteligencia, igual que cuando, por ejemplo, va el protagonista y le sale un soldado alemán por la espalda, o por ejemplo asoma un japonés», etc.

Experiencial es el símil porque apela a una experiencia próxima y común: aquellas películas sobre la guerra mundial, todavía en curso o recién terminada, que por los años 40 podían y solían ver unos muchachos de la edad del protagonista. Es comparación correlacionante porque, antes que insistir en un parecido, aproxima dos experiencias coetáneas: las correrías por el campo y la asistencia a tales películas. Y es variable porque agrega a una experiencia (la real de las correrías) otra que es una variante de ella (la fictiva de la guerra filmada). Comparación de aspecto improvisado, abierta a opciones.

Si en *Volverás a Región* el lenguaje del narador impersonal y los lenguajes de los narradores personales (Sebastián y Marré) eran uno y el mismo lenguaje, ya que a Benet no le importaba para nada el «decorum» pues mostraba a sus criaturas como criaturas de ficción y sólo de ficción, en *Recuento* el narrador de la novela ideal se halla, hasta poco antes del fin, en proceso de formación. Mientras se constituye este narrador, admite las voces de sus personajes como diferenciadas, correspondientes a sus respectivos caracteres, e incluso hace hincapié en que el lector reconozca aquellas voces aun ignorando el nombre del interlocutor. Para Goytisolo, en esta novela todavía en buena parte testimonial, el «decorum» cuenta. Las comparaciones estilizadas aparecerán, pues, según esto, por la voz del narrador impersonal, por la de Raúl, el padre de éste o sus compañeros políticos, pero no por la voz de otros personajes (los policías, la criada, ciertos parientes tan bien caracterizados como la prima Montse). El propio narrador impersonal (tan compenetrado al final con el protagonista que empieza a asomar entonces la primera persona narrativa) sólo ostenta un lenguaje estilizado (comparaciones, metáforas, giros sintácticos complejos, etc.) cuando enfoca al protagonista en grado suficiente de madurez, problematicidad y refinamiento de conciencia. Por ello, los primeros capítulos, concernientes al niño, al adolescente, al joven aún muy receptivo, son los estilísticamente más sencillos.

Una cualidad muy destacada de las comparaciones de Goytisolo es, como queda dicho, su índole *experiencial:* el hecho de que parezcan brotar menos de una imaginación inventiva que de un poder de observación que recuerda y compendia experiencias con agudeza psicológica e incluso con cierta voluntad enciclopédica y didáctica. La toma del pulso por un médico se compara a un veredicto o al resultado de unos exámenes (305), la cabina de pignoraciones a un confesionario (438), el poder interpositivo de la palabra a este tímido que en su trato recurre a bromas y otros enmascaramientos (444), el policía que golpea a su interrogado se compara a todo un sistema pedagógico basado en castigos que compensan la impotencia del educador (535), etc.

Afloran a través de muchas de estas comparaciones el aprendizaje de la persona del narrador o del protagonista y su voluntad de trasmitir al lector observaciones y consecuencias a modo de diminutas lecciones que, al compás de la narración, multipliquen las proyecciones de aquel aprendizaje sobre la conciencia leyente. Un ejemplo entre muchos:

Pues *así como* en caso de muerte repentina o violenta, las crisis emocionales de mayor intensidad que experimentan quienes estuvieron más íntimamente ligados a la persona desaparecida, suelen ser las que sobreviven con los pequeños detalles que, pasadas las primeras exteriorizaciones del dolor, después del entierro, siguen dando testimonio de su increíble ausencia, el paquete de cigarrillos apenas empezado, el traje que traen de la tintorería, la correspondencia que sigue llegando, detalles a cuyo común valor aflictivo sería equivocado dar otra explicación que la propia crudeza irreparable con que se manifiesta lo que no existe, *así*, no menos equivocado sería considerar que los lacerantes ramalazos que en la persona que es o cree ser víctima de una infidelidad, puede provocar, aun mucho después de los hechos, cuando ya todo parecía asimilado, una simple frase, un gesto, una determinada postura de la infiel amada y, más aún, la recurrente visión de esa mujer entregándose al otro, la reconstrucción imaginaria de su comportamiento erótico, considerar, en otras palabras, que todas esas representaciones plásticas presentes en la memoria, son apenas otra cosa que la expresión externa de algo mucho más abstracto: la traición en sí, el hecho escueto de que la infidelidad haya sido posible (477).

El efecto de este símil no es principalmente —creemos— reconocer el acierto de una paridad establecida entre la desaparición de un ser querido y la reaparición de la infidelidad de una persona amada en la memoria del amante, sino comprobar —menos en la relación *entre* aquello y esto que *en* aquello y *en* esto— el tino con que se han escogido allí unos detalles reales posteriores a la muerte (póstumos) y aquí unas imágenes referidas a hechos anteriores al conocimiento de la infidelidad (previos). Cierto que en la muerte se puede sentir una especie de infidelidad y en la infidelidad un modo de muerte; pero lo que de inmediato y con más viveza se impone es la *junción* de los detalles de ambas series (del muerto, de la infiel) en una congregación de experiencias que cualquiera ha vivido o podido vivir. Esos detalles se destacan por encima de la relación comparativa, dejando reducidas las marcas «así como» y «así» a apoyaturas que no formulan un parecido, sino que más bien arman un ensamblaje.

Las marcas comparativas en *Recuento* (y en las otras unidades de *Antagonía*) son muy variadas; pero lo distintivo, sobre todo si careamos su estilo con el de la prosa de Benet, es la enunciación explícita no sólo de la marca del vehículo («como», generalmente «así como») sino también de la marca del tenor («así»). El esquema preferido por Goytisolo viene a ser: «así como... así (también)». Dentro de esta pauta privilegiada caben variaciones: «(así) como... de manera (modo) semejante», «del mismo modo que... así, de modo semejante», «de forma parecida a como... así, de modo semejante», «al igual que... así».

La explicitud de la marca del tenor («así») se debe principalmente al prolongado desarrollo del vehículo (y eventualmente, del tenor), desarrollo que, al asociar a lo comparante (y con frecuencia, a lo comparado) indicios o informes en gran número, pone en peligro la claridad del enlace. En el ejemplo citado, la serie «*así como* en caso de muerte repentina» (vehículo o comparante) se especifica a lo largo de más de diez líneas; el «*así,* no menos equivocado sería», repitiendo o recogiendo el «así» inicial, abre la segunda serie (tenor o comparado) haciendo más claro el paso a esta serie segunda (también muy extensa).

Pero no siempre la causa es el propósito de claridad. Una vez adoptada la fórmula (o sus equivalentes) como medio de ordenar y aclarar el sentido de períodos muy desarrollados, se diría que el escritor hubo de encontrar en ella particular atractivo, que revelaría su tendencia a la pura asociación o *correlación*, síntoma de una voluntad conjuntadora o integrante. De esto mismo es prueba otro recurso profusamente empleado en la novela: la enumeración (sobre todo en los capítulos VI y VII). Lo cierto es que las series no necesitan ser muy largas para que aparezcan las marcas explícitas:

> y *como ese* adolescente cuyo estático narcisismo, sabiamente trabajado por la zorruna experiencia de un pederasta, se ve abocado irremediablemente a pasar de las disquisiciones sobre la amistad, el amor y la belleza, sobre Platón y sobre Gide, a los hechos, *así, de modo semejante,* Tirant y Curial se encontraban en ocasiones ante la necesidad de realizar, en el terreno de la praxis, el resultado de sus conclusiones teóricas (453).

La fórmula preferida («como... así», con sus variantes) se entiende siempre protagonizada en cada serie por un predicado verbal explícito: «*como* ese adolescente se ve abocado..., *así* Tirant y Curial se encontraban ante la necesidad de...» Pero característica del estilo comparativo de Luis Goytisolo (no de Juan Benet) es la frecuente elipsis del verbo en lo que, sintácticamente, podemos llamar apódosis (la serie del tenor o comparado):

> Pues *así como* en la briosa estatua ecuestre del Conde Ramón Berenguer, bajo su gallarda estampa guerrera, *se esconde* sin duda el estremecido espíritu de una doncella, sólo comparable al de la de Orleans en su vehemente voluntad de conquistar entregándose, de poseer siendo poseído, *así* la esencial ambigüedad sadomasoquista de las relaciones entre Raúl y Nuria (473-74).

Y *así como* un hombre que se esfuerza en responder a los estímulos amorosos de su pareja y [...], *no tarda* en intuir que se ha precipitado en exceso [...] o bien, cuando penetrando ya a la mujer con esa conciencia de fracaso, *intenta* desesperadamente *evitar* [...], *retardar* [...], *recuperar* [...], *contrarrestar* [...], *recurrir* a lo que sea, concentración mnemotécnica, procedimientos chinos, pensando no pienses, pensando no te avergüences de antemano del desenlace, no aceleres el irremediable abandono, moral perdida y desánimo y desencanto que cede y se entrega al hervor que sube, a este final que tan bruscamente acabado (489).

En este segundo caso falta el «así» de la apódosis y falta también el verbo auxiliar («a este final que tan bruscamente [ha] acabado»), como si el agotamiento que se intenta expresar amputara miembros habituales o necesarios de la construcción.

Más rara, pero posible, es la elipsis del verbo no sólo en la apódosis sino también en la prótasis (serie del vehículo o comparante): «Ya que, *como esa* joven mecanógrafa formada emocionalmente entre seriales radiofónicos y fotonovelas, *así*, en Cataluña, *la* mentalidad plañidera y ñoña de sus clases medias» (566).

Hay en la prosa de *Recuento* epíforas palmarias («esta tierra enterrada, cuya presencia, no obstante, olfateamos todavía como los cerdos la trufa», 414). Pero en las más peculiares comparaciones de Goytisolo hay *diáfora*: yuxtaposición de términos que no se desea tanto parear como agregar, congregar, conjuntar. Recordemos el símil del muerto y la infiel, o este otro, aparentemente destinado a explicar el comportamiento del viejo tío Gregorio ante la muerte de su hermana mayor comparándolo con la conducta de un niño huérfano de madre, pero que en rigor más bien yuxtapone los dos términos, uno de ellos, el del huérfano, identificable con el caso de Raúl Ferrer (y de Luis Goytisolo, aunque esto no se conozca dentro de la novela):

Y *así como el niño* cuya madre muere cuando él es todavía demasiado pequeño para entender siquiera el significado de la palabra muerte, entenderá sólo que ella le ha dejado, sin atinar, no obstante, a explicarse las brutales motivaciones de tal comportamiento, de modo que serán las mismas defensas por él erigidas contra esa injusticia original las que irán tiñendo de indiferencia y hasta de desinterés su progresiva comprensión de lo sucedido, *así los viejos*, para mayor comodidad de todos, se suelen habituar sin demasiadas preguntas a la desaparición de quienes han formado parte de su mundo, convirtiendo en confortación de estar vivo los claros paulatinos de su contorno, al tiempo que evitan a sus familiares más próximos el insoportable contacto diario con esa conciencia, inexpresada pero presente, de la muerte que ronda (364).

No hay aquí enriquecimiento y abreviación, como en la epífora intensiva y sintética. Los términos guardan una amplia extensión proporcional y, más que parecido, se da una simulación de semejanza. Las sensaciones y las impresiones no sensoriales no se funden, sino que se sitúan una junto a otra, so pretexto de cierta comparabilidad que apenas se sostiene. En lugar de trasposición, se verifica más bien una correlación por contigüidad (metonimia más que metáfora): el desplazamiento momentáneo de una representación por otra que la acompaña pero no la reabsorbe.

El niño que ignora el significado de la muerte no se parece al viejo que lo conoce pero querría no conocerlo. El niño que no atina a explicarse las motivaciones «brutales» del abandono difiere profundamente del anciano que puede explicarse de sobra cuán necesariamente van dejándole sus iguales en edad. Las defensas del niño contra la injusticia aparente suponen un movimiento de autorrepresión, mientras las del viejo proceden del miedo y de una especie de egoísmo biológico. Nada de esto invalida la eficacia del símil, acaso uno de los más impresionantes de la novela. Pero la eficacia se debe propiamente a la disparidad, solapada bajo una similitud aparente que es contigüidad: relación familiar, no equivalencia de casos. O, como anotará certeramente el narrador de *Los verdes de mayo hasta el mar* a propósito de cierto retrato de un personaje formulado mediante un símil de larguísima prótasis y de apódosis muy concisa: «Lo importante aquí, para el hilo del discurso, no es la relación establecida entre uno y otro término de la comparación, sino lo propiamente *comparado*»[17]. No importa, pues, la asemejación, sino las representaciones asemejadas, yuxtapuestas, colacionadas.

A diferencia de las comparaciones benetianas, casi siempre simples, las de Luis Goytisolo son, muy a menudo, *múltiples:* para un tenor, varios vehículos. Un ejemplo, válido por muchos:

> No hacía preguntas y, obviamente, a diferencia de la mayoría de los presos comunes, tampoco deseaba ser preguntado. Ya que, *como* el niño solitario que interpone un comportamiento de adulto entre su persona y la de sus aterradores compañeros, *como* la mujer declinante que encuentra la justificación precisa en las enfermedades que inventa, *como* el viejo que se proclama víctima de la adversidad, *como* el adulto aferrado a una niñez que le protege de sus responsabilidades, *así*, en la cárcel, *con el mismo* desamparo, todo el mundo tiende a contar su caso, todo el mundo asegura

[17] *Los verdes de mayo hasta el mar*, p. 218. La cursiva no es del novelista.

haber hecho lo suyo, salvo, justamente, el delito por el que cumple condena o ha de ser juzgado (545).

La multiplicidad está al servicio de un conocimiento de la realidad diseminado a lo largo del relato y tiene función decisiva en el carácter experiencial ya señalado. De la experiencia se extraen casos, ejemplos, parangones. Cumple aquí la memoria papel importante, y también la mirada en derredor, la observación del contorno.

Claramente vinculado a la multiplicidad formal está el significado *ejemplificador* de estas y otras comparaciones. En el texto recién citado se podrían intercalar (como hicimos antes, para otro texto) «por ejemplo», disyuntivas de equivalencia («o..., o..., o...») y lo que los gramáticos llaman «*como* ejemplificador»[18]. No es menester, pues el texto mismo proporciona copioso muestrario.

El «como» ejemplificador es, en sí, una variante del «como» comparativo. Si decimos «Pedro tiene en su casa valiosas obras de arte, *como* estatuas, cuadros, grabados, medallas», entresacamos selectivamente, a modo de ejemplo, algunas obras, pero también damos a entender que son obras valiosas, comparamos valores. Es casi lo mismo que ocurre en el texto citado: en la cárcel todo el mundo (como, por ejemplo, el niño, la mujer, el viejo, el adulto) tiende a contar su caso. Pero frecuentemente este «como» se apoya en un explícito «por ejemplo»:

con el fatalismo, *por ejemplo, con que* el cliente recibe una vez más la dolorosa confirmación de que sólo antes de pagar se es digno de respeto (398).

interpretaciones [...] aprobadas de antemano en un clima donde la insistencia crítica quedaba tácitamente fuera de lugar, *por razones semejantes a las que* en una comunidad de vecinos, *por ejemplo*, la convivencia se haría imposible de no desentenderse cada uno de la intimidad de los demás (451).

Otras veces es el «o» disyuntivo el que encauza la ejemplificación. En relación al órgano femenino, el miembro masculino parece «un grueso peñasco que bloquea un valle profundo»:

---

[18] Juan ALCINA FRANCH, José Manuel BLECUA, *Gramática española*, Barcelona, Ariel, 1975: correlación «como... así» (p. 1076), «como» ejemplificador (p. 1080), disyunción alternativa (p. 1170), disyuntiva de equivalencia (p. 1172).

Es decir: *como* un general se abre paso en el campo enemigo *o* el caballo salvaje atraviesa un curso caudaloso *o* las gaviotas juegan con las olas *o* una roca se hunde en el mar *o* la serpiente penetra lenta en su agujero hibernal *o* el halcón cae sobre la liebre fugitiva *o* la vela brava se enfrenta a la tempestad, *así* hasta que la mujer pida gracia; *así* (486).

O este otro caso:

Recorrió todas las salas de los prostíbulos repetidamente, *de igual forma que* el terrorista solitario reconoce previamente el objetivo elegido, en busca del lugar más adecuado para colocar la bomba. Finalmente se encontró en una cama, asiendo y asido, en acción, atento a lo que hacía *como* en un corro infantil donde cualquier fallo en el juego fuera penado con la muerte. *O como* siguiendo las instrucciones de un profesor de gimnasia que, tras advertirnos que es más viejo y más fuerte que nosotros, añadiera que nada debía preocuparnos, no obstante, mientras cumpliéramos al pie de la letra los tiempos y movimientos del ejercicio. *O como* aquel que sueña reiteradamente ser un galeote y es despertado por el chasquido del látigo junto a su oreja (596).

Suponiendo que se trata de la iniciación sexual de un adolescente, aquí no importan las analogías entre la furtiva timidez del muchacho y el temor del terrorista, del niño sujeto a reglas de juego o de aprendizaje, y del galeote, tanto como importa la plurifurcación de una experiencia temerosa en aspectos realmente vividos no por el adolescente iniciado en la prostitución, sino por el adulto que evoca aquella aventura sexual relacionándola con la revolución, el juego, el colegio y la cárcel, aspectos que afluyen a su memoria en el mismo instante de perfilar aquel recuerdo y que, impidiendo que éste se concrete, arrojan sobre la página un raudal de imágenes asociadas a su biografía, la variedad de impresiones convergentes de que se nutre sin cesar una conciencia en ebullición. De ahí la longitud de lo comparante respecto a lo comparado y el hecho, frecuentísimo, de que aquello se anteponga a esto, como por ejemplo en *Los verdes de mayo:*

Como ese escritor que sólo encuentra su propia voz cuando decide echar por la borda todos los estilos y tonalidades convencionalmente aceptados por el gusto de su época [...]. *O como la* desaparición de uno de esos seres pintorescos que nunca faltan en los pueblos de la costa [...]. *Así, como* culminación de un proceso que no por inadvertido deja de ser un proceso [...], un proceso y no un dato casual y aislado, *así*, lo inesperado (183-84).

Un modo de comparar que es, por tanto, un modo de ejemplificar el espectáculo de la realidad configurada por la escritura mediante un tejido de correlatos latentes. Procedimiento acorde con la convicción expresada por el autor de que «junto a una cosa hay siempre otra, y otra contrapuesta y otra colateral y otra anterior que la contradice y la niega, que la altera y confunde hasta el punto de obligarnos a reconsiderar la hipótesis inicial, la cuestión de si es realmente la estructura un instante del proceso o es el proceso una mera línea de la estructura» (*Los verdes de mayo,* 216).

El signo proustiano de las comparaciones de Juan Benet y de Luis Goytisolo es evidente: tan evidente como el acento peculiar que cada uno sabe imprimir a este recurso de potenciación imaginativa. Reconociendo el parentesco entre las amplias comparaciones de Goytisolo y las que gustaba de hacer Proust, Pere Gimferrer opina, sin embargo, que «en vez de cumplir una función de síntesis, de *raccourci*, como en la *Recherche*, se traducen en amplificaciones e insistencias, y en último término en demoras del ritmo», que en *Los verdes de mayo hasta el mar* se centran en «componentes psicoanalíticos» y constituyen «un discurso paralelo al de la narración, que corrige a éste y lo remite al área desde la que debemos asumirla, la de la faz oculta de la conciencia»[19].

Cabe, pues, decir, que si en Benet las comparaciones tienen una traza insertiva (equivalente a «entre paréntesis»), en Goytisolo la tienen ilustrativa o ejemplificadora (equivalente a «por ejemplo»). En este aspecto las comparaciones de Goytisolo recuerdan de lejos el procedimiento del moralista que «trata de presentarnos, no estampas de un hecho único, sino un muestrario de amplias y variadas posibilidades»[20].

En este punto, parece ya superfluo indicar que los símiles de Goytisolo suelen ofrecer un *amplio desarrollo*. Su desmesura es patente. Baste decir que el gran desarrollo de las comparaciones hace de muchas de ellas descripciones, relatos o escenas en

[19] Pere GIMFERRER, *Radicalidades*, Barcelona, A. Bosch, 1978, p. 67 y 71-72. En este mismo libro se refiere Gimferrer a las «comparaciones y asociaciones desusadas» de Juan Benet (p. 128). Acerca de la comparación, la metáfora y la metonimia, particularmente en Proust, son imprescindibles los escritos «La rhétorique restreinte» y «Métonymie chez Proust» de Gérard GENETTE, *Figures III*, París, Seuil, 1972, sobre todo pp. 28-32 y 41-62.

[20] Dámaso ALONSO, «El Arcipreste de Talavera a medio camino entre moralista y novelista», en el libro del autor *De los siglos oscuros al de oro*, Madrid, Gredos, 1958, p. 134.

miniatura. En forma comparativa siempre, léase en *Recuento* la etopeya del joven poeta que pretende justificar como voluntaria la torpeza de sus primeros escritos (465-66); la escena del matrimonio ya erosionado cuando se entrega al amor de vuelta de una visita (473); la pequeña novelita del cliente fiel a una marca de automóviles (572-73), o los varios argumentos posibles de aquella historia de la joven o el joven que vienen a aprender un idioma extranjero como huéspedes de una familia (594-95).

Las abundantes y extensas comparaciones forman como una espuma de experiencia que salpica desde el discurso narrante la historia narrada, y llegan a extremos en que se podría definir el estilo de los símiles goytisolanos como un estilo *emanativo* (ejemplo, aquellos párrafos contiguos que empiezan: «Como aquel que tras una noche entera de amor»..., «Y así como don Juan jamás siente remordimiento...», 590-91). La emanación de similitudes a través del montaje de marcas comparativas unas dentro de otras llega al punto de que, entre tantas asociaciones, se pierda de vista la comparación. Y la analogía formal —¿es menester decirlo?— contiene una antagonía semántica que el título de la tetralogía anuncia y cumple, razón de que muchas veces haya comparaciones que no comparan (páginas 364, 592-93) y comparaciones que se corrigen y aun llegan a destruirse conforme se desenvuelven (594-95).

En *Teoría del conocimiento*, el narrador llamado Ricardo, leyendo el diario íntimo del joven Carlos, cree descubrir en él (et pour cause) «la huella de Luis Goytisolo: esas largas series de períodos, por ejemplo, esas comparaciones que comienzan con un homérico así como, para acabar empalmando con un así, de modo semejante, no sin antes intercalar nuevas metáforas encabalgadas, metáforas secundarias que más que centrar y precisar la comparación inicial, la expanden y hasta la invierten en sus términos, no sin antes sentar las bases de nuevas asociaciones subordinadas, no sin antes establecer nuevas relaciones de concepto no más afines entre sí, y nuevas asociaciones de apariencia no menos coloidal, que el mercurio y el azufre que mezclan los alquimistas»[21].

[21] *Teoría del conocimiento*, p. 153. Alessandra Riccio («De las ruinas al taller en la obra de Luis Goytisolo», *Anales de la Novela de Posguerra*, 2 [1977], pp. 31-41) indicaba: «El abuso que Luis Goytisolo hace de la comparación, tanto en *Recuento* como en *Los verdes de mayo hasta el mar*, merecería un atento estudio» (p. 40). —Sobre la comparación en la segunda novela de la tetralogía hace algunas observaciones y un intento de clasificación por temas bastante

Certera autocrítica, si bien los símiles de Goytisolo únicamente pueden considerarse homéricos por la extensión que a veces alcanza el vehículo hasta alejarnos del tenor fijando la atención sobre aquél y desviándola de éste (la comparación homérica conserva siempre la armonía de la semejanza inicial).

Puntualizar la analogía que, además de en la frase y en el párrafo, aparece en las líneas mayores de la composición de *Recuento* prolongaría demasiado este ensayo. El ciclo entero se titula *Antagonía* y, a través de sus cuatro unidades, aparecen múltiples oposiciones: hombre-mujer, padre-madre, orden-caos, cronología-éxtasis, compromiso-libertad, política-estética, instinto-conocimiento, y otras. Pero la analogía también opera intensamente. En *Recuento*: vida=purgatorio, analogía fundamental, pero también otras: política=erótica, estética=libertad, escolástica (de Dante)=marxismo (de Raúl). Y múltiples equivalencias: las semejanzas de varias épocas de la historia española; las metáforas y comparaciones que, amorosa o sarcásticamente, definen a Cataluña y a Barcelona; los varios nombres, papeles o avatares de un mismo personaje; la amplitud creciente de los capítulos, «círculos que se dilatan sucesivos, que se amplían como las ondas que se agrandan en torno a donde la piedra se hundió en el estanque o como una metáfora dentro de una metáfora supone un relato» (623). El principio de analogía buscará, a través del ciclo, correlatos pictóricos para cada unidad: *Recuento*-«Las Meninas», *Los verdes de mayo*-«Las Hilanderas», *La cólera de Aquiles*-«Las Lanzas», *Teoría del conocimiento*-«Esopo». Y las cuatro novelas quieren ser, y son, «reflejo analógico del proceso creador por excelencia»[22]

En *Recuento*, se diría, el estilo va desde el predominio de la enumeración (caos), a través del incremento y desarrollo de la comparación (tentativa de ordenación) hacia la metáfora (cosmos). Un cosmos estético (analogía), porque la sustancia ética de la realidad de la vida se siente como caos. Y en esto vienen a coincidir, cada uno dentro de su estilo inconfundible, Juan Benet y

---

heteróclita José Ortega, «*Los verdes de mayo hasta el mar* de Luis Goytisolo», *Cuadernos Hispanoamericanos*, nº 326-327, agosto-septiembre de 1977, pp. 488-494.

[22] *Teoría del conocimiento*, p. 257. Ahí mismo se habla de «novelas que son una metáfora de la realidad, esto es, que proceden por analogía, única vía de aproximación al objetivo propuesto, un objetivo que, como en el caso del pensador, tiene más de recorrido que de meta, o mejor, un objetivo cuya meta es justamente el recorrido».

Luis Goytisolo, dos novelistas españoles que, comparados a través de sus comparaciones, atestiguan tan altas dotes como rigurosas exigencias.

[*Bulletin Hispanique*, LXXXV, nº 3-4, julio-diciembre de 1983, 403-431.]

JUAN BENET

SOBRE GALDÓS

Madrid, marzo de 1970

Sr. D. Pedro Altares
Cuadernos para el Diálogo
MADRID

Mi querido amigo:
Le agradezco muy sinceramente su invitación a colaborar en un próximo número de *Cuadernos para el Diálogo*, dedicado a temas de nuestra literatura. Pero debo informarle que quienquiera le haya insinuado la conveniencia de mi participación en forma de un artículo sobre Galdós, ha estado muy desafortunado: mi aprecio por Galdós es muy escaso, solamente comparable —en términos cuantitativos— al desconocimiento que tengo de su obra, a la que en los últimos años me he acercado, tras un primer contacto con ella obligado por la fama de su autor, tan sólo para cerciorarme de su total carencia de interés para mí. En tales condiciones parecerá algo más que una insolencia de mi parte pretender participar en ese número con un artículo que necesariamente habría de estar falto de seriedad, solvencia y devoción.

Para mayor inri observo que tiene Vd. pensado un artículo, escrito por otro colaborador, sobre las limitaciones de Galdós. Pero es eso, justamente, de lo que me gustaría hablar, así que, para no pisarle el terreno a otra persona con mayor preparación, he optado por escribirle esta carta para significarle lo poco que me gusta esta clase de homenajes.

No le sorprenderá, con lo anterior, que observe el culto a Galdós (y muchos otros a figuras del pasado) como una desgracia nacional, ejemplo sumario de muchos otros males que aquejan al país. Cuando —sobre todo para disimular un estado de carencia— se alteran las proporciones de una figura pública no sólo se incurre en un engaño colectivo sino que se introducen, con alcance nacional, unos vicios de pensamiento que nada han de favorecer a la facultad de discernimiento de toda la opinión. Tal es el caso, a mi modo de ver, que nos ocupa: un escritor de segunda fila, elevado (casi por razones de prestigio nacional) al rango de patriarca de las letras. Y no soy capaz de ver sino dos grandes razones que amparen —más que cualesquiera otra— el presente estado de cosas: la primera es la carencia de un escritor mejor; la segunda, es la todavía vigente alineación de Galdós a la in illo tempore izquierda española. Ambas pertenecen, casi de lleno, más que a la literatura a la sociología literaria, una materia que —hoy por hoy— no me produce excesivo entusiasmo.

Si Galdós es pasto para esa clase de sociólogos es porque literariamente emociona poco y representa mucho. Bien mirado, aparte de una imagen —bastante discutible— de la sociedad que pintó, logró poca cosa, ni siquiera una de esas frases sugerentes que sirvan luego de pórtico a un libro de poemas. Carecía de un lenguaje bello, su imaginación era litográfica y tan sólo se desvivió por poblar las estanterías de la burguesía con un innumerable censo de personajes que algunos críticos —haciendo uso de un término que produce muchas sospechas— calificarán luego de «muy humanos». Sin duda su generación estaba atormentada por los ejemplos de Balzac y Zola en tal medida que en el campo de la novela de dimensiones titánicas resultaba impensable todo proyecto que no siguiese, casi al pie de la letra, esas dos ejecutorias. Ahora bien, me atrevo a decir que ninguno de esos dos proyectos era genuinamente literario sino, con matices y calidades diferentes, más bien sociológicos. Y si Balzac conoció mejor fortuna no fue por una más estética concepción sino porque, al servicio de una finalidad extraliteraria, puso en marcha un instrumento artísticamente elaborado, un lenguaje matizado y una penetración ante los enigmas del espíritu que, con mucha frecuencia, podían sustraerse al diktat del proyecto. Pero ni Zola ni Galdós lograron encontrar la libertad que concede un lenguaje artístico: el diktat sociológico redactaba todos sus párrafos de tal suerte que sólo hicieron una novela asertórica, exactamente esa clase de novela que la sociedad —no demasiado enterada de la no-necesidad de una obra así— «esperaba que hiciese».

Casi la misma obligatoriedad que dictó a Galdós su panorama

de la sociedad de su tiempo, forzó a la crítica a elevarle a un altar que nadie, con mejor merecimiento, podía ocupar. Eso es lo terrible: esa es la enfermedad que siguen padeciendo quienes no se cansan de hacer revisiones, homenajes y análisis de conjunto. El primer síndrome del mal se manifiesta en la convicción —compartida por la burguesía como propagada por los profesores de letras— de que un país que ha gozado de tradición literaria debe seguir produciendo —en momentos oportunos y sucediéndose unos a otros— grandes novelistas. La buena literatura es una necesidad tanto como la mala y su producción no debe dejarse al azar. De otra suerte los profesores empiezan a hablar de decadencia, los sociólogos indagan sus causas y señalan sus remedios y el pueblo enferma de tristeza. La gran novela se convierte en una cosa tan indispensable como las fuerzas armadas, la marina mercante o la red telefónica, un índice del país. Esa clase de patriótica convicción —incluso compartida por aquellos que han renunciado a vivir en un país influyente pero todavía alimentan la esperanza de que pueda producir genios—, que no podía sufrir que España no contribuyese a la gran corriente naturalista con un nombre señero, es la responsable no sólo de haber elevado a Galdós a un altar ridículo, sino también de ese desmedido afán por encontrar al gran hombre de letras que nos redima de la insoslayable decadencia.

La gloria de un escritor descansará, a mi modo de ver, sobre una triple facultad de su obra a saber: (1) que siga siendo un motivo de gozo para la clase culta. (2) que sea un acicate y fuente de inspiración para el escritor posterior y (3) (y última) que se conserve como inagotable objeto de estudio para el profesor de letras. Y ni qué decir tiene que yo pongo las dos primeras muy por encima de la última que es la única que en el caso de Galdós se cumple hoy en día. El escritor joven nada tiene que aprender de él y si la burguesía lo sigue leyendo, es más por deber y compulsión social que por fruición. Así que solamente los profesores (y no de letras) siguen entrando a saco en la galdosiana para inundar el país con sus estudios pero ¡qué estudios! Todos son sociológicos. Y si no abundan los literatos ¿no constituye la mejor prueba de la escasa talla artística del interesado?

La sociología literaria tiene una enorme virtud: se despreocupa de la calidad artística. Si atiende al estilo, al verbo, a la dicción o al lenguaje es... en cuanto entes sociológicos. Con un arma tan contundente se puede brillar como crítico —como por ejemplo, brilla Lukacs en el firmamento europeo— sin dar en el clavo literario más que raras veces. Se puede escribir una robusta estética o un volumen de 500 páginas sobre la novela histórica tan sólo para hablar de piezas literarias muy mediocres y para no emitir un sólo juicio literario. Es el conocido subterfugio del falso hombre de letras que se introduce en el campo de la literatura no para hacerla sino para hacer uso de ella: no para consagrarse a los valores literarios sino para —tras elegir uno de los muchos atributos que las letras de ayer y hoy conllevan— predicar como esencial un valor subordinado y crear doctrina con la denuncia de toda otra literatura que no lo profese. Y aunque casi toda doctrina termina por traicionar —en el terreno de las letras— a todo escritor que la profese, rara vez aquél que solamente es literato podrá conocer un alivio a la presión que sufre por parte de la sociedad para que se defina a sí mismo en el campo de la ideología.

Aun cuando a nuestros ojos de hoy nos parezca normal que un escritor revolucionario se sienta atacado —y en consecuencia trate de combatirla— por la literatura no revolucionaria, el hecho no deja de ser una aberración, derivada sin duda de esa conciencia desgraciada del individuo que, obligado a elegir para su acción un campo que no es el específico de ella trata de sanarla modificando las condiciones de contorno de aquél. De esa forma quien trata de acotar el campo de la literatura política revolucionaria acostumbra a definir una antigualla, poco menos que ciego respecto a la evolución propia de las letras que —para su limitada visión— nunca dejarán de ser un instrumento al servicio de otra cosa. Y eso que es tan claramente perceptible en el hombre que asume dos ejecutorias bien distintas —las de escritor y revolucionario, por ejemplo— resulta difícil que salga a la luz cuando ejerce dos profesiones más afines, la literatura y la sociología, pongo por caso. En esa situación —y no sé por qué— es siempre el oficio literario el que sale peor parado, el que tiene que hacer concesiones —de estilo, de alcance, de imaginación, de disciplina— a fin de servir a la segunda materia con el instrumento más adecuado a ella. La relación ciencia-literatura en una misma persona es casi siempre (incluso en las ciencias literarias) del tipo señor-criado. Pues bien, yo tengo para mí —siguiendo la exposición anterior hasta su límite— que el escritor más limitado acostumbra a ser aquél que subordina su oficio a... una doctrina literaria. Esto es, el que dice saber con certidumbre qué cosa es, o debe ser, la literatura: el que tiene ideas muy claras sobre ella y —mediante conceptos— puede delimitar el arte literario y establecer sus condiciones de contorno.

Tal era —no me cabe la menor duda— la postura de Galdós, un hombre que deslumbrado por el ejemplo francés se propuso una especie de levantamiento catastral de la sociedad de su tiempo y entendió la novela como el topógrafo puede entender un plano parcelario. Nada que ocurriera en aquella sociedad, tuviera un carácter relevante o pusiera de manifiesto su composición y estructura— debía dejar de tener su correlato en la novela. Un proyecto tan vasto como poco literario, no sólo prefigurado por unas condiciones de contorno intransgredibles sino animado de la necesidad de cubrir con él todo un espacio físico, y tan reñido con la componente de arbitrariedad de toda concepción artística, habría alcanzado una cierta grandeza de haberlo hecho con cierta delicadeza ¿La tuvo?

A la izquierda española nunca le importó gran cosa que el instrumento de Galdós fuera de punta gruesa. A la izquierda española (cuando no sospecha de todo instrumento de punta fina como útil que sirve a la reacción) eso le trae un tanto sin cuidado porque entiende que —desde hace muchos años— la literatura española es, toda ella, cosa suya. Y eso debe ser así no tanto porque los profesores de letras acostumbren a ser de izquierdas —salvo muy raras excepciones, especialistas en Lope o la novela cántabra— sino porque la derecha no escribe. Los últimos vestigios de aquella extraña raza de hombres que con su pluma defendieran la causa de la derecha, desaparecieron allá por la década del 30, y si antes al menos la derecha demostraba más pudor para reconocerlo así —e incluso se atrevía a entrar en polémica para hacer acto de presencia en la sociedad docta—, fue alrededor de esos años cuando reconoció que debía conformarse con tener en sus manos las riendas, sin preocuparse de defender nada con la palabra y cediendo gustosa a la izquierda la poca satisfacción y dinero que se extrae con el ejercicio de las letras. (De la regla anterior existe —es natural— una excepción: la de las así llamadas letras que dan dinero y que continúan en manos de la derecha. Pero como eso más que un tema literario es un negocio, todavía no sé de nadie solvente que considere oportuno ocuparse de ellas.)

Cuando una facción del país (que sigue guardando soterraña una histórica coherencia) disfruta de un monopolio nacional, por lo general lo primero que cuida es que cualquier otra quede excluida de su participación en él. Salvada esa condición —y de ahí la enorme labor defensiva de profesores y sociólogos de la literatura que, sin conocer el descanso, siguen acumulando fortificaciones en previsión de un ataque que muy probablemente no se producirá nunca— menester es hacer saber a todo el ámbito nacional que tal monopolio es muy digno de ser disfrutado (pues otra cosa sería el desprestigio de la facción), tanto o más que el del poder político o el de las fuentes de riqueza ¿Será esa la principal razón para que escritores tan manoseados como Galdós o Unamuno estén siempre en el candelero? Porque si para el crítico literario se trata de casos sobreseídos —y de los que ya no es posible extraer una enseñanza inédita—, en cambio para el sociólogo —afanado en una clase de estudio cuya perseverancia y prodigalidad constituyen el mejor índice de su futilidad— siguen y seguirán siendo inagotable materia de investigación. Los aniversarios y centenarios constituyen una óptima ocasión para la propaganda del monopolio. Ya en la índole de la celebración se puede presumir la filiación del homenajeado: porque así como para Galdós toda la izquierda se pondrá en pie, sacando a las librerías una considerable colección de trabajos dedicados a su figura y su obra, para Gabriel y Galán, Pereda o Don Marcelino una parte de la derecha acudirá a los juegos florales convocados por un Gobernador Civil, presididos por la lozanía de una señorita y mantenidos por el verbo de un poco influyente poeta, conocido por sus conexiones con la banca.

Pero lo que más me ofende del clima literario actual es el modo con que se hace patente cierto desprecio a las letras, disimulado y demostrado a la vez por la intemperante profusión de otras disciplinas científicas o cuasicientíficas derivadas de aquéllas. De las letras en cuanto artículo artístico cada vez se ocupan menos personas —y con mayor vergüenza—, apremiadas a no perder un tiempo que deben dedicar a la lingüística o la sociología. Observe usted una vez más el extraordinario número XIV de *Cuadernos para el Diálogo* —cuyo éxito les ha inducido a lanzar otro de parecida índole— y dígame dónde (si se exceptúan las páginas de Rafael Conte) se puede encontrar un punto de vista exclusivamente literario o que —tan sólo— no esté empeñado por el sempiterno vaho de la trascendencia histórica y social. La calidad literaria es tomada como cosa baladí si no viene acompañada de la influencia social del libro que se trate: y viceversa, no se puede dejar de lado cualquier mediocridad si viene aureolada por aquélla. El último índice de valor del crítico es la influencia social de un libro o su sanción por el tiempo. Hay quien habla de la «distancia crítica del tiempo para revelarse en su auténtico (sic) valor»: quien considera que es «prematuro hablar de la significación» de un volumen (como si tal volumen pudiera significar cosas distintas en distintos momentos) o una generación: quien reprocha a otro no ser el exponente lírico del hombre actual: y quien —con el optimismo que engendra la visión de la literatura como un a fortiori, con la ignorancia mántica de una seguridad que destierra el azar— opina que hay «literatura... para rato». Cuando las voces más autorizadas del país enseñan a discurrir de esa suerte, sólo cabe esperar un estado de opinión, literariamente inseguro y sociológicamente oportunista, en el que la calidad literaria —que si abunda poco, menos se exalta— apenas cuente.

Le decía antes que la gran culpa de la perversión del gusto literario recae hoy sobre la sociología; y bien, las recientes polémicas con que nos han amenizado algunos críticos han venido a poner de manifiesto la completa amortización de ciertos gustos adquiridos en el hegeliano reino de la necesidad. Pero el dominio temporal del gusto por una cierta escuela apenas conmueve a la sociología que —sea cual fuere la tendencia dominante— lo único que exige al escritor es que su obra sea «la revelación de los conflictos de su clase», «la expresión del hombre de su tiempo» o cualquier otra lindeza del mismo corte, utilizada como una constante advertencia respecto al crimen social en que puede incurrir si, por una veleidad, se le ocurre hacerse portavoz de los conflictos de los vascos en el siglo XI. En otras palabras, lo que más estima la sociología en materia literaria es la vulgaridad. Y lo que menos, el esfuerzo del escritor por redimirse —pese a que en su fuero interno sepa que sólo conseguirá el éxito por breves días, porque su triunfo es la asimilación de su obra a una comunidad que la vulgarizará, ampliando los límites de lo común— del cerco de tópicos con que la sociedad le rodea. Más que el realismo sin ornato o el afán de denuncia, ha sido uno de esos tópicos —el ser la expresión del hombre de su tiempo— el traicionero fanal que, en los últimos años, ha atraído a los pilotos de la novela española a un acantilado donde sólo les esperaba el naufragio.

Por todo ello un homenaje a Galdós en estas fechas me parece más bien apadrinado por la investigación sociológica que por el interés literario de su obra. (No así el de Bécquer, un hombre de gusto, taimadamente unido al anterior por una revanchista arbitrariedad de los números.) Y cuyo colofón no ha de servir para aclarar muchas cosas, dada la turbia situación del arte literario en nuestra tierra. Yo siempre he creído que un gran monumento literario es históricamente obra del azar, nunca de las condiciones imperantes. Pero lo que en tiempo de Galdós seguía siendo un azar (y al pobre, con toda evidencia, no le tocó su número) en el nuestro sería un milagro, y de los grandes. Porque no hay que olvidar que la tenebrosa situación que el país ofrece al escritor (un público de escasa curiosidad, unas ediciones de cuatro dígitos de tirada, unas ganancias irrisorias) está todavía presidida por una mesa de censores (uno de los últimos vestigios de la España Imperial) con la misma preparación intelectual que una mesa petitoria. De esa forma el resultado no puede ser otro: el buen chico de Valladolid, un poco tímido y timorato, descontento del actual estado de cosas prefiere arremeter contra la ortografía antes que levantar demasiado la voz: el chulapo descarado y castizo de Galicia resolverá el espinoso tema de la guerra civil poniendo en boca de ambos contendientes las mismas palabrotas y el integérrimo catalán, se atreverá a reprochar a sus colegas del otro lado del océano la libertad que él no disfruta. Y para sobrellevar el aburrimiento de una fiesta que la desgraciada actuación de los mejores espadas ha hecho tan fastidiosa, un público devoto —e inasequible al desaliento— aunque escaso, cantará las grandezas de los tiempos de Galdós y Machaquito. Pero no hay que rasgarse las vestiduras, la fiesta del castellano resulta tan decepcionante como la de las provincias y países limítrofes.

Quedo siempre, señor Altares, a su entera disposición.

[*Cuadernos para el Diálogo*, XXIII Extraordinario, diciembre de 1970, 13-15.]

BIBLIOGRAFÍA DE JUAN BENET

I. Novelas y cuentos

Nunca llegarás a nada, Madrid, Editorial Tebas, 1961; reedición, Madrid, Alianza Editorial, 1969.
Volverás a Región, Barcelona, Ediciones Destino, 1967.
Una meditación, Barcelona, Seix Barral, 1970.
«Los padres», *El Urogallo*, nº 1 (febrero de 1970).
Una tumba, Barcelona, Lumen, 1971.
5 narraciones y 2 fábulas, Barcelona, La Gaya Ciencia, 1972.
Un viaje de invierno, Barcelona, La Gaya Ciencia, 1972.
La otra casa de Mazón, Barcelona, Seix Barral, 1973.
Sub rosa, Barcelona, La Gaya Ciencia, 1973.
«Amor vacui», *Plural*, nº 41 (febrero de 1975).
Cuentos completos, 2 vols., Madrid, Alianza Editorial, 1977.
En el estado, Madrid, Alfaguara, 1977.
«Una leyenda: Numa», *Del pozo y del Numa: Un ensayo y una leyenda*, Barcelona, La Gaya Ciencia, 1978.
El aire de un crimen, Barcelona, Planeta, 1980.
Saúl ante Samuel, Barcelona, La Gaya Ciencia, 1980.
Un viaje de invierno, ed. Diego Martínez Torrón, Madrid, Cátedra, 1980.
Trece fábulas y media, Madrid, Alfaguara, 1981.
Una tumba y otros relatos, ed. Ricardo Gullón, Madrid, Taurus, 1981.
A Meditation, trad. Gregory Rabassa. Nueva York, Persea Books, 1982.
Herrumbrosas lanzas, Libros I-VI. Madrid, Alfaguara, 1983.

Herrumbrosas lanzas, Libro VII. Madrid, Alfaguara, 1985.
Return to Región, trad. Gregory Rabassa, Nueva York, Columbia University Press, 1985.

II. TEATRO

Max, Revista Española, nº 4 (noviembre-diciembre de 1953), 409-430.
Agonía confutans, *Cuadernos Hispanoamericanos*, nº 236 (agosto de 1969), 307-321.
Teatro, Madrid, Siglo XXI de España, 1970 (*Anastas o el origen de la constitución, Agonía confutans, Un caso de conciencia*).

III. POESÍA

«Dos poemas: "En cauria", "Un enigma"», *El Urogallo*, nº 19 (septiembre de 1972), 7-8.

IV. TRADUCCIONES

A este lado del paraíso, trad. de F. Scott FITZGERALD, *This Side of Paradise*. Madrid, Alianza Editorial, 1968.

V. ENSAYOS Y COLECCIONES DE ARTÍCULOS

La inspiración y el estilo, Madrid, Revista de Occidente, 1965; reedición, Barcelona, Seix Barral, 1983.
Puerta de tierra, Barcelona, Seix Barral, 1970.
El ángel del señor abandona a Tobías, Barcelona, La Gaya Ciencia, 1976.
En ciernes, Madrid, Taurus, 1976.
¿Qué fue la guerra civil? Barcelona, La Gaya Ciencia, 1976.
«Un ensayo: La deuda de la novela hacia el poema religioso de la antigüedad», *Del pozo y del Numa: Un ensayo y una leyenda*, Barcelona, La Gaya Ciencia, 1978.
La moviola de Eurípides, Madrid, Taurus, 1982.
En la penumbra, Santander, Bedia, 1982.
Sobre la incertidumbre, Barcelona, Ariel, 1982.
Ingeniería en la época romántica. Las obras públicas en España, 1860, Madrid, Ministerio de Obras Públicas, 1983.
Artículos, vols. I, II, Madrid, Ediciones Libertarias, 1983.

BIBLIOGRAFÍA SOBRE JUAN BENET

I. Libros y volúmenes especiales dedicados a Benet

Cabrera, Vicente, *Juan Benet*, Boston, G. K. Hall (Twayne World Author Series), 1983.

Compitello, Malcolm A., *Ordering the Evidence: «Volverás a Región» and Civil War Fiction*, Barcelona, Pulvill, 1983.

Herzberger, David K., *The Novelistic World of Juan Benet*, Clear Creek (Indiana), American Hispanist, 1976.

Manteiga, Roberto C., David K. Herzberger y Malcolm A. Compitello, eds., *Critical Approaches to the Writings of Juan Benet*, Hanover (New Hampshire), The University Press of New England, 1984.

Número especial dedicado a Juan Benet y Augusto Roa Bastos, *Cuaderno del Norte. Norte: Revista Hispánica de Amsterdam*, 1976.

II. Bibliografías

Compitello, Malcolm A., «Juan Benet and His Critics», *Anales de la Novela de Posguerra*, 3 (1978), 123-141.

Zoetmuller, Ingrid, «Provisional bibliografía benetiana», *Cuaderno del Norte. Norte: Revista Hispánica de Amsterdam*, 1976, 133-140.

III. Artículos

Aranguren, José Luis, «El curso de la novela española contemporánea», *Estudios literarios*, Madrid, Gredos, 1976, pp. 213-310.

AVELEYRA, Teresa, «Algo sobre las criaturas de Juan Benet», *Nueva Revista de Filología Hispánica*, 23 (1974), 121-130.

BRAVO, María Elena, *Faulkner en España*, Barcelona, Ediciones Península, 1985, pp. 266-302.

— —, «Sobre las raíces faulknerianas en *Volverás a Región*», *Cuadernos para la Investigación de la Literatura Hispánica*, Fundación Universitaria Española, Seminario «Menéndez Pelayo», nos 2-3 (1980), pp. 271-282.

CARENAS, Francisco, y José FERRANDO, «El mundo preperceptivo de *Volverás a Región*», *Cuaderno del Norte. Norte: Revista Hispánica de Amsterdam*, 1976, 121-132.

CARRASQUER, Francisco, «Brindis», *Cuaderno del Norte. Norte: Revista Hispánica de Amsterdam*, 1976, 73-74.

— —, «*Cien años de soledad* y *Volverás a Región*, dos polos», *Cuaderno del Norte. Norte: Revista Hispánica de Amsterdam*, 1976, 197-201.

CASTELLET, José María, Pere GIMFERRER y Julián Ríos, «Encuesta: nueva literatura española», *Plural*, nº 25 (octubre de 1973), 4-6.

COMPITELLO, Malcolm A., «Language, Structure and Ideology in *Volverás a Región*», *Proceedings of the Fifth Annual Hispanic Literature Conference*, ed. J. Cruz Mendizábal, Indiana University of Pennsylvania, 1982, pp. 305-326.

— —, «The Paradoxes of Praxis: Juan Benet and Modern Poetics», *Critical Approaches to the Writings of Juan Benet*, ed. Roberto C. Manteiga, David K. Herzberger y Malcolm A. Compitello, Hanover (New Hampshire), The University Press of New England, 1984, pp. 8-17.

— —, «Region's Brazilian Backlands: The Link between *Volverás a Región* and Euclides da Cunha's *Os Sertões*», *Hispanic Journal*, 1, ii, 25-45.

— —, «*Volverás a Región*, the Critics and the Civil War: A Socio-Poetic Reappraisal», *The American Hispanist*, 4, nº 36 (mayo de 1979), 11-20.

CHAMORRO, Eduardo, «Intento de aproximación a los textos de Juan Benet», *Cuaderno del Norte. Norte: Revista Hispánica de Amsterdam*, 1976, 110-120.

DÍAZ, Janet W., «Spain's Senior "New Novelist" Juan Benet», *Studies in Language and Literature. Proceedings of the 23rd Mountain Interstate Foreign Language Conference*, ed. Charles L. Nelson, Richmond (Kentucky), Eastern Kentucky University, 1976, pp. 137-142.

— —, «Variations on the Theme of Death in the Short Fiction of Juan Benet», *The American Hispanist*, 4, nº 36 (mayo de 1979), 6-11.

DÍAZ-MIGOYO, Gonzalo, «Reading/Writing Ironies in *En el estado*», *Critical Approaches to the Writings of Juan Benet*, pp. 88-99.

DOMINGO, José, *La novela española del siglo XX*. vol. 2, Barcelona, Labor, 1973, pp. 156-158.

GIMFERRER, Pere, «Una crónica de la decadencia», *Papeles de Son Armadans*, nº 156 (1969). 299-302.

— —, «En torno a *Volverás a Región* de Juan Benet», *Ínsula*, nº 226 (enero de 1969), 14.

GÓMEZ PARRA, Sergio, «Juan Benet: la ruptura de un horizonte novelístico», *Reseña*, nº 58 (septiembre-octubre de 1971), 3-12.

GUILLERMO, Edenia, y Juana Amelia HERNÁNDEZ, «Juan Benet. *Volverás a Región*», *La novelística española de los sesenta*, Nueva York, Eliseo Torres, 1971, pp. 130-150.

GULLÓN, Ricardo, «Una región laberíntica que bien pudiera llamarse España», *Ínsula*, nº 319 (junio de 1973), 2, 10.

— —, «Introducción», *Una tumba y otros relatos*, ed. Ricardo Gullón, Madrid, Taurus, 1981, pp. 7-50.

— —, «Sombras de Juan Benet», *Cuadernos Hispanoamericanos*, nº 418 (abril de 1985), 45-70.

HERZBERGER, David K., «Enigmaas Narrative Determinant in the Novels of Juan Benet», *Hispanic Review*, 47, nº 2 (1979), 149-157.

— —, «Juan Benet's *Una tumba*», *The American Hispanist*, 1, nº 3 (mayo de 1976), 3-6.

— —, «Novelists on the Novel: The Theoretical Disparity of Contemporary Spanish Narrative», *Symposium*, 33 (1979), 215-229.

— —, «Numa and the Nature of the Fantastic in the Fiction of Juan Benet», *Studies in Twentieth Century Literature*, 8 (1984), 185-196.

— —, «The Theme of Waring Brothers in *Saúl ante Samuel*», *Critical Approaches to the Writings of Juan Benet*, pp. 100-110.

— —, «Theoretical Approaches to the Spanish New Novel: Juan Benet and Juan Goytisolo», *Revista de Estudios Hispánicos*, 14, nº 2 (mayo de 1980), 3-17.

MANGINI GONZÁLEZ, Shirley, «El punto de vista dual en tres novelistas españoles», *Ínsula*, nºs 396-397 (noviembre-diciembre de 1979), 7, 9.

MANTEIGA, Roberto C., «Benet Ventures Beyond Región», *Denver Quarterly*, 17, nº 3 (otño de 1982), 76-82.
— —, «Time, Space and Narration in Juan Benet's Short Stories», *Critical Approaches to the Writings of Juan Benet*, pp. 120-136.
MARCO, Joaquín, «La novela de un escritor», *Ejercicios literarios*, Barcelona, Taber, 1969, pp. 291-296.
— —, «Las obras recientes de Juan Benet» *Nueva literatura en España y América*, Barcelona, Lumen, 1972, pp. 143-155.
MARTÍNEZ-LÁZARO, Marisa, «Juan Benet o la incertidumbre como fundamento», *El Urogallo*, nºs 11-12 (septiembre-diciembre de 1971), 175-176.
MARTÍNEZ TORRÓN, Diego, «Juan Benet o los márgenes de la sorpresa», *Un viaje de invierno*, ed. Diego Martínez Torrón, Madrid, Cátedra, 1980, pp. 11-110.
MONTERO, Isaac, «Acotaciones a una mesa redonda: respuestas a Juan Benet y defensa apresurada del realismo», *Cuadernos para el Diálogo*, 23 (diciembre de 1970), 65-74.
— —, «La novela española de 1955 hasta hoy: una crisis de dos exaltaciones antagónicas», *Triunfo*, 507 (17 de junio de 1972), 86-94.
NELSON, Esther, «Narrative Perspective in *Volverás a Región*», *The American Hispanist*, 4, nº 36, (mayo de 1979), 3-6. Reeditado en *Critical Approaches to the Writings of Juan Benet*, pp. 27-38.
OLIART, Alberto, «Viaje a Región», *Revista de Occidente*, 2ª época, nº 80 (noviembre de 1969), 224-234. Reeditado en *Novelistas españoles de posguerra*, ed. Rodolfo Cardona, Madrid, Taurus, 1976, pp. 185-194.
ORRINGER, Nelson, «Epic in a Paralytic State», *Critical Approaches to the Writings of Juan Benet*, pp. 39-50.
PÉREZ, Janet, «The Rhetoric of Ambiguity», *Critical Approaches to the Writings of Juan Benet*, pp. 18-26.
RODRÍGUEZ PADRÓN, Jorge, «Apuntes para una teoría benetiana», *Ínsula*, nºs 396-397 (noviembre-diciembre de 1979), 3, 5.
SANZ VILLANUEVA, Santos, *Tendencias de la novela española actual (1950-1970)*. Madrid, Cuadernos para el Diálogo, 1972, pp. 179-182.
SCHARTZ, Ronald, «Benet and *Volverás a Región*», *Spain's New Wave Novelists 1959-1974. Studies in Spanish Realism*, Metuchen (New Jersey), Scarecrow Press, 1976, pp. 233-244
SOBEJANO, Gonzalo, «Estructuras enigmáticas», *Cuentos españoles concertados. De Clarín a Benet*. eds., Gonzalo Sobejano y

Gary D. Keller, Nueva York, Harcourt Brace Jovanovich, 1975, pp. 245-249.
— —, *Novela española de nuestro tiempo*, Madrid, Prensa Española, 1970, pp. 401-407.
— —, «La novela estructural: de Luis Martín Santos a Juan Benet»; *Novela española de nuestro tiempo*, 2ª edición, Madrid, Prensa Española, 1975, pp. 545-609.
— —, «Teoría de la novela en la novela española última (Martín Santos, Benet, Juan y Luis Goytisolo)», *Romanistik in Geschichte und Gegenwart*, tomo 15, Akten des Deutschen Hispanistentages 1983, ed. Dieter Kremer, Hamburgo, Helmut Buske Verlag, 1983, pp. 11-33.
SPIRES, Robert C., «*Volverás a Región* y la desintegración total», *La novela española de posguerra*, Madrid, Cupsa Editorial, 1978, pp. 224-246.
— —, «Juan Benet's Poetics of Open Spaces», *Critical Approachs to the Writings of Juan Benet*, pp. 1-7.
TORRES FIERRO, Danubio, «Juan Benet: La inspiración y el estilo», *Territorios del exilio*, Barcelona, La Gaya Ciencia, 1979, pp. 153-158.
VÁSQUEZ, Mary S., «The Creative Task: Existential Self-Creation in Benet's *Una meditación*», *Selecta*, nº 1 (1980), 118-120. Reeditado en *Critical Approaches to the Writings of Juan Benet*, pp. 64-71.
VILLANUEVA, Darío, «Las narraciones de Juan Benet», *Novela española actual*, ed. Andrés Amorós, Madrid, Fundación Juan March/Cátedra, 1977, pp. 133-172.
— —, «La novela de Juan Benet», *Camp de l'Arpa*, nº 8 (noviembre de 1973), pp. 9-16.
WESCOTT, Julia L., «Exposition and Plot in Benet's *Volverás a Región*», *Kentucky Romance Quarterly*, 28 (1981), 155-163.
— —, «Subversion of Character Conventions in Benet's Trilogy», *Critical Approaches to the Writings of Juan Benet*, pp. 72-87.
YERRO VILLANUEVA, Tomás, *Aspectos técnicos y estructurales de la novela española actual*. Pamplona, Editorial de la Universidad de Pamplona, 1977.

IV: ENTREVISTAS, ENCUESTAS, COLOQUIOS

AMORÓS, Andrés, ed., «Intervención, Coloquio y Mesa redonda final», *Novela española actual*, Madrid, Fundación Juan March/ Cátedra, 1977, pp. 173-188, 277-334.

ARNÁIZ Joaquín, «La mediocridad me parece una pérdida de tiempo», *Dario 16. Suplemento Literario*, 24 de marzo de 1985, p. V.

CAMPBELL, Federico, «Juan Benet o el azar», *Infame turba*. Barcelona, Lumen, 1971, pp. 293-310.

«Encuesta II. Novela», *Cuadernos para el Diálogo*, 14 (mayo de 1969), p. 68.

DYSON, John, y Anita ROZLAPA, «Entrevista con Juan Benet», *The American Hispanist*, 3, nº 22 (diciembre de 1977), 19-21.

FUENTE LAFUENTE, Ismael, «Benet, Cela, Delibes, Grosso, Marsé...Cómo se hace una novela», *El País Semanal*, 10 de abril de 1977, p. 13-15.

GARCÍA RICO, Eduardo, «Encuesta», *Literatura y política. En torno al realismo español*. Colección «Los Suplementos», nº 19. Madrid, Cuadernos para el Diálogo, 1971, p. 19.

— —, «Juan Benet: Joyce es de segunda fila», *Triunfo*, nº 249 (22 de agosto de 1977), p. 2.

HERNÁNDEZ, José, «Juan Benet, 1976», *MLN*, 92 (1977), 346-355.

LÁZARO CARRETER, Fernando, «Encuesta», *Literatura y educación*, Madrid, Castalia, 1974, pp. 197-206. Reeditado en *Camp de l'Arpa*, nº 51 (mayo de 1978), 19-22.

MÁRQUEZ REVIRIEGO, Víctor, «Conversación con Juan Benet. La memoria creadora», *Triunfo*, diciembre de 1980, pp. 84-87.

NOLENS, Ludovico, «Adiós a Región», *Quimera*, nº 3 (enero 1981), 9-13.

ORRINGER, Nelson R., «Juan Benet a viva voz sobre la filosofía y el ensayo actuales», *Los Ensayistas*, nºs 8-9 (marzo de 1980), 59-65.

QUIÑONERO, Juan Pedro, «Juan Benet: entre la ironía y la destrucción». *Información de las Artes y Letras*, 2, (agosto de 1969), p. 3.

«Respuestas de Juan Benet a un cuestionario mínimo», *Cuaderno del Norte. Norte: Revista Hispánica de Amsterdam*, 1976, 76-78.

ROY, Montserrat, «Entrevista con Juan Benet», *Los hechiceros de la palabra*, Barcelona, Editorial Martínez Roca, 1975, pp. 19-27.

TOLA DE HABICH, Fernando, y Patricia GRIEVE, «Entrevista», *Los españoles y el boom*, Caracas, Editorial Tiempo Nuevo, 1971, pp. 25-41.

ESTE LIBRO SE TERMINO DE IMPRIMIR EN LOS
TALLERES GRAFICOS DE ANZOS, S. A., EN
FUENLABRADA (MADRID), EN EL MES DE
OCTUBRE DE 1986

OTROS TÍTULOS DE LA COLECCIÓN

PERSILES

10. José Bergamín: **Fronteras infernales de la poesía.**
18. Américo Castro: **De la edad conflictiva.**
27. Rafael Ferreres: **Los límites del Modernismo.**
31. Edward C. Riley: **Teoría de la novela en Cervantes.**
33. Alonso Zamora Vicente: **Lengua literatura, intimidad.**
35. Azorín: **Crítica de años cercanos.**
36. Charles V. Aubrun: **La comedia española.**
37. Marcel Bataillon: **Pícaros y picaresca.**
38. José Corrales Egea: **Baroja y Francia.**
39. Edith Helman: **Jovellanos y Goya.**
40. G. Demerson: **Don Juan Meléndez Valdés y su tiempo.**
41. J. Mª Castellet: **Iniciación a la poesía de Salvador Espriu.**
42. Georges Bataille: **La Literatura y el Mal.**
43. Domingo Ynduráin: **Análisis formal de la poesía de Espronceda.**
44. R. M. Albérès: **Metamorfosis de la novela.**
45. Fernando Morán: **Novela y semidesarrollo.**
46. Gabriel Celaya: **Inquisición de la poesía.**
47. Walter Benjamin: **Imaginación y sociedad (Iluminaciones, I).**
48. Julien Green: **Suite inglesa.**
49. Oscar Wilde: **Intenciones.**
50. Julio Caro Baroja: **Los Baroja (Memorias familiares).**
51. Walter Benjamin: **Baudelaire: Poesía y capitalismo (Iluminaciones, II).**
52. C. M. Bowra: **La imaginación romántica.**
53. Luis Felipe Vivanco: **Moratín y la Ilustración mágica.**
54. Paul Ilie: **Los surrealistas españoles.**
55. Julio Caro Baroja: **Semblanzas ideales (Maestros y amigos).**
56. Juan Ignacio Ferreras: **La novela por entregas (1840-1900).**
57. J. Benet, C. Castilla del Pino, S. Clotas, J. M. Palacio, F. Pérez y M. Vázquez Montalbán: **Barojiana.**
58. Evelyne López Campillo: **La «Revista de Occidente» y la formación de minorías.**
59. J. Mª Aguirre: **Antonio Machado, poeta simbolista.**
60. Northrop Frye: **La estructura inflexible de la obra literaria.**
61. A. Jiménez Fraud: **Juan Valera y la generación de 1868.**
62. Serie «El escritor y la crítica»: **Benito Pérez Galdós.** (Edición de Douglass M. Rogers.)
63. Serie «El escritor y la crítica»: **Antonio Machado.** (Edición de Ricardo Gullón y Allen W. Phillips.)
64. Serie «El escritor y la crítica»: **Federico García Lorca.** (Edición de Ildefonso-Manuel Gil.)
65. Juan Ignacio Ferreras: **Los orígenes de la novela decimonónica en España (1800-1830).**

66. Jesús Castañón: **La crítica literaria en la prensa española del siglo XVIII (1700-1750).**
67. María Cruz García de Enterría: **Sociedad y poesía de cordel en el Barroco.**
68. Martheh Robert: **Novela de los orígenes y orígenes de la novela.**
69. Juan Valera: **Cartas íntimas (1853-1879).**
70. Richard Burgin: **Conversaciones con Jorge Luis Borges.**
71. Stephen Gilman: **«La Celestina»: Arte y estructura.**
72. Lionel Trilling: **El Yo antagónico.**
73. Serie «El escritor y la crítica»: **Miguel de Unamuno.** (Edición de A. Sánchez Barbudo.)
74. Serie «El escritor y la crítica»: **Pío Baroja.** (Edición de Javier Martínez Palacio.)
75. Agnes y Germán Gullón: **Teoría de la novela.**
76. Serie «El escritor y la crítica»: **César Vallejo.** (Edición de Julio Ortega.)
77. Serie «El escritor y la crítica»: **Vicente Huidobro.** (Edición de René de Costa.)
78. Serie «El escritor y la crítica»: **Jorge Guillén.** (Edición de Biruté Ciplijauskaité.)
79. Henry James: **El futuro de la novela.** (Edición, traducción, prólogo y notas de Roberto Yahni.)
80. F. Márquez Villanueva: **Personajes y temas del Quijote.**
81. Serie «El escritor y la crítica»: **El modernismo.** (Edición de Lily Litvak.)
82. Aurelio García Cantalapiedra: **Tiempo y vida de José Luis Hidalgo.**
83. Walter Benjamin: **Tentativas sobre Brecht (Iluminaciones, III).**
84. Mario Vargas Llosa: **La orgía perpetua (Flaubert y Madame Bovary).**
85. Serie «El escritor y la crítica»: **Rafael Alberti.** (Edición de Miguel Durán.)
86. Serie «El escritor y la crítica»: **Miguel Hernández.** (Edición de María de Gracia Ifach.)
87. Francisco Pérez Gutiérrez: **El problema religioso en la generación de 1868 (La leyenda de Dios).**
88. Serie «El escritor y la crítica»: **Jorge Luis Borges.** (Edición de Jaime Alazraki.)
89. Juan Benet: **En ciernes.**
90. Serie «El escritor y la crítica»: **Novelistas hispanoamericanos de hoy.** (Edición de Juan Loveluck.)
91. Germán Gullón: **El narrador en la novela del siglo XIX.**
92. Serie «El escritor y la crítica»: **Pedro Salinas.** (Edición de Andrew P. Debicki).
93. Gordon Brotheston: **Manuel Machado.**
94. Juan I. Ferreras: **El triunfo del liberalismo y de la novela histórica (1830-1870).**
95. Serie «Teoría y crítica literaria»: Fernando Lázaro Carreter: **Estudios de Poética (La obra en sí).**
96. Serie «El escritor y la crítica»: **Novelistas españoles de post-guerra, I.** (Edición de Rodolfo Cardona.)
97. Serie «El escritor y la crítica»: **Vicente Aleixandre.** (Edición de José Luis Cano.)
98. Fernando Savater: **La infancia recuperada.**
99. Vladimir Nabokov: **Opiniones contundentes.**
100. Hans Mayer: **Historia maldita de la Literatura. (La mujer, el homosexual, el judío.)**
101. Etiemble: **Ensayos de Literatura (verdaderamente) general.**
102. Joaquín Marco: **Literatura popular en España en los siglos XVIII y XIX (2 vols.).**
103. Serie «El escritor y la crítica»: **Luis Cernuda.** (Edición de Derek Harris.)
104. Edward M. Forster: **Ensayos críticos.**
105. Serie «El escritor y la crítica»: **Leopoldo Alas, «Clarín».** (Edición de José María Martínez Cachero.)
106. Saul Yurkievich: **La confabulación con la palabra.**
107. Stephen Gilman: **La España de Fernando de Rojas.**
108. Serie «El escritor y la crítica»: **Franciso de Quevedo.** (Edición de Gonzalo Sobejano.)

109. Ricardo Gullón: **Psicologías del autor y lógicas del personaje.**
110. Serie «El escritor y la crítica»: **Mariano José de Larra.** (Edición de Rubén Benítez.)
111. **Historia de las literaturas hispánicas no castellanas,** planeada y coordinada por José María Díez Borque.
112. Robert L. Stevenson: **Virginibus puerisque y otros escritos.**
113. Serie «El escritor y la crítica»: **El Simbolismo.** (Edición de José Olivio Jiménez.)
114. Mircea Marghescou: **El concepto de literariedad.**
115. Theodore Ziolkowski: **Imágenes desencantadas (Una iconología literaria).**
116. **Historia de la Literatura española,** planeada y coordinada por José María Díez Borque. Tomo I: **Edad Media.**
117. Idem, tomo II: **Renacimiento y Barroco (siglos XVI y XVII).**
118. Idem, tomo III: **Siglos XVIII y XIX.**
119. Idem, tomo IV: **El siglo XX.**
120. Hans Hinterhäuser: **Fin de siglo (Figuras y mitos).**
121. Serie «El escritor y la crítica»: **Pablo Neruda.** (Edición de Emir Rodríguez Monegal y Enrico Mario Santí.)
122. Ricardo Gullón: **Técnicas de Galdós.**
123. Lily Litvak: **Transformación industrial y literatura en España (1895-1905).**
124. Antonio Márquez: **Literatura e Inquisición.**
125. Manuel Ballestero: **Poesía y reflexión (La palabra en el tiempo).**
126. Serie «El escritor y la crítica»: **Julio Cortázar.** (Edición de Pedro Lastra.)
127. Serie «El escritor y la crítica»: **Juan Ramón Jiménez.** (Edición de Aurora de Albornoz.)
128. Agnes Gullón: **La novela experimental de Miguel Delibes.**
129. Serie «El escritor y la crítica»: **Gabriel García Márquez.** (Edición de Peter G. Earle.)
130. Louis Vax: **Las obras maestras de la literatura fantástica.**
131. Serie «El escritor y la crítica»: **Mario Vargas Llosa.** (Edición de José Miguel Oviedo.)
132. Juan Benet: **La moviola de Eurípides.**
133. Serie «El escritor y la crítica»: **Octavio Paz.** (Edición de Pere Gimferrer.)
134. Juan I. Ferreras: **La estructura paródica del Quijote.**
135. Antonio Risco: **Literatura y fantasía.**
136. José Mercado: **La seguidilla gitana.**
137. Gabriel Zaid: **La feria del progreso.**
138. Serie «El escritor y la crítica»: **El Surrealismo.** (Edición de Víctor G. de la Concha.)
139. Robert Scholes / Eric S. Rabkin: **La ciencia-ficción. Historia. Ciencia. Perspectiva.**
140. Ignacio Prat: **Estudios sobre poesía contemporánea.**
141. Serie «El escritor y la crítica»: **La novela lírica, I** («Azorín», Gabriel Miró). (Edición de Darío Villanueva.)
142. **La novela lírica, II** (Pérez de Ayala, B. Jarnés). (Edición de Darío Villanueva.)
143. Joaquín Casalduero: **Espronceda.**
144-145-146. Pedro Salinas: **Ensayos completos** (3 vols.).
147. Germán Gullón: **La novela como acto imaginativo.**
148. Luis Felipe Vivanco: **Diario (1946-1975).**
149. Lia Schwartz Lerner: **Metáfora y sátira en la obra de Quevedo.**
150. Varios autores: **Métodos de estudio de la obra literaria.**
152. Varios autores: **Historia del teatro en España** (tomo I).
153. Varios autores: **Historia del teatro en España** (tomo II).
154. Serie «El escritor y la crítica»: **El «Quijote» de Cervantes.** (Edición de George Haley.)
155. Serie «El escritor y la crítica»: **Gustavo Adolfo Bécquer.** (Edición de Russell P. Sebold.)

156. Varios autores: **Homenaje a Arturo Serrano Plaja.**
157. Stephen Gilman: **Galdós y el arte de la novela europea, 1867-1877.**
158. Serie «El escritor y la crítica»: **Lope de Vega.** (Edición de Antonio Sánchez Romeralo.)
159. Edward Baker: **La lira mecánica.** (En torno a la prosa de Antonio Machado.)
160. Serie «Teoría y crítica literaria»: Wayne C. Booth: **Retórica de la ironía.**
161. Richard L. Predmore: **Los poemas neoyorquinos de Federico García Lorca.**
162. Jo Labanyi: **Ironía e historia en «Tiempo de silencio».**
163. Philip W. Silver: **La casa de Anteo.** (Ensayos de poética hispana.)
164. Félix Grande: **Once artistas y un dios.** (Ensayos sobre la literatura hispanoamericana.)
165. Serie «Lingüística y Poética»: Manuel Crespillo: **Historia y crítica de la Lingüística transformatoria.**
166. Serie «Teoría y crítica literaria»: Northrop Frye: **El camino crítico.**
167. Serie «Teoría y crítica literaria»: Hans Robert Jauss: **Experiencia estética y hermenéutica literaria.**
168. Ignacio Prat: **El muchacho despatriado. (Juan Ramón Jiménez en Francia.)**
169. Serie «El escritor y la crítica»: **Fortunata y Jacinta, de Benito Pérez Galdós.** (Edición de Germán Gullón.)
170. Serie «El escritor y la crítica»: **Juan Benet.** (Edición de Kathleen M. Vernon.)
171. Varios autores: **Nuevos asedios al Modernismo.** (Edición de Ivan A. Schulman.)
172. Lily Litvak: **El sendero del tigre (Exotismo en la literatura española de finales del siglo XIX, 1880-1913).**